iklas Luhmann

Legitimation urch Verfahren

suhrkamp taschenbuch
wissenschaft

suhrkamp taschenbuch
wissenschaft 443

Zum liberalen, das alteuropäische Traditionsgut ablösenden Denken über Recht, Staat und Gesellschaft gehört die Annahme, daß rechtlich geordnete Verfahren zur Legitimation von rechtlich verbindlichen Entscheidungen beitragen, ja sie tragen können. Diese These ist, bewußt oder unbewußt, konzipiert worden, um das alteuropäische Modell einer hierarchischen Ordnung von Rechtsquellen und Rechtsmaterien zu ersetzen. Sie scheint mehr Offenheit für neuartige Normbildungen, mehr Elastizität und Anpassungsfähigkeit des Rechts und ein höheres Potential für strukturellen Wandel in der Gesellschaft in Aussicht zu stellen.
Luhmanns Studie versucht, eine Vorstellung von der Interdependenz zahlreicher Problemkreise zu vermitteln, in die eine Gesellschaft sich verstrickt, die ihr Recht nicht mehr durch invariant vorgefundene Wahrheiten, sondern nur oder doch primär durch Teilnahme an Verfahren legitimiert.
Niklas Luhmann, geboren 1927 in Lüneburg, ist nach einem Studium der Rechtswissenschaft und nach längerer Tätigkeit in der öffentlichen Verwaltung gegenwärtig Professor für Soziologie an der Universität Bielefeld. Veröffentlichungen u. a.: *Funktionen und Folgen formaler Organisation; Soziologische Aufklärung* (3 Bde.); *Zweckbegriff und Systemrationalität; Funktion der Religion;* (mit K. E. Schorr) *Reflexionsprobleme im Erziehungssystem;* (Hg. mit Stephan H. Pfürtner) *Theorietechnik und Moral;* (Hg. mit K. E. Schorr) *Zwischen Technologie und Selbstreferenz. Fragen an die Pädagogik; Gesellschaftsstruktur und Semantik. Studien zur Wissenssoziologie der modernen Gesellschaft* (2 Bde.); *Liebe als Passion. Zur Codierung von Intimität.*

Niklas Luhmann
Legitimation durch Verfahren

Suhrkamp

suhrkamp taschenbuch wissenschaft 443
Erste Auflage 1983

Die erste Auflage dieses Buches erschien 1969 im
Hermann Luchterhand Verlag. 1975 erschien die um ein neues
Vorwort und ein Sachregister erweiterte zweite Auflage, 1978 eine
gegenüber der zweiten unveränderte dritte Auflage. Diese Ausgabe
ist text- und seitenidentisch mit der dritten Auflage von 1978.
Suhrkamp Taschenbuch Verlag

Satz und Druck: Georg Wagner, Nördlingen
Printed in Germany
Umschlag nach Entwürfen von
Willy Fleckhaus und Rolf Staudt

1 2 3 4 5 6 – 88 87 86 85 84 83

Inhalt

Vorwort

Zum liberalen, das alteuropäische Traditionsgut ablösenden Denken über Recht, Staat und Gesellschaft gehört die Annahme, daß rechtlich geordnete Verfahren zur Legitimation von rechtlich verbindlichen Entscheidungen beitragen, ja sie tragen können. Diese These ist, bewußt oder unbewußt, konzipiert worden, um das alteuropäische Modell einer hierarchischen Ordnung von Rechtsquellen und Rechtsmaterien zu ersetzen. Sie scheint mehr Offenheit für neuartige Normbildungen, mehr Elastizität und Anpassungsfähigkeit des Rechts und ein höheres Potential für strukturellen Wandel in der Gesellschaft in Aussicht zu stellen. Wie im Bereich der »Gesellschaft« die Kategorie des Vertrags, so scheint im Bereich des »Staates« die Kategorie des Verfahrens jene Zauberformel zu bieten, die ein Höchstmaß an Sicherheit und Freiheit kombiniert, die täglich konkret praktikabel ist und doch als Institution alle Bestimmung der Zukunft überläßt. Vertrag und Verfahren – das scheinen evolutionär unwahrscheinliche Errungenschaften zu sein, die es der Gegenwart ermöglichen, sich selbst aufs Änderbare festzulegen und jede mögliche Zukunft auszuhalten.

Man kann sagen, das sei eine Ideologie der Revolutionäre und Kapitalisten gewesen. Man kann auch versuchen, die Bedingungen und den Grad der Realisierbarkeit einer solchen Errungenschaft abzutasten. Dazu hätte die Durkheimsche Frage nach den nichtvertraglichen Grundlagen des Vertrags als Vorbild dienen können – und uns in die dornigen Probleme einer allgemeinen Theorie der Gesellschaft geführt. Die hier vorgelegten Untersuchungen nehmen einen anderen Weg. Sie machen sich den Umstand zunutze, daß der Begriff der Legitimation längst schon durch Bezug auf die Faktizität des Meinens empirisch definiert ist, und sie versuchen, eine zweite Grundlage für eine Kontrolle der liberalen These in einer soziologischen Theorie des Verfahrens zu gewinnen. Verfahren wird hier als ein soziales System besonderer Art, also als Sinnverbundenheit faktischen Handelns begriffen, Legitimation als Übernahme bindender Entscheidungen in die eigene

Entscheidungsstruktur. Daraus ergeben sich Möglichkeiten, mit Hilfe systemtheoretischer und lerntheoretischer Grundlagen die liberale These einer empirischen Überprüfung näher zu bringen.

Die begriffliche Artikulation der einen Frage, ob Verfahren legitimieren können oder nicht, erzeugt zunächst freilich nur eine Kaskade weiterer Fragen und wenig Aussichten, das Gesamtproblem durch Zuspitzung auf wenige kritische Erfahrungen wissenschaftlich entscheidungsreif zu machen. Daher bleibt das Hauptziel dieses Buches ein vorläufiges, nämlich eine Vorstellung der Interdependenz zahlreicher Problemkreise zu vermitteln, in die eine Gesellschaft sich verstrickt, die ihr Recht nicht mehr durch invariant vorgefundene Wahrheiten, sondern nur oder doch primär durch Teilnahme an Verfahren legitimiert. An diesem, wenn man so will, enttäuschenden Ergebnis läßt sich ablesen, daß Legitimation durch Verfahren nicht als Wirkung einer oder einiger feststellbarer Ursachen begriffen werden kann, sondern als eine Systemleistung, die von sehr voraussetzungsvollen Strukturen abhängt und damit sehr komplex und nicht alternativlos determiniert ist. Eben das ist mit dem Begriff einer evolutionär unwahrscheinlichen Errungenschaft gesagt.

Die Arbeit an diesen Untersuchungen ist mir durch die Sozialforschungsstelle an der Universität Münster in Dortmund ermöglicht worden. Kollegialen Rat und Hilfe habe ich vor allem von den Herren Dr. Dr. Klaus König, Dr. Dr. Werner Krawietz und Dr. Dr. Rüdiger Lautmann erfahren, die ein Erstmanuskript kritisch durchgesehen und mir für die Endfassung manche Anregungen gegeben haben.

Bielefeld, im Mai 1969 Niklas Luhmann

Vorwort zur Neuauflage (1975)

Dieses Buch versucht, die für moderne politische Systeme zentrale Rechtsidee des Verfahrens mit sozialwissenschaftlichen und speziell mit systemtheoretischen Mitteln nachzukonstruieren. Der Versuch wurde als eine Herausforderung für die Juristen angezeigt[1] und hat wohl nicht nur auf Juristen so gewirkt. Die anschließende Diskussion hat gezeigt, daß die von mir vorgeschlagene Interpretation offenbar nicht alle Erwartungen befriedigt, die sich an altgebrauchte Begriffe wie Legitimität und Verfahren geheftet hatten. Dies dürfte daran liegen, daß systemtheoretische Begriffe gegenüber eingelebten Bedeutungsinhalten häufig zugleich spezieller und abstrakter eingesetzt werden müssen. Nur so können die mit ihnen verbundenen Erfahrungen und interdisziplinären Bezüge eingebracht werden. Das gilt besonders für diesen Fall. Unter diesen Umständen möchte ich die zweite Auflage nicht hinausgehen lassen, ohne gegenüber kritischen Einwänden einige der begrifflichen Optionen des Buches klarzustellen. Ich beziehe dabei auch neuere Überlegungen ein, ohne jedoch den Text des Buches selbst in Richtung auf eine nochmals stark abstrahierte Begriffssprache zu revidieren.

I.

Eine Reihe von Einwänden betrifft den Legitimitätsbegriff. Die Gegenargumente beschränken sich darauf, auf den konventionellen Begriff zurückzugreifen, der auf die Überzeugung von der Richtigkeit (Wahrheit, Gerechtigkeit) des *Inhalts* der Entscheidungen abgestellt hatte[2]. Diesem Einwand kann durch Hinweis auf die Konzentrationslager Nachdruck und Plausibilität verliehen werden.

Natürlich sollte man sich nicht in eine Position begeben, die solche Einrichtungen, wenn auch nur aus Versehen, mitlegitimiert. Aber das ist nicht das Problem, im Hinblick auf das eine Modifikation des Legitimitätsverständnisses mir notwendig erschien. Entscheidungsinhalte haben ihr eigenes Recht und ihre eigenen Begriffe, die mit Bezug auf grundlegende Werte und Normen der Rechtsordnung präzisiert werden können. Es ist schlicht überflüssig, dafür zusätzlich noch einen weiteren Begriff, den der Legitimität, bereitzustellen, nur um dann sagen zu können, gerechte Entscheidungen seien legitim, ungerechte Entscheidungen seien nichtlegitim.

Man sollte zunächst auch in der rechtswissenschaftlichen Diskussion notieren, daß es für einen einzelnen nicht *rational* sein kann, wegen kollektiver Vorteile im Hinblick auf generell anerkannte Werte eigene Interessen zurückzustecken oder gar faktische Nachteile in Kauf zu nehmen[3]. Wenn auch andere von den Prinzipien profitieren, ist es gerade rational, den Eigennachteil im Einzelfall kompensieren zu lassen und zu opponieren, bis das geschieht. Der konventionelle Legitimitätsbegriff spekuliert mithin auf ein vom individuellen Standpunkt aus irrationales Verhalten; er läßt sich gerade nicht mit einer Theorie rationaler Argumentation verbinden.

Hinzu kommt, daß faktischer, aktuell bewußter Konsens über relevante Entscheidungsinhalte empirisch nicht feststellbar, ja in hochkomplexen Gesellschaften mit rasch fluktuierenden Reglements völlig undenkbar ist. Man muß dann schon auf Mystifikationen wie »kollektives Hintergrundbewußtsein«[4] zurückgreifen oder sich ein Konsensbildungspotential vorstellen, das nie aktualisiert werden kann. Für diese Probleme muß man einen Ausweg finden – wenn nicht im Rahmen des konventionellen Legitimitätsverständnisses, dann eben mit Hilfe eines anderen. Mein Vorschlag ist: den Begriff der Legitimität mit Hilfe der Lerntheorie zu *temporalisieren* und die damit aufgegebene inhaltsabhängige Sicherheit durch *Differenzierung* und *Wiederverknüpfung* einer Mehrheit von Verfahren wiederzugewinnen. Genau darin sehe ich die politische Leistung der bürgerlichen Revolution. Es kam mir darauf an, diese Leistung in ihrer Formalität, Zeitstruktur und institutionellen Komplexität vor Augen zu führen – in einer Zeit, die in politischen Fragen wieder naiv zu werden und strukturelle Errungenschaften durch gute Absichten zu ersetzen beginnt.

Durch Arbeiten an einer Theorie symbolisch generalisierter Kommunikationsmedien[5] ist mir inzwischen auch bewußt geworden, daß es notwendig ist, die Funktionsweise solcher Kommunikationsmedien, darunter Wahrheit und Macht, von derjenigen der Selektionskriterien zu unterscheiden. Medien übertragen kontingente Selektionsleistungen. Ihre Funktionsweise ist nie voll durch Selektionskriterien gedeckt – nicht einmal im Falle der Wahrheit[6]. Diese Unterscheidung ist, wenn nicht aus logischen, so jedenfalls aus zeitbezogenen Gründen unerläßlich: Man kann Kommunikationserfolge und Selektionsübertragungen nicht so lange in der Schwebe halten, bis Kriterien entwickelt und zur Anwendung gebracht werden. Damit soll natürlich nicht ausgeschlossen werden, daß es Kriterien und kriteriengerechte Entscheidungen gibt. Nur kann Sondersymbolen für diese Funktion nicht die Gesamtfunktion eines Kommunikationsmediums anvertraut werden. Letztlich ist es damit nur durch Systembildung möglich, beides zu integrieren.

II.

Wer nur auf Selektionskriterien abstellt und ihr mögliches Versagen nicht als strukturelles Problem sieht, wird dazu tendieren, dies Buch als Theorie des im Verfahren ablaufenden Entscheidungsprozesses zu lesen – und zu verwerfen. So namentlich Josef Esser[7]. Es war jedoch nicht die Absicht dieses Buches, den Entscheidungsprozeß des Richters, des Gesetzgebers und des politischen Wählers zu skizzieren; das hätte ganz andere (und: Esser sehr viel näherkommende) Überlegungen erfordert. Vielmehr sollte eine dazu ergänzende Perspektive eingeführt werden. Verfahren werden als soziale Systeme gesehen, die mit Entscheidungsprozessen synchronisiert, aber nicht identisch sind. In diesen Interaktionssystemen werden einige, aber keineswegs alle Entscheidungsprämissen fixiert; darüber hinaus aber zum Beispiel auch Prämissen für das weitere Verhalten der Betroffenen, die auch eine Funktion erfüllen. Soziologisch gesehen schließt ein Verfahren nicht nur mit einer einzigen, rechtlich bindenden Entscheidung ab. Es läßt sich deshalb auch nicht allein im Hinblick auf den Zweck, bessere Entscheidungen zu erzielen, rationalisieren[8].

Essers eigene Analysen betonen die Transmission gesellschaftlicher Wertungen und Wertungsänderungen in den richterlichen

Entscheidungsprozeß; sie stellen heraus, daß und wie der Richter mit Hilfe begrifflicher Figuren und Argumentationsweisen gesellschaftliche Wertungen resorbiert und stehen insofern einer soziologischen Betrachtungsweise nahe. Sie bleiben als Konzeption des Verhältnisses von Gesellschaftssystem und Rechtssystem jedoch unvollständig. Die gesellschaftliche Adäquität einer Rechtsordnung, und selbst einer vollständig positivierten, in den Geltungsgrundlagen entscheidungsabhängigen Rechtsordnung, kann nicht allein auf Grund derjenigen Gesichtspunkte beurteilt werden, die in Entscheidungsprozessen Berücksichtigung finden. Sie ist nicht allein ein hermeneutisches Problem. Auch der Rollenkontext und die Interaktionsweise muß auf die gesellschaftliche Umwelt des Rechtssystems eingestellt sein. Eine Ausdifferenzierung in diesen Hinsichten entlastet nicht nur den Entscheidungsprozeß von vielerlei Rücksichten; sie erst ermöglicht auch eine dogmatisch kontrollierte Rezeption gesellschaftlicher Wertungen in ein Rechtssystem, das höheren Konsistenzansprüchen zu genügen hat. Die Interaktionsform des Verfahrens hat deshalb nicht nur die Funktion, brauchbare Entscheidungsgesichtspunkte herauszufiltern; sie dient auch ganz unmittelbar der Konfliktdämpfung, der Schwächung und Zermürbung der Beteiligten, der Umformung und Neutralisierung ihrer Motive im Laufe einer Geschichte, in der Darstellungen und Engagements in Darstellungen sich unter Eliminierung von Alternativen ändern. Nur wenn diese Möglichkeit institutionell gesichert ist, kann eine Gesellschaft auf andere, sehr viel drastischere Mittel der Konfliktrepression verzichten [9].

III.

Worin besteht nun eigentlich die Herausforderung für die Juristen und, wie sich gezeigt hat, für die Vertreter einer moralgeleiteten Praxis? Vermutlich ist einer der Anstoßpunkte, daß die Strukturen, die analysiert werden, sich nicht zu »Gründen« für richtiges Entscheiden oder richtiges Verhalten kondensieren lassen [10]. Dieser Verzicht auf »Gründe« im theoretischen Konzept hat nun seinerseits einen Grund, der sich angeben läßt. Die Funktion symbolisch *generalisierter* Kommunikationsmedien läßt sich nicht auf »intrinsic persuaders« reduzieren [11], so wichtig solche überzeugungskräftigen Argumente sind, wenn man ein Anliegen *situativ* voranbringen und Widerspruch *momentan* ausschalten will. In ihrer gesamtgesellschaftlichen Funktion und Effektivität müssen Kommunikationsmedien wie Macht und Wahrheit (Parsons entwickelt den Gedanken am Fall von »Einfluß«) jedoch davon abstrahieren, also über institutionelle Stützen verfügen, die Überzeugungsdefizite überbrücken. Nur im Hinblick auf Situationen, in denen es an selbstverständlichem Konsens fehlt und Einigungsmängel wahrscheinlich sind – nur im Hinblick auf Situationen mit gesteigerter Kontingenz werden überhaupt Kommunikationsmedien ausdifferenziert.

Natürlich bedeutet dies nicht, daß Argumente faktisch folgenlos sind, belanglos sind, gleichsam nur als interaktionelles Zeremoniell um des Dabeiseins willen aufgeführt werden. Sie haben Folgen im Einzelfall und zuweilen auch mittels einer Aggregation von Einzelfällen. Das Zusammenspiel generalisierter Symbolstrukturen und interaktiver Argumentation bedürfte eingehender Erforschung. Meine Vermutung ist, daß, wenn *beides* sozial notwendig ist, nicht so sehr die guten Gründe als vielmehr die katastrophalen Informationen den Zusammenhang vermitteln; denn Negationen haben stärker generalisierte Effekte. Für den Bereich von Wahrheit hat bekanntlich Popper diesen Gedanken unter der Bezeichnung Falsifikation ausgearbeitet. Auch Rechtskonstruktionen werden wohl eher an unerträglichen Folgen als an guten Gründen getestet. Ein Fall von offensichtlicher Schwäche ruiniert die Macht, ein Treubruch die Liebe. Das aber setzt voraus, daß die Normalität kommunikativer Übertragungsleistungen unabhängig davon gesichert ist. Das jeweils in Geltung befindliche Regelwerk des Rechts und die durch Lebenserfahrung bekannte Typik der Wahrscheinlichkeiten sichert diese Normalität in ebenfalls hochgeneralisierter Form. Und *diese* Kommunikationsstruktur läßt sich in Verfahrenssysteme integrieren, die in der Lage sein müssen, Entscheidungshinnahme auch unabhängig von der sachlichen Richtigkeit von Argumenten zu garantieren.

IV.

Aus Gründen, die in der methodologischen Diskussion viel erörtert worden sind, können funktionale Analysen ihren Gegenstand nicht »rechtfertigen«. Das wird von Kritikern, die mit dieser Diskussion nicht vertraut sind, zuweilen verkannt. Jürgen Rödig[12] zum Beispiel, der richtig sieht, daß dieses Buch den Entscheidungsprozeß mit seinen Inhalten ausklammert, meint, es befasse sich eben deshalb mit einem Nebenaspekt, der das Gerichtsverfahren nicht rechtfertigen könne. Offenbar wirkt die Darstellung einer Funktion auf ihn und auf andere wie eine versteckte Empfehlung, eine Krypto-Normierung. Ich kann nur betonen: das ist nicht gemeint, und wer diesen Eindruck bekommt, soll ihn allzu suggestiven Formulierungen zuschreiben und diskontieren.

Funktionale Analyse ist eine Technik der Entdeckung schon gelöster Probleme. Sie rekonstruiert mit Hilfe systemtheoretischer Annahmen mit Vorliebe solche Probleme, die in der gesellschaftlichen Wirklichkeit schon keine mehr sind, die also gleichsam hinter den Zwecken, Gründen und Rechtfertigungen liegen. Sie gewinnt damit einen relationalen Bezugsgesichtspunkt, eine Relationierung der im täglichen Leben kompakt erfahrenen Qualitäten, Eindrücke, Situationsfolgen. So wird es möglich, Vorhandenes als Problemlösung zu begreifen und entweder die Strukturbedingungen der Problematik oder die Problemlösungen zu variieren – zunächst der Leichtigkeit halber gedanklich, dann vielleicht auch in der Tat. Erst in diesem Schritt, erst beim Durchspielen möglicher Problemlösungen werden weitere, jenseits der spezifischen Funktion liegende Bedingungskontexte bewußt, die man situativ nicht hinreichend analysieren kann – und zwar weder in der Situation des Forschers, noch in der Situation des Praktikers. Diese Kontexte, die das Mögliche mitbedingen, führt man dann verkürzt als Wertungen ein: man nimmt zum Beispiel an, daß ein hohes Maß an Verrechtlichung von Konflikten für die Industrialisierung der Wirtschaft, für die Demokratisierung des politischen Prozesses, für den Erziehungsprozeß usw. erforderlich bleiben wird, obwohl man das nicht weiß, und setzt deshalb den Rechtsstaat als Wert. Wird das in Zweifel gezogen, hilft nur eine

Erweiterung der funktionalen Analyse; man muß dann auch hier die Probleme entdecken und spezifizieren, die in den Kompatibilitätsbedingungen von Rechtssystem, Wirtschaftssystem, politischem System, Erziehungssystem usw. stecken.

Begriffe, Theorien und Wertungen werden bei einem solchen Vorgehen ohne Einschränkungen unter Vorbehalt benutzt[13]. Nur so ist Universalismus des Anspruchs mit Aussagefähigkeit in der Situation zu kombinieren. Nur so kann in die aktuelle Gegenwart eine Zukunft einbezogen werden, die möglicherweise, ja wahrscheinlich ganz andersartige Gegenwarten erzeugen wird. Man hat dann eine ausreichende Sicherheit in der Kontrolle derjenigen Problemperspektiven, an denen sich die Frage des Übergangs zu anderen Formen entscheiden wird.

Es ging diesem Buch also nicht darum, die Institution des Verfahrens durch Nachweis einer Funktion zu »rechtfertigen«; es ging um ein Aufdecken des Problems, das sie löst, und das allzuleicht übersehen wird, weil es nicht identisch ist mit denjenigen Problemen, die man durch die Entscheidungen in den Verfahren zu lösen versucht.

Anmerkungen

1 Von Wolf Lepenies in der Franpfurter Allgemeinen Zeitung vom 5. Juni 1970.

2 So z. B. Peter Graf Kielmansegg, Legitimität als analytische Kategorie, Politische Vierteljahresschrift 12 (1971), S. 367–401; Reinhold Zippelius, Legitimation durch Verfahren? Festschrift Karl Larenz, München 1973, S. 293–304. Ähnlich, aber mit einem formaleren Legitimitätsbegriff, Hans Ryffel, Rechtssoziologie: Eine systematische Orientierung, Neuwied–Berlin 1974, S. 112 f., 289.

3 Vgl. Mancur Olson, Jr., The Logic of Collective Action: Public Goods and the Theory of Groups, Cambridge Mass. 1965.

4 Kielmansegg, a. a. O., S. 397.

5 Vgl. einstweilen Niklas Luhmann, Einführende Bemerkungen zu einer Theorie symbolisch generalisierter Kommunikationsmedien, Zeitschrift für Soziologie 3 (1974), S. 236–255; ferner ders., Macht, Stuttgart (im Druck).

6 Dazu Karl R. Popper, Objective Knowledge: An Evolutionary Approach, Oxford 1972, S. 317 f., 321, der in der Identifikation

von Wahrheit und Selektionskriterium den Kerngedanken des Positivismus sieht.

7 In: Vorverständnis und Methodenwahl in der Rechtsfindung: Rationalitätsgarantien der richterlichen Entscheidungspraxis, Frankfurt 1970. Nahestehend in der Akzentuierung kommunikativer Verständigung und inhaltlicher Legitimität Hubert R. Rottleuthner, Zur Soziologie richterlichen Handelns, Kritische Justiz 1970, S. 282—306, 1971, S. 60—88; ders., Rechtswissenschaft als Sozialwissenschaft, Frankfurt 1973, S. 141—167; Andrés Ollero, »Systemtheorie: Filosofia del derecho o sociologia juridica? Anales de la Catedra Francisco Suarez 13 (1973), S. 147—177. Unhaltbar ist vor allem die Argumentation von Rottleuthner, der Esser, der auf vernünftig-kommunikabler Einsicht besteht, vorwirft, er verkenne, daß dies von Richtern im Verfahren gar nicht geleistet werde; mir dagegen, der genau dies behauptet, vorwirft, ich übergehe das Problem inhaltlicher Legitimität und ihrer kommunikativen Vermittlung. Das ist Frankfurter Stil: eine Mixtur aus politischer Fehleinschätzung und moralischem Illusionismus, die selbst ohne jeden Anschluß an relevante Theorieentwicklungen bleibt.

8 Vgl. dazu Othmar Jauernig, Materielles Recht und Prozeßrecht, Juristische Schulung 11 (1971), S. 329—334.

9 Gutes Vergleichsmaterial bietet jetzt Volkmar Gessner, Recht und Konflikte: Eine soziologische Untersuchung privatrechtlicher Konflikte in Mexico, Habilitationsschrift Bielefeld 1974 (Ms.). Diese und ähnliche (vor allem japanische) Untersuchungen rechtlich gestützter Konfliktbereitschaft lassen zugleich Zweifel aufkommen, ob die effektive Institutionalisierung rechtlich geregelter Verfahren ein notwendiges Korrelat industrieller Entwicklung ist.

10 Vgl. die beharrliche Frage von Zippelius a. a. O., S. 297, worin denn eigentlich die *Gründe* für die Hinnahme der Entscheidung bestehen.

11 Dazu Talcott Parsons, On the Concept of Influence, Public Opinion Quarterly 27 (1963), S. 37—62 (48).

12 Theorie des gerichtlichen Erkenntnisverfahrens: Grundlinien des zivil-, straf- und verwaltungsgerichtlichen Prozesses, Berlin — Heidelberg — New York 1973, S. 41 ff.

13 »avec des reserves«, formuliert Gaston Bachelard, Le matérialisme rationnel, Paris 1953, 3. Aufl. 1972, S. 126, für die begrifflichen Optionen einer wohl anerkannten Wissenschaft: der Chemie.

I. Grundlagen

1. Die klassische Konzeption des Verfahrens

Rechtlich geordnete Verfahren der Entscheidungsfindung gehören zu den auffälligsten Merkmalen des politischen Systems moderner Gesellschaften. Sie zieren zumindest die Fassade solcher Systeme; sie gewinnen aber auch für den Inhalt der Entscheidungen, selbst wenn er von Sachkriterien bestimmt sein soll, eine schwer abzuschätzende, in merkwürdigem Zwielicht stehende Bedeutung. Für liberale Staatsdenker konnten Verfahrensregelungen nahezu das Wesen von Staat und Recht ausmachen[1], wenngleich sie sich zu einem konsequenten Verzicht auf sachliche Kriterien der Richtigkeit des Entscheidens nicht entschließen konnten und so das relative Gewicht verfahrensmäßiger und sachlicher Verhaltensprämissen ein Problem blieb.

Vielleicht ist die Ungelöstheit dieses Problems der innere Grund, der das Entstehen einer einheitlichen Theorie aller rechtlich geregelten Verfahren verhindert hat, die in so vielgestaltiger Form durch Behörden, Gerichte, Parlamente, bei Wahlen, Planungen, Rechtsanwendungen, Zuteilungsentscheidungen usw. praktiziert werden. Eine angemessene Theorie des Verfahrens schlechthin hat weder die liberale noch eine andere Richtung des Rechts- und Staatsdenkens hervorgebracht[2]. Sie fehlt auch im engeren juristischen Schrifttum. Insofern ist es eine Übertreibung, von der »klassischen Konzeption des Verfahrens« zu sprechen. Und doch drängt sich, wenn man Ausführungen über Wahlrecht, Geschäftsordnungen für Parlamente, Kabinette, Ministerien, Ausschüsse oder über Verfahrensgesetze für Gerichte oder Verwaltungen liest, eine letzte Einheitlichkeit der Betrachtungsweise, eine gewisse Homogenität der Vorurteile auf. Man wird zum

1 Vgl. etwa Ernest Barker: Reflections on Government, London 1942, S. 206 ff. in bezug auf Verfahren der Gesetzgebung.

2 Am weitesten und konsequentesten vorgedrungen in dem Bestreben, alles Recht auf Verfahrensrecht zurückzuführen, ist die sog. »reine Rechtslehre«. Als einen Versuch transzendentaler Begründung des Rechts in verfahrensmäßig geordneten Erkenntnisprozessen siehe Fritz Sander: Die transzendentale Methode der Rechtsphilosophie und der Begriff des Rechtsverfahrens. Zeitschrift für öffentliches Recht 1 (1919–20), S. 468–507.

Beispiel typisch die Erwartungen finden, daß das Verfahren selbst kein Wahrheitskriterium ist, aber die Richtigkeit des Entscheidens fördert; daß es Kommunikation ermöglicht und kanalisiert; daß es das Zustandekommen von Entscheidungen garantiert, und zwar unabhängig davon, ob die Logik funktioniert und das Ausrechnen einzig richtiger Lösungen ermöglicht oder nicht; daß es der Ausmerzung voraussehbarer Störungen der Wahrheitsfindung dient. Auf Grund solcher Erwartungen kann man so etwas wie eine klassische Konzeption des Verfahrens vermuten, aber sie steckt mehr in unformulierten Prämissen und wertgebundenen Zweckumschreibungen als in einer ausgearbeiteten, kritikfähigen Theorie. Sie begnügt sich mit sehr vagen, empirisch ungeprüften Vermutungen über die Eignung von Mitteln (wenn zum Beispiel angenommen wird, daß Öffentlichkeit des Verfahrens die Wahrheitsfindung fördere). Die sozialen Verhaltensbedingungen und die Verankerung des Verfahrens in umfassenderen, vorstrukturierten Systemen der Gesellschaft bleiben im dunkeln.

Die bisherigen Bemühungen um eine allgemeine Verfahrenslehre haben sich unter dem Einfluß von Kelsen bewußt von der Rechtssoziologie abgesetzt und sich betont rechtsimmanent verstanden. Sie konnten methodenstreng überhaupt nicht von Verfahren, sondern nur von Verfahrensrecht handeln. Die Schwierigkeiten, in die ein sich selbst begründender Rechtspositivismus als Theorie gerät, sind inzwischen jedoch offensichtlich. Das legt es nahe, den umgekehrten Weg zu gehen und sich an die Soziologie zu wenden und nach einer soziologischen Theorie des Verfahrens (nicht: des Verfahrensrechts!) zu fragen[3]. Dabei kann es nicht lediglich darum gehen, das faktische Verhalten der Verfahrensbeteiligten empirisch zu erfassen und gegen die Norm in Kontrast zu setzen. Soziologische Untersuchungen darüber, wie

3 Die Frage, ob eine solche Verfahrenstheorie rechtspolitische Anregungen für eine Ausgestaltung des Verfahrensrechts zu geben vermag, lassen wir offen, ebenso wie die weitere Frage, ob die Rechtswissenschaft soziale Strukturen in ihre eigene Begriffsstruktur übernehmen und dort wiedergeben kann. Zum letzteren siehe neuestens Friedrich Müller: Normstruktur und Normativität. Zum Verhältnis von Recht und Wirklichkeit in der juristischen Hermeneutik, entwickelt an Fragen der Verfassungsinterpretation, Berlin 1966.

der Richter wirklich entscheidet, welche Gefühle ihn bewegen und welche Interessen ihn bestimmen, darüber, welche Faktoren in der politischen Wahl eine Rolle spielen, oder darüber, welche Einflüsse sichtbarer oder unsichtbarer Art den Gang parlamentarischer Verhandlungen lenken, sind von großem Wert, haben aber bisher ebenfalls keine Ansatzpunkte zu einer allgemeinen Theorie des rechtlich geregelten Verfahrens hervorgebracht. Weder reine Rechtslehren noch reine Wirklichkeitslehren können einem Thema gerecht werden, das in vorgegebenen Sinnstrukturen und im wirklichen Verhalten *zwei* Pole hat, die in bezug aufeinander als variabel gedacht werden müssen.

Immerhin hat die soziologische Theorie in engem Zusammenhang mit empirischen Forschungen in den letzten Jahrzehnten kräftige Schritte voran getan. Die Rechtssoziologie muß versuchen, Kontakt zu dieser Entwicklung zu gewinnen. Das würde ihr die Möglichkeit eröffnen, Erwartungen über den Sinn rechtlicher Regelungen, hier über den Sinn rechtlich geregelter Verfahren, mit soziologischen Denkmitteln zu überprüfen. Ein solcher Versuch soll in den ersten beiden Kapiteln dieser Studie unternommen werden. Er wird die Denkvoraussetzungen dessen, was wir dann klassische Theorie des Verfahrens nennen können, mit Hilfe einer inkongruenten soziologischen Perspektive beleuchten, bewußt machen und zugleich der Kritik aussetzen. Diese Kritik wird dann der Anlaß sein, das Problem der Legitimation (und nicht das Problem der Wahrheit bzw. Richtigkeit der Entscheidung) ins Zentrum der Theorie des Verfahrens zu rücken und die weiteren Überlegungen daran auszurichten.

Da es keine einheitliche Verfahrenslehre als Vorlage für eine solche Untersuchung gibt, müssen wir bei bestimmten Verfahrensarten ansetzen. Wir wählen dafür Verfahren, die im heutigen politischen System besondere, strukturtragende Bedeutung gewonnen haben: das Verfahren der politischen Wahl, das parlamentarische Gesetzgebungsverfahren und den gerichtlichen Prozeß.

Angegebenes Ziel der politischen Wahl ist die Besetzung der politisch entscheidenden Instanzen mit besonders befähigten Personen, die richtig, das heißt nach Maßgabe des Volkswillens, entscheiden werden, die in diesem Sinne also wahr repräsentieren können. Diesem Ziel dienen nach dem Leitgedanken der Institution die Prinzipien, nach denen die Wahl organisiert wird, vor allem die Konkurrenz um das Amt, die Freiheit, Allgemeinheit und Gleichheit der Wahl, die Geheimhaltung der Stimmenabgabe sowie, weniger oft genannt, aber ebenso wichtig, die Spezifikation und Vorstrukturierung der Abstimmungskommunikation: Der Wähler kann nichts weiter tun als seinen Stimmzettel ankreuzen. Wie jenes Ziel auf diesem Wege erreicht werden kann, bleibt zunächst unklar. Manche Annahmen wie etwa die, daß Konkurrenz um das Amt die am besten Befähigten ins Amt bringe, können als durch Erfahrung widerlegt gelten[4]. Zur Nachkonstruktion des Kausalverhältnisses scheinen ideologische Zusatzannahmen unentbehrlich zu sein – etwa die über eine latent vorhandene und nur auszudrückende volonté générale oder die über den vollständig informierten, rein rational entscheidenden Einzelwähler. Aber diese Zusatzannahmen sind nicht nur empirisch unhaltbar; sie lassen sich auch nicht in das Verfahren einbauen, ohne daß es zerstört würde – im ersten Falle der volonté générale durch Umwandlung in rein expressive Akklamation, im Falle des rationalen Einzelwählers durch Nichtzulassung all derjenigen Wähler, welche die Voraussetzung voller Information und rationaler Entscheidungsfähigkeit nicht erfüllen.

Bei solchen Selbstwidersprüchen in den Leitgedanken der Institution muß allzu scharfe Bewußtheit korrumpierend wirken. Auf Grund jener klassischen Annahmen war keine Theorie des Verfahrens zu entwickeln. Die soziologische Analyse hat dagegen die Möglichkeit, die genannten Prinzipien der politischen Wahl mitsamt ihrer Widersprüchlichkeit auf ihre latenten Funktionen hin zu untersuchen und ihren Sinn und die Bedingungen ihrer Stabilität gegebenenfalls in diesen Funktionen zu erkennen. Eine solche Analyse werden wir im Kapitel III 3 versuchen; und sie wird zu dem Ergebnis führen, daß die Prinzipien des Verfahrens

4 Selbst in den Vereinigten Staaten ist man inzwischen zu der Erkenntnis gelangt, es sei clearly wrong to suppose that political competition is either virtually universal or universally virtuous – so James D. Barber: The Lawmakers. Recruitment and Adaptation to Legislative Life. New Haven–London 1965, S. 1 ff. (4), mit weiteren Literaturhinweisen zu diesem Problem.

politischer Wahl ein Kommunikationssystem errichten, das durch Rollentrennung gesellschaftlich relativ autonom gesetzt ist und in dieser Eigenschaft zur Erzeugung legitimer politischer Entscheidungsmacht beitragen kann.

Nicht weniger fragwürdig ist der deklarierte Zweck des parlamentarischen Gesetzgebungsverfahrens und seiner Hilfsinstitutionen. In ihm allein den »Geist« des Parlamentarismus zu vermuten und mit dem »Geist« die »Substanz« schwinden zu sehen[5], wäre jedoch ebenso wie beim Verfahren der politischen Wahl ein bedenkliches Fehlurteil. Der offizielle, rechtfertigende Sinn des parlamentarischen Verfahrens ist am Zweck der Wahrheit der Entscheidungsgrundlagen und der Richtigkeit des Entscheidens in offenen, noch nicht programmierten Situationen orientiert. Deshalb steht die öffentliche Diskussion unter dafür ausgewählten, gleichberechtigten Bürgern im Mittelpunkt der Institution. Deshalb sind Weisungsgebundenheit, Fraktionszwang, Tausch konkreter Vorteile, Rollenverflechtungen suspekt, wenn nicht verboten. Deshalb ist das Parlament, seiner juristischen Konstruktion nach, keine bürokratische Behörde, sondern eine bei Bedarf abgehaltene Tagungsreihe. Deshalb wird Freiheit der Rede, ja des gesamten Verhaltens über das allgemein übliche Maß hinaus durch Immunitäten besonders geschützt. Deshalb soll der Abgeordnete nur seinem Gewissen verantwortlich sein. Und deshalb ist auch die parlamentarische Prozedur auf wiederholte, abwägende Diskussion aller Gesichtspunkte ausgerichtet und sperrt impulsive Aufwallungen und plötzliche, unvorbereitete Entschlüsse aus. All diese Vorkehrungen scheinen auf Wahrheit hin konzipiert zu sein – und nicht etwa auf Macht, Geld, Liebe, Ehre oder Glauben.

Indes: Auch hier muß die Frage kommen, wie dieses Ziel und jene Mittel harmonieren. Kann denn Wahrheit dadurch erreicht werden, daß alle Beteiligten zwanglos reden, was ihr Gewissen ihnen eingibt? Und vor allem: kann dies in der hochkomplexen, unprogrammierten Situation der Gesetzgebung so sein, in der alles geändert werden könnte? Man findet auch hier gedankliche

5 So bekanntlich Carl Schmitt: Die geistesgeschichtliche Lage des heutigen Parlamentarismus, 3. Aufl., Berlin 1961.

Hilfskonstruktionen, welche die Spannung zwischen Zweck und institutioneller Ausrüstung mildern und diese glaubwürdiger machen – so besonders den alten Gesetzesbegriff, der mit der Allgemeinheit der Form die Allgemeingültigkeit im Sinne von Wahrheit sichern zu können glaubte[6], oder der Gedanke, daß Konkurrenz der Meinungen genüge, um Wahrheit zu sichern. Auch diese Zusatzannahmen unterminieren jedoch, konsequent durchdacht, den offiziell angegebenen Sinn des Verfahrens, da nach ihnen letztlich Beliebiges wahr werden kann, wenn es die Form eines allgemeinen Gesetzes annimmt oder aus Konkurrenz hervorgeht, als Beliebiges aber die Anstrengungen eines Verfahrens nicht mehr lohnt. Nach alldem ist zu vermuten, daß eine soziologische Analyse auch dem parlamentarischen Verfahren der Gesetzgebung latente Funktionen nachweisen kann; ist doch kaum anzunehmen, daß eine so verbreitete und lebenskräftige Institution lediglich aus musealen Gründen aufbewahrt wird.

Bei den gerichtlichen Verfahren der Rechtsanwendung tritt eine solche Diskrepanz von offiziellem Zweck, institutioneller Ausrüstung und latenten Funktionen weniger offen zutage. Die Selbstdarstellung der Justiz ist in der rechts- und staatstheoretischen Diskussion eher akzeptiert und jedenfalls nicht mit gleicher Schärfe und Überzeugungskraft entlarvt worden wie die der demokratischen Wahl und die der parlamentarischen Gesetzgebung – vermutlich weil die Entscheidungssituationen der Justiz besser strukturiert sind und ihr Zweck daher besser operationalisiert werden kann. Und doch liegt auch hier der Sachverhalt nicht wesentlich anders.

6 Zu diesem Gesetzesbegriff gehörte wesentlich der Rekurs auf Natur im Sinne eines immanent wahren Seins, das keiner spezifischen Kausalität zu seiner Begründung bedürfe und gelte, »selbst wenn Gott nicht wäre oder sich nicht um die menschlichen Angelegenheiten kümmerte« (Hugo Grotius: De iure belli ac pacis libri tres. Prolegomena 11 [zit. nach der Ausgabe Amsterdam 1720, S. x]). Davon blieb nach dem Zusammenbruch des Naturrechts im Sinne eines wahr vorgegebenen Rechts nur der formale Kern des Naturgedankens (vgl. auch unten III. Teil, Kap. 1 Anm. 11): die Zurückweisung externer Verursachung, die jetzt als Zurückweisung der Determination des Gesetzesinhalts durch spezifische gesellschaftliche Interessen verstanden wird und so keinen Bezug zur Wahrheit mehr aufweist. Zur staatsrechtlichen Diskussion im einzelnen vgl. Ernst-Wolfgang Böckenförde: Gesetz und gesetzgebende Gewalt. Von den Anfängen der deutschen Staatsrechtslehre bis zur Höhe des staatsrechtlichen Positivismus, Berlin 1958.

Der Sinn des rechtlich geregelten Gerichtsverfahrens wird von den herrschenden Prozeßlehren ebenfalls auf einen Wahrheitswert bezogen, auf ein richtiges Erkennen dessen, was als Recht gilt und im Einzelfall Rechtens ist. Dabei ist, wie auch im Falle der politischen Wahl und der Gesetzgebung, vorgesehen, daß das Richtige durch Entscheidung verwirklicht wird. Demgemäß wird der Hauptzweck des Gerichtsverfahrens gemeinhin als Rechtsschutz angegeben und in dieser Fassung als Rechtfertigung der einzelnen Institute des Prozeßrechts benutzt[7]. Diese Auffassung hat jedoch ihre Schwierigkeiten mit dem Problem der unrichtigen, aber rechtskräftig werdenden Entscheidung. Sie muß, ähnlich wie die teleologische Handlungslehre der Scholastik, das »Wesen« des Prozesses durch ein Merkmal definieren, das keineswegs notwendig mit ihm verbunden ist[8], oder sie muß auf widersprüchliche Doppelformeln, etwa Rechtsschutz und Rechtsfrieden, zurückgreifen, die richtige und unrichtige Entscheidungen decken[9]. Damit aber kommt jenes Moment der Beliebigkeit in die Institution, das wir schon bei den Prinzipien der parlamentarischen Gesetzgebung beobachtet hatten und das den Sinn des Verfahrens aufhebt: Es ergibt keine zureichende Instruktion für den Entscheidenden, wenn der Prozeß dafür eingerichtet wird, um der Wahrheit *oder* des Friedens willen richtige *oder* unrichtige Entscheidungen zu erzeugen. Sowenig bestritten werden kann, daß es sinnvoll und wertvoll ist, sich im gerichtlichen Verfahren um die Feststellung der Wahrheit zu bemühen, sowenig kann aus einem wünschenswerten Ziel dieser Art ein Schluß auf das

7 Siehe z. B. Friedrich Stein/Martin Jonas/Adolf Schönke/Rudolf Pohle: Kommentar zur Zivilprozeßordnung, 18. Aufl., Tübingen 1953, Bd. 1 Einl. C, die Rechtsschutz und Rechtsfrieden nebeneinander nennen. Ähnlich Leo Rosenberg: Lehrbuch des deutschen Zivilprozeßrechts, 9. Aufl., München-Berlin 1961, S. 2 f. Vgl. ferner Franz Becker: Das allgemeine Verwaltungsverfahren in Theorie und Gesetzgebung. Eine rechtsvergleichende Untersuchung, Stuttgart-Brüssel 1960, S. 18; Carl Hermann Ule: Verwaltungsprozeßrecht, 4. Aufl., München-Berlin 1966, S. 1 ff.; Klaus König: Der Begriff des Rechtsschutzes und die öffentliche Verwaltung. In: Studien über Recht und Verwaltung, Köln-Berlin-Bonn-München 1967, S. 59-80.

8 Vgl. auch die eindringliche Kritik bei James Goldschmidt: Der Prozeß als Rechtslage. Eine Kritik des prozessualen Denkens, Berlin 1925.

9 In der allgemeinen Prozeßtheorie unterstreicht z. B. Eduardo J. Couture: El proceso como institución. In: Studi in onore di Enrico Redenti, Mailand 1951, Bd. 1, S. 349-373, die Zielstrebigkeit des Prozesses, ohne sich durch die Mehrheit (und Widersprüchlichkeit) der angegebenen Ziele beirren zu lassen.

Wesen der Sache selbst, auf die Erlaubtheit oder Richtigkeit von Mitteln[10] oder auch nur auf die faktischen Funktionen des Verfahrens gezogen werden: Ein Gebot an die Beteiligten ist noch keine zureichende Theorie ihres Verhaltens[11].

Diese Vorüberlegungen zu drei sehr verschiedenartigen, rechtlich geregelten Verfahren lassen bereits so viel Gemeinsames erkennen, daß die Grundlagen der klassischen Konzeption des Verfahrens formuliert werden können. Kern aller klassischen Verfahrenslehren ist der Bezug auf Wahrheit oder wahre Gerechtigkeit als Ziel. »Toutes les combinaisons de la machine politique doivent donc tendre, d'une part, à extraire de la société tout ce qu'elle possède de raison, de justice, de vérité, pour les appliquer à son gouvernement; de l'autre, à provoquer les progrès de la société dans la raison, la vérité, et à faire incessament passer ces progrès de la société dans son gouvernement.« – So schließt Guizot die sechste Lektion seiner Geschichte des Repräsentativsystems[12]. Solche Zielsetzungen stützen und verstärken einen ausgesprochen antibürokratischen Affekt der Verfahrenslehren und ihrer institutionellen Postulate. Sie sind gegen die Verwalter

10 Es gibt z. B. Mittel der Wahrheitsfindung, die unzulässig sind, weil den Teilnehmern die Möglichkeit offengehalten werden muß, mit Würde die Unwahrheit zu sagen. Vgl. näher unten S. 97 f. Im übrigen führt der Schluß von diesem Zweck auf geeignete Mittel nur zu sehr unbestimmten Daumenregeln, die die Entscheidung im Einzelfall nicht erübrigen. Vgl. dazu Erich Döhring: Die Erforschung des Sachverhalts im Prozeß. Beweiserhebung und Beweiswürdigung. Ein Lehrbuch, Berlin 1964, S. 4 f.

11 Weitere Bedenken gegen die Auffassung, daß Wahrheit das Ziel des Prozesses sei, ergeben sich bei einer genaueren Analyse des gerichtlichen Beweisverfahrens. Siehe dazu in Form einer Gegenüberstellung wissenschaftlicher und judizieller Beweise Henri Lévy-Bruhl: La preuve judiciaire. Etude de sociologie juridique, Paris 1964, S. 21 ff. Die Beweisführung vor Gericht zielt nach Lévy-Bruhl nicht auf Wahrheit, sondern darauf, innerhalb begrenzter Zeit relevante Überzeugungen zu bilden. Ein anderer Kritiker der vorherrschenden Auffassung war Ludwig Bendix. Siehe: Der alte Geist in den neuen Regierungsentwürfen zum Gerichtsverfassungsgesetz und zum Rechtsgange in Strafsachen. Juristische Wochenschrift 49 (1920), S. 267–269 (268), mit weiteren Hinweisen. Neuerdings hat Vilhelm Aubert sich mehrfach mit einer Kontrastierung juristischer Mentalität und wissenschaftlicher Wahrheitssuche befaßt. Vgl. Legal Justice and Mental Health. Psychiatry 21 (1958), S. 101–113; ders./Sheldon L. Messinger: The Criminal and the Sick. Inquiry 1 (1958), S. 137–160; beides neu gedruckt in ders.: The Hidden Society, Totowa/N. J. 1965; ders.: The Structure of Legal Thinking. In: Legal Essays. Festskrift til Frede Castberg, Kopenhagen 1963, S. 41–63.

12 M. Guizot: Histoire des origines du gouvernement représentatif en Europe, Bd. 1, Brüssel 1851, S. 78.

der Macht gerichtet. Das gilt für die »rechtsstaatlichen« Verfahrensvorstellungen der deutschen Tradition[13], die der Bürokratie wegen ihrer *politischen* Abhängigkeit Mißtrauen entgegenbringt und deshalb Verfahrensregelungen in eigentümlicher Weise mit subjektiven Rechten gegen den Staat verbindet[14]. Aber auch die »due process«-Klausel der amerikanischen Verfassung hat ihr Bezugsproblem in der Macht der Bürokratie und den Gefahren ihres Mißbrauchs; und auch sie steht in so engem Zusammenhang mit den materiellen Freiheitsrechten, daß sie ihren Auslegern zunächst nicht nur verfahrensmäßige, sondern auch substantielle Rechtsgarantien zu enthalten schien und beide Gesichtspunkte erst spät in der Auslegungsgeschichte getrennt wurden[15]. Gerichtsverfahren kontrollieren die Entscheidungen der Bürokratie im Einzelfall bzw. werden selbst als unter die Herrschaft des Rechts gebeugte bürokratische Prozeduren begriffen. Parlamentarische Verfahren programmieren die Bürokratie und bewilligen ihre finanzielle Ausstattung. Die Wahl der Volksrepräsentanten unterwirft die Bürokratie einer mehr oder weniger weitreichenden Kontrolle von oben. In all diesen Verfahren verfestigt sich die Idee einer von den Machthabern unabhängigen, ihnen entgegen-

13 Zu ihrer Frühgeschichte siehe Wolfgang Rüfner: Verwaltungsrechtsschutz in Preußen von 1749–1842, Bonn 1962.

14 Und zwar zeitweilig selbst auf dem so bürokratiefernen Gebiet des Zivilprozesses, wie die Figur des »Rechtsschutzanspruchs« zeigt.

15 Hierzu findet sich eine gute Darstellung bei Paul G. Kaupers: The Frontiers of Constitutional Liberty, Ann Arbor 1956, darunter eine Formulierung, die deutlich macht, daß die Unterscheidung von substantiellen und verfahrensmäßigen Garantien sich lediglich auf verschiedene Verfahren bezieht, nämlich der Trennung von rechtsetzenden und rechtsanwendenden Verfahren entspricht: »The substantive liberties assume their central significance as limitations on the legislative power in molding and reshaping the basic policy of the state. The procedural safeguards assume their principal significance historically as restraints on executive and judicial power in insuring personal security when pitted against the administration of criminal justice« (S. 146). Diese Ausführungen zeigen zugleich, daß der Amerikaner die Gefahren der Macht nicht nur in der Exekutive, sondern in allen Staatsorganen wittert und daher nicht an eine *externe* Kontrolle durch andere, dem Recht und der Wahrheit näherstehende Organe denkt, sondern an eine *interne* Bindung allen Staatshandelns durch Rechtsschranken und Verfahrensregelungen. Das schließt die parlamentarische Demokratie ebenso aus wie den Justizstaat. – Zur »due process«-Klausel vgl. ferner Rolf Deppeler: »Due Process of Law«. Ein Kapitel amerikanischer Verfassungsgeschichte. Beitrag zur Erhellung des Problems der Verfassungsinterpretation, Diss. Bern 1957.

gehaltenen Wahrheit und Gerechtigkeit[16]. Unter diesen Voraussetzungen und in dieser polemischen Perspektive gegen die Macht war es nicht möglich, den Sinn rechtlich geregelter Verfahren in der Legitimierung der Macht zu sehen.

Die zentrale Stellung des Wahrheitswertes und daran orientierter Erkenntnisfunktionen in den Verfahrenslehren hat denkgeschichtlich zweifellos alte Wurzeln, konnte aber so lange wohl nur deshalb überleben, weil sie jener Polemik gegen die Bürokratie Deckung und Darstellungsmöglichkeiten bot. Inzwischen hat jedoch das neuzeitliche Denken den Wahrheitsbegriff im Zusammenhang mit der Entwicklung der Wissenschaften präzisiert und an sehr strenge methodische Voraussetzungen gebunden, hat damit den Naturrechtsgedanken zersetzt und hat das Recht positiviert, das heißt auf Entscheidungsverfahren umgegründet. Nach alldem ist schwer zu sehen, wie anders als durch ein Vorurteil die Auffassung festgehalten werden könnte, daß wahre Erkenntnis und wahre Gerechtigkeit das Ziel und damit das Wesen rechtlich geregelter Verfahren seien, und wenn, wie ein solches Ziel erreicht werden könnte. Ein Verfahren wäre nach dieser Auffassung eine von anderen gesellschaftlichen Rollen abgesonderte, relativ autonom gesetzte Rollenstruktur, in der Kommunikation mit dem Ziele richtiger (an Wahrheit orientierter, gerechter, rechtmäßiger) Entscheidung betrieben wird. Selbst wenn man diese schon mehr soziologisch gefärbte Formulierung einsetzt, wird jedoch nicht recht verständlich, vielmehr vollends fragwürdig, wie in einem solchen Rollensystem Wahrheit im Sinne von einzig richtiger, alle überzeugender Lösung der Entscheidungsprobleme garantiert werden kann.

Die Ausdifferenzierung verfahrensspezifischer Rollen für die

16 Die historischen Gründe dafür können hier nicht angemessen aufgedeckt werden. Sie liegen einerseits in der transzendenten, über die politische Gesellschaft hinausreichenden Begründung der Rechtsidee im Mittelalter, zum anderen darin, daß die neuartige Machtautonomie des politischen Systems im neuzeitlichen »Staat« zunächst in der bürokratischen Exekutive als gefährlich sichtbar und kontrollbedürftig wurde. Nebenbei: Parsons sieht in einer solchen Trennung von Recht und politischem System einen *dauerhaften* Entwicklungsfortschritt, ohne dabei die Positivierung des neuzeitlichen Rechts zureichend zu bedenken (siehe insbes. Talcott Parsons: Societies. Evolutionary and Comparative Perspectives, Englewood Cliffs N. J. 1966, S. 25, 27, 88 ff.).

besondere Funktion der Wahrheitsfindung mag eine notwendige Vorbedingung sein, wie ja auch die wissenschaftliche Wahrheitssuche in spezifischen Rollen oder zumindest nach Maßgabe spezifischer Normen (Methoden) und Werte erfolgt, also gesellschaftlich ausdifferenziert ist. Durch Ausdifferenzierung werden Kommunikationsmöglichkeiten mobilisiert, die bei fester Bindung an andere, außerverfahrensmäßige Rollen nicht beständen. Die Freisetzung von Kommunikation ist ein weiteres Moment, die konkurrierende oder gar kontradiktorische Ausrichtung der Kommunikation ein drittes. All das vermag jedoch nicht zu gewährleisten, daß stets Wahrheit gefunden, stets eine richtige Entscheidung getroffen wird. Dem steht die Notwendigkeit des Entscheidens entgegen. Ein System, das die Entscheidbarkeit aller aufgeworfenen Probleme garantieren muß, kann nicht zugleich die Richtigkeit der Entscheidung garantieren. Funktionale Spezifikation in der einen Richtung schließt die in der anderen aus[17].

Dieses Dilemma ist natürlich nicht unbemerkt geblieben und hat zu zahlreichen Ausweichmanövern Anlaß gegeben. Die schon erwähnten ideologischen Zusatzannahmen bei einzelnen Verfahrensarten sind ein Beleg dafür. Ihnen wären auch die verschiedenartigen Bemühungen um eine Einschränkung und um eine Rechtfertigung des Mehrheitsprinzips hinzuzurechnen[18]. Andere Versuche schwächen das Wahrheitsziel unmittelbar ab – so wenn man Themen, die »absolute« Wahrheiten implizieren (etwa solche religiöser Art) nach Möglichkeit aus dem Entscheidungsbereich ausklammert, also die Möglichkeit der Politisierung von Themen begrenzt; ferner wenn man sich wie mit relativen so mit vorläufigen Wahrheiten begnügt, ein Verzicht, der der romantischen Idee des »ewigen Gesprächs« zugrunde lag[19]; und nicht zuletzt

17 Überhaupt ist es ein typisches Merkmal funktionaler Spezifikation, daß erkennbar wird, auf Kosten welcher anderer Funktionen sie erreicht werden soll. Verzichte dieser Art sind in den Zweckformeln der klassischen Theorie jedoch nicht enthalten. Diese können daher auch nicht ernsthaft beanspruchen, Funktionsangaben zu sein.

18 Eine gute, kritisch auf die Denkvoraussetzungen eingehende Diskussion findet sich bei Robert A. Dahl: A Preface to Democratic Theory, Chicago 1956. Vgl. ferner Elias Berg: Democracy and the Majority Principle. A Study in Twelve Contemporary Political Theories, Kopenhagen 1965.

19 Auf ihre Bedeutung für den Parlamentarismus machte Schmitt, a. a. O., S. 41 ff., aufmerksam.

durch den Juristenkunstgriff, mit dem der Spätliberalismus auskommen zu können glaubte: das Verfahren rechtfertige die Entscheidung zwar nicht, begründe aber eine Präsumtion für ihre inhaltliche Richtigkeit[20]. All das lenkt jedoch nur von dem Problem ab, ohne es zu lösen (oder auch nur seine Lösungsbedingungen zu präzisieren). Der Preis für eine solche Überanstrengung der Wahrheitsmöglichkeiten mußte irgendwie bezahlt werden – sei es durch Zurücknahme des Postulats in eine relativistische oder fiktive Form; sei es durch tautologische Zirkel oder widerspruchsvolle Prämissen, die Beliebiges ermöglichen. Man kommt nicht umhin, radikaler zu fragen, ob der Gewinn von Wahrheit überhaupt die tragende Funktion rechtlich geregelter Verfahren ist.

Diese Frage aber trifft eine der Wurzeln des vorsoziologischen Staatsdenkens. Alle denkerischen Bemühungen sowohl der demokratischen als auch der liberalen Staatslehre, die aufgewandt wurden, um die Zustimmung auch der Nichtzustimmenden, die Richtigkeit auch des gelegentlich unrichtig Endenden, den Sinn auch der Anstrengung um das Beliebige nachzuweisen, wären durch irrige Prämissen ausgelöst, wenn es im Verfahren gar nicht primär um das Erkennen vorgegebener Wahrheiten ginge. Umgekehrt verstellt das Dominieren des Wahrheitszieles die eigentliche Problematik der sozialen Systeme, die in Verfahren Entscheidungen anfertigen. Wahrheit ist selbstevident. Daß sie sich ausbreitet und anerkannt wird, versteht sich von selbst. Wer ihr nicht zustimmt, dem kann man Sinn und Verstand absprechen. Neben ihr kann es daher kein besonderes Problem der Anerkennung geben, so wie es neben der Gerechtigkeit kein besonderes Problem der Legitimität geben kann. Daß sich mit der Herstellung richtiger Entscheidungen auch die Überzeugung von der Richtigkeit der Entscheidungen verbreiten würde, konnte unter diesen Denkvoraussetzungen nicht bezweifelt werden[21].

20 So z. B. Dietrich Schindler: Über die Bildung des Staatswillens in der Demokratie, Zürich 1921, S. 40 f.

21 Ein Beleg dafür ist die Sicherheit und das Pathos, mit denen der Aufklärungsliberalismus das Wahre und Rechte mit dem Licht, dem Offenen und für alle Zugänglichen, dem Öffentlichen gleichsetzte. Siehe als ein eindrucksvolles Zeugnis Anselm Ritter von Feuerbach: Betrachtungen über die Öffentlichkeit und Mündlichkeit der Gerechtigkeitspflege, Bd. 1, Gießen 1821, insbes. S. 68 ff.

Läßt man dagegen von der Voraussetzung ab, daß Verfahren der Entdeckung von Wahrheit dienen, gewinnt man die Möglichkeit, ihre Funktion für die Legitimierung des Entscheidens unvoreingenommen in neuartiger, soziologischer Weise zu untersuchen.

Allerdings wäre es offensichtlich verfehlt, der Wahrheitsfrage jede praktische Bedeutung für Rechtsverfahren abzusprechen oder gar der Wahrheit ihren Wert zu bestreiten. Was nottut, ist eine Theorie, die das Wahrheitproblem, wie es in Verfahren auftritt, hinterfragen kann und nicht a priori schon annimmt, daß Verfahren der Wahrheit dienen. Eine solche Theorie kann die Soziologie aufbauen, indem sie die Wahrheit nicht länger nur als Wert, sondern genauer als einen sozialen Mechanismus begreift, der Bestimmtes leistet, der eine angebbare Funktion erfüllt und unter dem Gesichtspunkt dieser Funktion mit anderen Mechanismen verglichen werden kann.

Was Wahrheit im sozialen Verkehr leistet, ist Übertragung reduzierter Komplexität[22]. Die Welt ist für alle Menschen übermäßig komplex, voll unabsehbarer Möglichkeiten, und als solche unfaßbar. Jeder einzelne ist daher für sinnhafte Orientierung und Lebensführung darauf angewiesen, daß er Selektionsleistungen anderer übernehmen kann, das heißt Sinn, den andere ausgewählt haben, als so und nicht anders behandeln kann. Solche Übertragung kann durch verschiedenartige soziale Mechanismen geleistet werden, die in allen einfachen Gesellschaften undifferenziert beieinander liegen, miteinander wirken und so eine »Realitätskonstruktion«[23] von vergleichsweise nur geringer Komplexität tragen. Erst im Laufe der zivilisatorischen Entwicklung zu höherer Komplexität der Gesellschaften und ihrer Weltsicht differenzieren und spezifizieren diese Mechanismen sich, und erst mit Beginn der Neuzeit wird diese Differenzierung auch Gegenstand geschärfter theoretischer Reflexion. Wahrheit ist jetzt nur

22 Zum Stellenwert dieses Gedankens in einer funktionalen soziologischen Systemtheorie vgl. auch Niklas Luhmann: Soziologie als Theorie sozialer Systeme. Kölner Zeitschrift für Soziologie und Sozialpsychologie 19 (1967), S. 615–644 (633 f.).

23 Zum Ausdruck und zur Sache vgl. Peter L. Berger/Thomas Luckmann: The Social Construction of Reality. A Treatise in the Sociology of Knowledge, Garden City N. Y. 1966.

noch Vorstellungsübertragung auf Grund intersubjektiv zwingender Gewißheit und wird in dieser Form streng geschieden von Vorstellungsübernahmen auf Grund persönlicher Sympathie oder Mitgliedschaft oder Machtunterlegenheit. Dadurch verlieren viele Vorstellungen, insbesondere Zwecke und Werte, ihre Wahrheitsfähigkeit, und damit verschärft sich zugleich die Problematik anderer Mechanismen. Die Frage nach der Personalität in Sozialbeziehungen und die Frage nach der Legitimität der Macht gewinnen eine vorher ungekannte Radikalität.

Wahrheit engagiert den Menschen als Menschen, und dies zunächst in einem diffusen, nicht weiter aufgegliederten Sinn. Der neuzeitlichen Spezifikation des Wahrheitsmechanismus aber mußte durch eine genauere Spezifikation dieses Engagements entsprochen werden. Es bezieht sich nicht mehr auf die konkrete Individualität des Menschen (wie etwa Liebe) und nicht mehr auf seinen sozialen Status oder seine Rollen (wie etwa Mitgliedschaften) und nicht mehr auf sein Durchsetzungsvermögen (wie etwa Macht), sondern auf seine Subjektivität. In Wahrheitsfragen ist der Mensch als Subjekt engagiert, das heißt als jemand, der als Träger des Sinnes der Welt mit in Betracht kommt (bzw., wenn er Wahrheiten ableugnet, nicht mehr in Betracht kommt)[24].

Kein Verfahren kann Wahrheiten in dieser spezifischen Funktion missen; es würde sich sonst ins Uferlose immer anderer Möglichkeiten verlieren. Gewisse Wahrnehmungen und gewisse Schlußfolgerungen müssen als zwingend gesichert werden können. Immer gibt es Sinn, den niemand leugnen kann, ohne der eigenen Meinung jede soziale Relevanz zu nehmen und jede Mitsprachemöglichkeit einzubüßen, und eine wesentliche Leistung des kommunikativen Verhaltens in vielen Verfahren besteht darin, gesicherten Sinn so zu gruppieren, daß der Entschei-

24 Die geschilderte Differenzierung der Übertragungsmechanismen scheint Friedrich Jonas: Sozialphilosophie der industriellen Arbeitswelt, Stuttgart 1960, S. 69 ff., geringer einzuschätzen, wenn er die Radikalität des neuzeitlichen Fragens nach der Legitimität der Macht unmittelbar aus der Umpolung der Metaphysik auf die Subjektivität des Selbstbewußtseins ableitet. Ähnlich jetzt Bernard Willms: Revolution und Protest oder Glanz und Elend des bürgerlichen Subjekts. Stuttgart–Berlin–Köln–Mainz 1969. Eine Beziehung besteht, aber sie ist durch die neue Wahrheitsunfähigkeit, also Entscheidungsbedürftigkeit, der Praxis vermittelt.

dungsspielraum gering wird. Ebenso steht aber außer Zweifel, daß Wahrheiten in diesem spezifischen Sinne nicht und heute weniger denn je ausreichen, um alle Probleme in intersubjektiv zwingender Gewißheit zu lösen. Eine Theorie des Verfahrens braucht deshalb einen abstrakteren funktionalen Bezugsgesichtspunkt, der den Wahrheitsmechanismus einschließt, aber sich in ihm nicht erschöpft. Es liegt nahe, dafür auf die *Funktion* der Wahrheit zurückzugreifen und von ihr aus nach anderen, funktional äquivalenten Mechanismen der Übertragung reduzierter Komplexität Ausschau zu halten. Damit stoßen wir auf den Mechanismus der Macht und das Problem ihrer Legitimität.

Auch Macht ist nämlich ein Mechanismus der Übertragung von Selektionsleistungen, und zwar von Selektionsleistungen, die durch Entscheidung erbracht worden sind. Wer Macht besitzt, kann andere motivieren, seine Entscheidungen als Verhaltensprämissen zu übernehmen, also eine Selektion aus einem Bereich möglicher Verhaltensalternativen als bindend zu akzeptieren[25]. Die intersubjektive Übertragung hat hier jedoch andere Grundlagen als im Falle der Wahrheit. Sie kann nicht als Konsequenz des Soseins der Welt dargestellt werden, gegen die man nicht sinnvoll rebellieren kann. Sie ist verlangte Beachtung einer Entscheidung.

Daß Selektionsleistungen, die nur auf Entscheidung beruhen, übernommen werden, bedarf besonderer Gründe[26]. Die Wahrheit gewisser Entscheidungsprämissen allein reicht dafür nicht aus. Es ist daher anzunehmen, daß im Verfahren solche zusätzlichen Gründe für die Anerkennung von Entscheidungen geschaffen werden und in diesem Sinne Macht zur Entscheidung erzeugt und legitimiert, das heißt von konkret ausgeübtem Zwang unab-

25 Nahestehend der Begriff der Weisungsgewalt (authority) bei Herbert A. Simon: Das Verwaltungshandeln. Eine Untersuchung der Entscheidungsvorgänge in Behörden und privaten Unternehmen. Dt. Übers., Stuttgart 1955, S. 80 ff.

26 Auch darin unterscheidet der Machtmechanismus sich von dem der Wahrheit. Der Wahrheit folgt man ohne besondere Motive; es ist nicht einmal möglich, Motive anzugeben, aus denen man erkannte Wahrheiten lieber beachtet als nicht beachtet. Daß man fremde Entscheidungen als eigene Verhaltensprämisse übernimmt, muß man dagegen vor sich selbst und vor anderen begründen und dazu Motive mobilisieren. In dem Maße, als wahre Sinnstrukturen, z. B. Naturrecht durch positives Recht, ersetzt werden, wächst daher auch der Bedarf für Motive und Rationalisierungen des Verhaltens.

hängig gemacht wird. So gesehen, ist es das Ziel rechtlich geregelter Verfahren, Reduktion von Komplexität intersubjektiv übertragbar zu machen – sei es mit Hilfe von Wahrheit, sei es durch Bildung legitimer Macht zur Entscheidung.

Unbestimmte Vermutungen in dieser Richtung klingen in der klassischen Verfahrenskonzeption bereits an. Ihre zentrale Idee war es, in der Form des rechtlich geregelten Verfahrens einen Bereich unabhängiger, freier Kommunikation *gegen* gesellschaftliche Einflüsse, Statusvorteile oder Rollenzusammenhänge sicherzustellen. Das war ein richtiger Gedanke von bleibender Bedeutung. Eine Illusion war es jedoch, solch eine Herauslösung als ein Mittel zum Zwecke der Wahrheit zu deuten – eine für die Aufklärungszeit typische Unterschätzung des Problems der Komplexität. Durch Freisetzung von Kommunikation läßt sich kein Ziel erreichen. Gleichwohl ist, wie wir sehen werden, Ausdifferenzierung und relative Autonomie der Rechtsverfahren unabdingbare Vorbedingung ihrer Legitimationsleistung; nur kommt diese Leistung auf sehr viel kompliziertere Weise zustande, als im Zweck/Mittel-Denken der klassischen Theorie zum Ausdruck gebracht werden konnte. Und sie wird nicht allein, ja nicht einmal primär durch Wahrheit vermittelt.

Die Aufdeckung und Kritik der Prämissen klassischer Verfahrenslehren ist ein erster Schritt zur Vorbereitung unserer Untersuchungen. Er allein reicht jedoch nicht aus. Auch der Begriff und die Ansätze zu einer Theorie der Legitimität bedürften der Überprüfung, denn auch sie bleiben hinter dem zurück, was soziologische Theorie heute leisten könnte. Für diese Aufgabe benötigen wir ein weiteres Kapitel.

2. *Legitimität*

Im Mittelalter als Rechtsbegriff zur Abwehr von Usurpation und Tyrannis gebraucht und in dieser Bedeutung vor allem durch die nachnapoleonische Restauration festgehalten und propagiert, verliert der Begriff der Legitimität mit der voll sich durchsetzenden Positivierung des Rechts im 19. Jahrhundert seinen inneren Halt[1]. Es wird zunächst mit dem Besitz der faktischen Macht gleichgesetzt, dann aber wieder benutzt, um die Problematik eines rein positivistischen Legalitätsprinzips abzufangen. In dieser Absicht formuliert, wird der Begriff, wenn man von Versuchen zur Restauration des Naturrechts absieht, ins rein Faktische abgedrängt. Man versteht heute darunter die rein faktisch verbreitete Überzeugung von der Gültigkeit des Rechts, von der Verbindlichkeit bestimmter Normen oder Entscheidungen oder von dem Wert der Prinzipien, an denen sie sich rechtfertigen[2]. Aber damit ist nicht viel mehr gewonnen als eine Frage: Wie ist es möglich, wenn nur wenige entscheiden, die faktische Überzeugung von der Richtigkeit oder der verbindlichen Kraft dieses Entscheidens zu verbreiten?

Üblicherweise lautet die Auskunft, daß kein politisches System

1 Angelpunkt der Diskussion war das Problem des gewaltsam depossedierten Herrschers. Dabei erwies es sich als unmöglich, einen Zeitpunkt zu finden, von dem ab die Legitimität auf den neuen Herrscher überging, oder rationale Kriterien anzugeben, mit denen dieser Übergang juristisch hätte konstruiert werden können. Siehe zu dieser Diskussion, die das Schicksal des Legitimitätsbegriffs als eines Rechtsbegriffs beendete, Friedrich Brockhaus: Das Legitimitätsprincip. Eine staatsrechtliche Abhandlung, Leipzig 1868.

2 Siehe den Überblick über die juristische Diskussion bei Hans Welzel: An den Grenzen des Rechts. Die Frage nach der Rechtsgeltung, Köln–Opladen 1966. An soziologischen und politologischen Äußerungen vgl. etwa Gaetano Mosca: Die herrschende Klasse. Grundlagen der politischen Wissenschaft, München 1950; Max Weber: Wirtschaft und Gesellschaft, Studienausgabe, Köln–Berlin 1964, S. 22 ff., 157 ff.; und dazu Johannes Winckelmann: Legitimität und Legalität in Max Webers Herrschaftssoziologie, Tübingen 1952; Guglielmo Ferrero: Macht, Neuwied–Berlin 1962, S. 70 ff.; Carl J. Friedrich: Die Legitimität in politischer Perspektive. Politische Vierteljahresschrift 1 (1960), S. 119–132; ders.: Man and His Government, New York–San Francisco–Toronto–London 1963, S. 232 ff.; Seymour Martin Lipset: Soziologie der Demokratie, Neuwied–Berlin 1962, S. 70 ff.; David Easton: A Systems Analysis of Political Life, New York–London–Sydney 1965, insbes. S. 278 ff.

sich allein auf physische Zwangsgewalt stützen könne, daß vielmehr Konsens hinzukommen müsse, um dauerhafte Herrschaft zu ermöglichen. Ebenso sicher ist, daß aktueller, auf »zufälliger« Kongruenz der Interessen beruhender Konsens als Stütze der Herrschaft nicht ausreicht; Widerstrebende müssen notfalls gezwungen werden können. Beides, Zwang und Konsens, muß also in irgendeinem Mischungsverhältnis gegeben sein[3]. Das ist sicher richtig, besagt aber wenig darüber, welche faktischen Prozesse das erstaunliche Phänomen eines durchgängigen Akzeptierens staatlicher Entscheidungen herbeiführen und garantieren. Konsens und Zwang sind beides »knappe Ressourcen« des politischen Systems. Ihre bloße Addition dürfte nicht ausreichen und vermag auch die Institutionalisierung der Legitimität nicht zu erklären. Beim faktischen Akzeptieren der Entscheidungen kann nämlich die wirkliche Motivlage und das genaue Mischungsverhältnis – ob man aus Furcht eine Entscheidung beachtet oder aus Zustimmung – weitgehend offenbleiben; und gerade diese Unbestimmtheit, diese Generalisierung der Legitimität zu einem fast motivlosen Akzeptieren, ähnlich wie im Falle von Wahrheiten, ist soziologisch das Problem. Man kann Legitimität auffassen als eine *generalisierte Bereitschaft, inhaltlich noch unbestimmte Entscheidungen innerhalb gewisser Toleranzgrenzen hinzunehmen.* Damit bleibt aber offen, ob dieser Bereitschaft ein relativ einfaches psychologisches Motiv zugrunde liegt – etwa eine innere Befriedigung über einen Tausch von Gehorsam gegen »demokratische« Beteiligung – oder ob sie das Ergebnis einer Vielzahl von sozialen Mechanismen ist, die sehr heterogene Motivkonstellationen egalisieren.

Für ein Aufgreifen und Beantworten dieser Frage fehlen in den Erörterungen des Problems der Legitimität ausreichende Anhaltspunkte. Derjenige Begriff zum Beispiel, der unserer Frage nach der Legitimation durch Verfahren wohl am nächsten kommt, Max Webers Begriff der rationalen Legitimität auf

3 E. V. Walter: Power and Violence. The American Political Science Review 58 (1964), S. 350–360, gibt einen Überblick über zahlreiche Varianten, in denen diese Auffassung vertreten wird. Als bemerkenswerte Ausarbeitung siehe ferner Stéphane Bernard: Esquisse d'une théorie structurelle – fonctionelle du système politique. Revue de l'Institute de Sociologie 36 (1963), S. 594–614.

Grund des Glaubens an die Legalität gesetzter Ordnungen[4], läßt nicht ausreichend erkennen, wie solche Legitimität der Legalität soziologisch möglich ist[5]. Auch neuere Forschungen sind an dieser Stelle nicht weitergekommen[6]. Zunächst muß es so scheinen, als ob eine Sozialordnung, welche die Geltung *beliebiger* Rechtsinhalte allein auf Verfahren stützt und nur so institutionalisiert, höchst instabil sein muß – oder sehr komplexe Sicherungen und komplementäre Institutionen in allen Bereichen der Lebensführung erfordert, die erforscht werden müßten[7].

Trotz dieser Fragwürdigkeit rational-legaler Legitimierung gehört die Fraglosigkeit legitimer Geltung bindender Entscheidungen zu den typischen Kennzeichen des modernen politischen Systems als eine Art von Grundkonsens, der ohne Übereinstimmung über das im Einzelfall sachlich Richtige erreicht wer-

4 Siehe die Darstellung bei Max Weber: Wirtschaft und Gesellschaft a. a. O.

5 Obwohl dieser Begriff im Zentrum des Weberschen Lebenswerkes steht, ist er soziologisch der schwächste und läßt weniger noch als die Begriffe der traditionalen und der charismatischen Legitimität erkennen, wie solch ein Glauben zustande kommen kann. Ganz allgemein ist anzumerken, daß Weber seinen Begriff der Legitimität im Hinblick auf die sozialen Prozesse, die Legitimität schaffen, und im Hinblick auf die gesellschaftsstrukturellen Bedingungen, die das ermöglichen, nicht hinreichend ausgearbeitet hat. Vgl. namentlich Talcott Parsons: Introduction. In: Max Weber: The Theory of Social and Economic Organization, Neudruck New York–London 1966, S. 68 ff. Siehe auch die Kritik bei Peter M. Blau: Critical Remarks on Weber's Theory of Authority. The American Political Science Review 57 (1963), S. 305–316 (311 f.) oder bei Easton, a. a. O., S. 301 f. Damit ist natürlich nicht einem einzelnen Forscher ein Unterlassen vorgeworfen; vielmehr sind das zugleich die offenen Probleme der klassischen (Machiavelli/Hobbesschen) Theorie politischer Macht, die wohl überhaupt nur durch eine radikale Änderung des Ansatzes der Machttheorie zum Thema gemacht werden können. Siehe dazu auch den Versuch bei Talcott Parsons: On the Concept of Political Power, Proceedings of the American Philosophical Society 107 (1963), S. 232–262.

6 Ein neueres sozialpsychologisches Lehrbuch der Organisationswissenschaft: Daniel Katz/Robert L. Kahn: The Social Psychology of Organizations, New York–London–Sydney 1966, S. 341 ff., behandelt zwar »legal compliance« als ein sozialpsychologisches Problem, aber die Ausführung bleibt mangels ausreichender Forschungen dürftig. Vier Bedingungen der legal compliance werden genannt: »(1) the use of recognized sources of authority, (2) the clarity of legal norms, (3) the use of specific sanctions and penalties, and (4) threat to the individual's staying in the system« (S. 348). Sämtliche Bedingungen lassen offen, welche sozialen und psychischen Mechanismen in Betracht kommen. Dazu ferner unten Anm. 33.

7 Hierzu auch Niklas Luhmann: Gesellschaftliche und politische Bedingungen des Rechtsstaates. In: Studien über Recht und Verwaltung, Köln–Berlin–Bonn–München 1967, S. 81–102.

den kann und das System stabilisiert[8]. Ohne die Sicherheit, daß verbindlich getroffene Entscheidungen auch abgenommen werden, könnten rationale Großbürokratien nicht arbeiten. In dem Maße, als im Laufe der zivilisatorischen Entwicklung die Komplexität der Gesellschaft wächst und damit auch die entscheidungsbedürftigen Probleme zunehmen, müssen deshalb ältere Formen der unmittelbaren Einigung und Feststellung des Richtigen überwunden werden. Sie werden ersetzt durch generellere, umweghafte Mechanismen der Sinnbildung und Stabilisierung. Das kann zum Teil durch innere, kategoriale Abstraktion des Normgefüges, durch Arbeit an Begriffen geschehen; aber diese Abhilfe stößt an Grenzen, da schließlich jede Einzelentscheidung konkret begründet werden muß. Von einer gewissen Schwelle der Entwicklung ab müssen daher qualitativ andere Formen der Legitimierung von Entscheidungen gesucht werden. Bei hoher Komplexität und Variabilität des Sozialsystems der Gesellschaft kann die Legitimation politischer Macht nicht mehr einer naturartig vorgestellten Moral überlassen, sondern muß im politischen System selbst erarbeitet werden. Legitim ist nun, wie Bourricaud treffend formuliert, »un pouvoir qui accepte ou même qui institue son propre procès de légitimation«[9]. Außerdem muß sichergestellt werden, daß verbindliche Entscheidungen als Verhaltensprämisse angenommen werden, ohne daß im voraus spezifiert werden kann, welche konkreten Entscheidungen getroffen werden. Die Legitimation durch Verfahren und durch Gleichheit der Chance, befriedigende Entscheidungen zu erhalten, tritt dann an die Stelle älterer naturrechtlicher Begründungen oder tauschförmiger Methoden der Konsensbildung[10]. Ver-

8 Dazu treffend Reinhard Bendix: Nation-Building and Citizenship. Studies of our Changing Social Order, New York–London–Sydney 1964, S. 21 f., 137 f.

9 Vgl. François Bourricaud: Esquisse d'une théorie de l'autorité, Paris 1961, S. 7. Für Juristen und Rechtsphilosophen, die das Problem nicht in Begriffen wie Arbeit und Organisation explizieren, sondern es als Abhängigkeitsverhältnis von Werten oder Normen zu begreifen suchen, bleibt solche »Selbstrechtfertigung« suspekt und das Problem des Naturrechts damit aktuell. Siehe statt anderer Luis Legaz y Lacambra: Legalidad y Legitimidad. Revista de Estudios Politicos 101 (1958), S. 5–21.

10 Auch Talcott Parsons: Societies. Evolutionary and Comparative Perspectives, Englewood Cliffs N. J. 1966, S. 27, sieht in dieser Weise den Verfahrensgedanken als evolutionäre Errungenschaft: »Only on the basis of procedural primacy can the system cope with a wide variety of changing circumstances and types of cases without prior commitment to specific solutions.«

fahren finden eine Art generelle Anerkennung, die unabhängig ist vom Befriedigungswert der einzelnen Entscheidung, und diese Anerkennung zieht die Hinnahme und Beachtung verbindlicher Entscheidungen nach sich.

Max Weber hatte nicht nur die sozialen Mechanismen offengelassen, die Beliebigkeit als Positivität stabilisieren können; auch in seiner Rechtssoziologie[11] finden sich außer Hinweisen auf die Formalisierung der Rechtsgeltung keine ausgearbeiteten Analysen des rechtsetzenden oder rechtanwendenden Verfahrens als eines legitimierenden Mechanismus. Zu seiner Zeit boten weder Soziologie noch Sozialpsychologie dafür ausreichende Grundlagen. Heute kann diese Lücke geschlossen werden.

Am Legitimitätsbegriff muß zunächst deutlich unterschieden werden zwischen Akzeptieren von Entscheidungs*prämissen* und Akzeptieren von Entscheidungen selbst. Diese Unterscheidung ist besonders deshalb wichtig, weil der legitimierende Entscheidungsprozeß unter Ja/Nein-Bedingung operiert. Es macht einen großen Unterschied aus, ob diese Bedingung nur auf die Entscheidungsprämissen oder auch auf die Entscheidungen selbst angewandt wird. Man kann die Prinzipien und Normen bejahen, aus denen eine Entscheidung »gefolgert« wird, und die Entscheidung selbst doch ablehnen, weil sie logisch falsch oder auf Grund falscher Auslegungen oder falscher Tatsachenannahmen zustande gekommen sei. Und umgekehrt kann man Entscheidungen akzeptieren, ohne sich um die Werte zu kümmern, auf die sie sich berufen, in völliger Indifferenz, ja vielleicht unter Ablehnung ihrer Gründe als allgemeiner Entscheidungsregeln[12]. Der Positivierung des Rechts, d. h. der These, daß alles Recht durch Entscheidung gesetzt ist, entspricht es, den Legitimitätsbegriff auf die Anerkennung von Entscheidungen als verbindlich festzulegen[13]. Das ist der weitere Begriff. Er umfaßt auch die Anerkennung der Entscheidungsprämissen, sofern über sie (zu anderer

11 Siehe Max Weber: Rechtssoziologie, Neuwied 1960.

12 Vgl. dazu das Kapitel über »Decision under Protest« bei Geoffrey Vickers: The Art of Judgment. A Study of Policy Making, London 1965, S. 216 ff.

13 Die herrschende Auffassung tendiert eher gegenteilig dazu, die Anerkennung der *Prinzipien* des Entscheidens für maßgebend zu halten, ist sich aber selten des Unterschiedes deutlich bewußt. Das mag mit der weitverbreiteten Überschätzung der Logik des juristischen Entscheidens zusammenhängen.

Zeit und durch andere Stellen) ebenfalls entschieden worden ist. Gesetze, Verwaltungsakte, Urteile usw. sind demnach als Entscheidungen legitim, wenn und soweit anerkannt wird, daß sie verbindlich gelten und dem eigenen Verhalten zugrunde gelegt werden müssen.

Die Schwierigkeiten verlagern sich mit dieser Definition auf den Begriff des Anerkennens oder Akzeptierens. Die vorherrschende Auffassung nimmt diesen Begriff zu eng, wenn sie auf die »Überzeugung« von der Richtigkeit der Werte, Rechtfertigungsprinzipien oder Inhalte der Entscheidungen abstellt[14]. Diese enge Auffassung harmoniert mit der klassischen Konzeption des Verfahrens als Wahrheitssuche; sie unterschiebt ihr statt des absoluten einen relativen, auf Meinungen beruhenden Wahrheitsbegriff. Durch Erreichen faktisch geglaubter Wahrheit und Gerechtigkeit solle die Überzeugung von der Richtigkeit des Entscheidens sich ausbreiten. Kein politisches System kann jedoch seine Stabilität vom Erreichen so hoch gespannter Ziele abhängig machen, und kein Mensch ist in der Lage, für alle aktuellen Entscheidungsthemen Überzeugungen zu bilden. Jene Auffassung verkennt die hohe Komplexität, Variabilität und Widersprüchlichkeit der Themen und Entscheidungsprämissen, die im politisch-administrativen System moderner Gesellschaften jeweils behandelt werden müssen. Dieser Komplexität moderner Gesellschaften kann nur durch *Generalisierung* des Anerkennens von Entscheidungen Rechnung getragen werden. Es kommt daher weniger auf motivierte Überzeugungen als vielmehr auf ein motivfreies, von den Eigenarten individueller Persönlichkeiten unabhängiges (und insofern wahrheitsähnliches!) Akzeptieren an, das ohne allzuviel konkrete Information typisch voraussehbar ist[15].

14 Auch die Soziologie beginnt gerade erst, das Ideal voller Sozialisation und Konformität im Erleben und Handeln abzubauen. Siehe dazu Dennis Wrong: The Oversocialized Conception of Man in Modern Sociology. American Sociological Review 26 (1961), S. 183–183, und besonders Irving Rosow: Forms and Functions of Adult Socialization. Social Forces 44 (1965), S. 35–45. Dazu näher in Teil v, Kap. 4.

15 Hier liegt wohl auch der Grund, weshalb es nicht gelungen ist, eine *psychologische* Theorie der legalen Legitimität zu entwickeln. Legale Legitimität bleibt in bezug auf *psychische* Mechanismen *unspezifiziert*.

Der Begriff des Akzeptierens muß entsprechend formalisiert werden. Gemeint ist, daß Betroffene aus welchen Gründen immer die Entscheidung als Prämisse ihres eigenen Verhaltens übernehmen und ihre Erwartungen entsprechend umstrukturieren[16]. Ein solcher Einbau neuer Erwartungsstrukturen in die alte, identisch bleibende Persönlichkeit kann auf sehr verschiedene Weise geschehen und mehr oder weniger zentrale Persönlichkeitsstrukturen betreffen[17]: durch Überzeugungswandel, Abstraktion von Regeln der Erlebnisverarbeitung, Umdeutung der Vergangenheit, Isolierung und Abkapselung der problematischen Themen, Bagatellisierung, weltmännische Resignation, Anlehnung an neue Umwelten usw. Die Harmonisierungsformel zu finden, die einen Einbau in die Persönlichkeit unter Erhaltung ihrer Identität ermöglicht, bleibt der Phantasie und Gestaltungskraft des einzelnen und seinen Chancen für soziale Unterstützung überlassen. Jedenfalls liegt der Anerkennung ein Lernprozeß zugrunde, eine Änderung der Prämissen, nach denen der einzelne weiterhin Erlebnisse verarbeiten, Handlungen auswählen, sich selbst darstellen wird. Daran fehlt es, wenn der Betroffene im Protest gegen die Entscheidung weiterzuleben sucht, Widerstand leistet, sein gekränktes Recht immer wieder hervorholt, immer wieder den Schorf von seinen Wunden kratzt und Hilfe und Zustimmung gegen die Entscheidung zu organisieren sucht, kurz: nicht lernt, sondern bei seinen alten, enttäuschten Erwar-

16 Auf ähnliche Vorstellungen läuft übrigens die neuere soziologische Theorie der Organisationsänderungen hinaus. Geändert sei eine Organisation nicht schon durch die formale Entscheidung, sondern erst durch eine Umstellung der Erwartungen. Dazu bedürfe es aber keiner Änderung der beteiligten Persönlichkeiten (wie übereifrige Anhänger der human relations-Bewegung gemeint hatten), sondern nur einer Änderung der in der Gruppe effektiven Rollenerwartungen. Siehe z. B. Cyril Sofer: The Organization From Within: A Comparative Study of Social Institutions Based on a Sociotherapeutic Approach, Chicago 1962, S. 102 ff.; Eliot D. Chapple/Leonard R. Sayles: The Measure of Management, New York 1961, S. 191 ff.; Robert L. Kahn/Donald M. Wolfe/Robert P. Quinn/Diedrick J. Snoek: Organizational Stress. Studies in Role Conflict and Ambiguity, New York–London–Sydney 1964, S. 396; Daniel Katz/Robert L. Kahn: The Social Psychology of Organizations, New York–London–Sydney 1966, S. 390 ff.

17 Eine Möglichkeit der psychologischen Ausarbeitung dieses Gedankens bieten z. B. O. J. Harvey/David E. Hunt/Harold M. Schroder: Conceptual Systems and Personality Organization, New York–London 1961, die der centrality-peripherality Dimension besondere Bedeutung beimessen (dazu besonders S. 75 f.).

tungen bleibt. Bei erfolgreichem Lernen werden die durch Entscheidung geänderten Erwartungen gleichsam automatisch, von innen heraus, beachtet und wie eine (willkommene oder unwillkommene) Tatsache behandelt; bei gescheitertem Lernen bedarf es von Situation zu Situation neuer spezifischer Anreize von außen, um ein der Entscheidung entsprechendes Verhalten durchzusetzen.

Solches Lernen kann nicht vom einzelnen allein geleistet werden, nicht ohne soziale Unterstützung geschehen. Eine Änderung von Erwartungen, die als Verhaltensprämissen dienen und unter Umständen ganze Rollenbereiche strukturieren, gefährdet die persönliche Identität des einzelnen, sie ist viel zu problematisch, als daß sie ohne Rücksicht auf die Meinung anderer vollzogen werden könnte. Sie darf dem einzelnen nicht als Widerspruch zu sich selbst, als Bruch mit seiner Vergangenheit, als Zeichen persönlicher Unzuverlässigkeit oder als Verschulden angekreidet werden. Sie darf seine Selbstdarstellung nicht diskreditieren, sondern muß den Miterlebenden als Selbstverständlichkeit, als extern veranlaßt erscheinen. Legitimität beruht somit gerade nicht auf »frei-williger« Anerkennung, auf persönlich zu verantwortender Überzeugung, sondern im Gegenteil auf einem sozialen Klima, das die Anerkennung verbindlicher Entscheidungen als Selbstverständlichkeit institutionalisiert und sie nicht als Folge einer persönlichen Entscheidung, sondern als Folge der Geltung der amtlichen Entscheidung ansieht. Nur durch solche Ablösung von persönlicher Motivation und Verantwortung können in sehr komplexen Sozialordnungen, die zugleich Persönlichkeiten stark differenzieren und individualisieren müssen, das notwendige Gleichmaß der Normbefolgung und eine glatt abfließende Entscheidungspraxis sichergestellt werden. Nur wenn man die Bindung des Legitimitätsbegriffs an die persönlich geglaubte Richtigkeit der Entscheidungen aufgibt, kann man die sozialen Bedingungen der Institutionalisierung von Legitimität und Lernfähigkeit in sozialen Systemen angemessen untersuchen.

Daß die Umstrukturierung einen sozialen Erwartungskontext – und nicht nur eine individuelle Persönlichkeit – betreffen muß, ist im übrigen Voraussetzung wirksamer Verhaltensänderung. Die Übernahme einer neuen, durch die amtliche Entscheidung nahegelegten Rechtsauffassung würde allein noch wenig besagen. Die damit erreichbare Konformität wird von Soziologen oft überschätzt und erst recht von vorsoziologischen Rechtstheorien, die meinen, durch Verbreitung der richtigen Überzeugungen seien alle Probleme zu lösen. In Wahrheit ist das Problem der Handlungswirksamkeit von Einstellungsänderungen in der Psychologie noch völlig offen, und nur so viel ist sicher, daß aus neuen Einstellungen nicht ohne weiteres entsprechendes Verhalten folgt[18]. Selbst die Internalisierung der neuen Perspektive besagt nur, daß Abweichungen, etwa Rückfälle in überholte Verhaltensweisen, zum Gewissensproblem werden; nicht, daß sie unterbleiben. Über psychische Mechanismen allein ist das immer wieder neu erforderliche Annehmen überraschender Entscheidungen nicht zu steuern.

Demnach geht es bei der Legitimation von Entscheidungen im Grunde um ein effektives, möglichst störungsfreies Lernen im sozialen System[19]. Es handelt sich um einen Ausschnitt des allgemeinen Problems »wie ändern sich Erwartungen«, um die Frage, wie das politisch-administrative Teilsystem der Gesellschaft durch seine Entscheidungen Erwartungen in der Gesellschaft umstrukturieren kann, obwohl es nur ein Teilsystem ist. Die Wirksamkeit dieser Tätigkeit eines Teils für das Ganze wird weitgehend davon abhängen, daß es gelingt, neue Erwartungen in bestehende andere Systeme – seien es Persönlichkeiten, seien es Sozialsysteme – einzubauen, ohne dort erhebliche Funktionsstörungen auszulösen.

Wenn man sich realistisch vorstellt, wie stark in modernen, differenzierten Sozialordnungen Persönlichkeiten und soziale Systeme sich unterscheiden, wie stark Persönlichkeiten individualisiert und soziale Systeme funktional spezifiziert worden sind, nimmt es zunächst wunder, daß ein zentral gesteuertes Lernen überhaupt möglich ist. Erst recht muß erstaunen, in wel-

18 Vgl. Milton Rokeach: Attitude Change and Behavioral Change. Public Opinion Quarterly 28 (1966–67), S. 529–550.

19 Als einen älteren Versuch, der allerdings auf den schwachen Beinen der klassischen behavioristischen Lerntheorie steht, vgl. Underhill Moore/Charles C. Callahan: Law and Learning Theory. A Study in Legal Control. The Yale Law Journal 53 (1943), S. 1–136.

chem Ausmaß die Abnahme bindender Entscheidungen faktisch zur Selbstverständlichkeit und zur Sache vorwurfsloser Routine geworden ist. Das hat natürlich vielerlei Ursachen – viel mehr, als wir im Zusammenhang dieser Untersuchung erfassen und berücksichtigen können. Sicher ist immerhin eines: daß in einer hochkomplexen Sozialordnung diese Leistung nicht dem Zufall überlassen bleiben kann, sondern in den Entscheidungsprozessen des politisch-administrativen Systems zwar nicht allein bewirkt, aber doch mitgesteuert werden muß. Uns interessiert daher primär der Beitrag zur Legitimation der Entscheidungen, den das entscheidende System selbst erbringen kann.

Die innere Konsistenz der durch Entscheidungen hergestellten Rechtsordnung ist dabei ein wichtiger Legitimierungsfaktor – aber nur einer unter anderen. Die rechtspolitische Arbeit, die Sorgfalt bei der Abstimmung einzelner Entscheidungsprogramme aufeinander, und ebenso die juristische Rhetorik und die Darstellungskunst des rechtsanwendenden Verwaltungsbeamten oder des Richters sind Momente des Legitimierungsprozesses. Als Prozeß gesehen, überträgt diese symbolisch-zeremonielle Arbeit am Recht Legitimität von einer Entscheidung auf andere und erleichtert so das Lernen. Die inneren Grenzen dieser Kunst sind jedoch in der rechtstheoretischen Selbstkritik der letzten Jahrzehnte deutlich geworden; und die äußeren Grenzen liegen darin, daß ihre Handhabung Spezialausbildung erfordert und auf besondere Rollen spezialisiert werden muß, deren besondere professionelle Logik dann als Ganzes ein unformulierbares Mißtrauen erweckt. Eben deshalb ist die Frage sinnvoll, ob es neben dieser Legitimation durch symbolische Implikationen, durch einsehbare Wenn/Dann-Zusammenhänge zwischen Entscheidungen, andere Formen der Legitimation gibt – etwa Legitimation durch Verfahren.

Begreift man die Legitimation von Entscheidungen als einen institutionalisierten Lernprozeß, als laufende Umstrukturierung von Erwartungen, die den Entscheidungspozeß begleitet, dann kann mit der Frage nach der Legitimation durch Verfahren nicht der juristische Bezug auf das Verfahrens*recht* und auch nicht dessen rechtspolitische Würdigung gemeint sein. Ob Wahlen dem Wahlrecht, Plenarabstimmungen der Geschäftsordnung des Parlaments, Beweisaufnahmen der Prozeßordnung entsprechen, und ob die vorhandenen Regelungen verfahrensrechtlicher Art reformbedürftig sind oder nicht, das sind andere Fragen. Legitimation durch Verfahren ist nicht etwa Rechtfertigung durch Verfahrensrecht, obwohl Verfahren eine rechtliche Regelung voraussetzen; vielmehr geht es um die Umstrukturierung des Erwartens durch den faktischen Kommunikationsprozeß, der nach Maßgabe rechtlicher Regelungen abläuft, also um wirkliches Geschehen und nicht um eine normative Sinnbeziehung. Ein soziologischer Verfahrensbegriff, der jenen empirischen Sachverhalt zum Ausdruck brächte, steht nicht zur Verfügung. Bevor wir zu Einzeluntersuchungen übergehen, muß ein solcher Begriff daher erst erarbeitet werden.

3. Verfahren als soziales System

Die juristische Dogmatik bietet für ein theoretisches Verständnis von Verfahren im wesentlichen drei Grundbegriffe an. Ihre Prozeßtheorie konstruiert den Prozeß entweder vom Grundbegriff der Handlung oder vom Grundbegriff der Situation (Rechtslage) oder vom Grundbegriff der Beziehung aus. Diese drei Konzeptionen machen zunächst einen soziologienahen, fast normfreien, empiriebezogenen Eindruck. Die entsprechenden Verfahrenslehren liegen jedoch unversöhnbar im Streit und zeigen dadurch ihr Ungenügen an[1]. Für eine rechtssoziologische Theorie des Verfahrens würde keiner dieser Grundbegriffe ausreichen. In der neueren soziologischen Theorieentwicklung, an die auch die Rechtssoziologie anknüpfen sollte, scheinen Begriffe wie Handlung, Situation oder Beziehung vielmehr in dem Begriff des sozialen Systems aufzugehen und so theoretisch integriert zu werden[2]. Auch das Verfahren läßt sich als ein soziales Handlungssystem besonderer Art begreifen.

Dabei ist ein erster, naheliegender Irrtum abzuwehren: Ein Verfahren kann nicht als eine festgelegte Folge bestimmter Handlungen angesehen werden. Eine solche Auffassung würde das Verfahren als Ritual begreifen, bei dem jeweils nur eine Handlung richtig ist und solche Handlungen so zu einer Kette zusammengeschlossen sind, daß die eine ohne Wahlmöglichkeit sich aus der anderen ergibt. Solche Ritualisierungen haben eine spezifische Funktion. Sie legen das Handeln stereotyp fest und schaffen damit Sicherheit, unabhängig von den faktischen Konse-

1 Gaetano Foschini: Natura giuridica del processo. Rivista di diritto processuale 3 (1948), S. 110–115, hat diese Frage der Vereinheitlichung der juristischen Prozeßtheorien bereits mit aller Schärfe gestellt. Ihm gelingt indes nur die Rückführung jener Grundbegriffe auf »Aspekte« einer einheitlichen Realität, nicht aber eine begriffliche Klärung der Einheit dieser Realität selbst.

2 Hierbei handelt es sich um eine durchaus nicht unbestrittene Entwicklung, eine von vielen mit Entschiedenheit abgelehnte Tendenz. Gleichwohl ist zur Zeit die Systemtheorie die einzige Konzeption, die mit einigem Recht den Anspruch erheben kann, Theorie der Soziologie schlechthin zu sein. Vgl. dazu Niklas Luhmann: Soziologie als Theorie sozialer Systeme. Kölner Zeitschrift für Soziologie und Sozialpsychologie 19 (1967), S. 615–644.

quenzen, die dann nicht dem Handeln, sondern anderen Gewalten zugerechnet werden[3].

Für diese Form der Reduktion von Komplexität gibt es auch in sehr zivilisierten und differenzierten Gemeinwesen und selbst in relativ rationalen Organisationen berufsmäßiger Art noch Verwendungsmöglichkeiten, vor allem dort, wo ein besonderer Sicherheitsbedarf gegeben ist[4]. Selbst in Entscheidungsorganisationen, die im allgemeinen nicht besonders gefährlich leben, findet man rituelles Zeremoniell[5], so zum Beispiel in typischen Verlegenheitssituationen wie bei der Eröffnung einer mündlichen Verhandlung, wo das Ritual das Anfangen erleichtert, bis die Szene sich selbst trägt. Die Ritualisierung verhindert hier den Ausdruck und damit die Selbstverstärkung von Gefühlen der Angst und der Unsicherheit. Sie kann in gleicher Weise auch zur Unterdrückung anderer Gefühle dienen, zum Beispiel solcher der Aggressivität[6] oder des Mitleids. Auch dafür mag in Entscheidungsverfahren hin und wieder Platz sein – so wenn eine konfliktgeladene Atmosphäre im strengen Zeremoniell des Gerichtsverfahrens in Rede und Gegenrede ausgeprägt und alle Aggressivität in die Form von Anträgen gegossen werden muß. Ohne Zweifel nehmen öffentliche Verfahren ritualistische Elemente in sich auf.

3 Über Außenzurechnung als Entlastungstechnik relativ einfacher Systeme siehe auch Harvey/Hunt/Schroder, a. a. O., S. 38 ff.

4 Das ist zum Beispiel der Fall, wenn der Erfolg unter hohen Risiken erarbeitet werden muß und nicht allein von den Arbeitenden abhängt; siehe für militärische Organisationen Morris Janowitz: The Professional Soldier. Glencoe Ill. 1960, S. 196 ff., für den Beruf der Krankenpflege Isabel E. P. Menzies: A Case Study in the Functioning of Social Systems as a Defense against Anxiety. A Report on a Study of the Nursing Service of a General Hospital. Human Relations 13 (1960), S. 95–121. Vgl. ferner Everett C. Hughes: Men and Their Work. Glencoe Ill. 1958, S. 96 f.

5 Vgl. die allerdings einseitige und dadurch verzerrende Herausarbeitung solcher Verwaltungsriten und -mythen bei Henri Deroche: Les mythes administratifs. Essai de sociologie phénomenologique, Paris 1966. Vgl. ferner Peter M. Blau: The Dynamics of Bureaucracy, Chicago 1955, S. 184 ff.; ders.: Bureaucracy in Modern Society, New York 1956, S. 86 ff.; Michel Crozier: Le phénomène bureaucratique, Paris 1963, passim. Diese Literatur hinterläßt den Eindruck, daß in Verwaltungen vor allem eine verschärfte Fehlerempfindlichkeit zu Ritualisierungen führt.

6 Darauf stellt ab Yehudi A. Cohen: Some Aspects of Ritualized Behavior in Interpersonal Relationships. Human Relations 11 (1958), S. 195–215.

Im großen und ganzen wäre es aber sicher falsch, das Verfahren in heutigen Entscheidungsorganisationen als Ritual zu deuten. Historisch gesehen entstehen Entscheidungsverfahren dadurch, daß die archaischen Schlichtungsverfahren ohne bindende Entscheidung und zwangsläufige Ritualien zur Erreichung einer übernatürlichen Entscheidung kombiniert werden zu Verfahren, die mit offenen Möglichkeiten beginnen und trotzdem zu bindenden Entscheidungen im Verfahren selbst führen – eine evolutionäre Errungenschaft, die zugleich den Übergang vom archaischen Recht zum Recht der vorneuzeitlichen Hochkulturen markiert[7]. Im Unterschied zum alternativlosen Ablauf des Rituals ist es für Verfahren gerade kennzeichnend, daß die Ungewißheit des Ausgangs und seiner Folgen und die Offenheit von Verhaltensalternativen in den Handlungszusammenhang und seine Motivationsstruktur hineingenommen und dort abgearbeitet werden. Nicht die vorgeprägte konkrete Form, die Geste, das richtige Wort treiben das Verfahren voran, sondern selektive Entscheidungen der Beteiligten, die Alternativen eliminieren, Komplexität reduzieren, Ungewißheit absorbieren oder doch die unbestimmte Komplexität aller Möglichkeiten in eine bestimmbare, greifbare Problematik verwandeln. Die Selektivität einer Kommunikation wird ihr zugerechnet. Sie macht ihren Sinn aus (und nicht etwa das getreue Kopieren eines vorliegenden Musters), und die Beteiligten reagieren mit eigenen Verhaltenswahlen nicht auf vorfixierte Auslöser, sondern auf Information über Selektionsleistungen anderer, das heißt: nicht nur auf die gewählten, sondern auch auf die damit ausgeschiedenen Möglichkeiten, die im Erlebnishorizont des Verfahrens als negierte Möglichkeit erhalten bleiben. So läuft das Verfahren ab als eine Entscheidungsgeschichte, in der jede Teilentscheidung einzelner Beteiligter zum Faktum wird, damit den anderen Beteiligten Entscheidungsprämissen setzt und so die gemeinsame Situation strukturiert, aber nicht mechanisch auslöst, was als nächstes zu geschehen hat.

Einen derart offenen, teilweise durch sich selbst gesteuerten,

7 So z. B. Louis Gernet: Droit et prédroit en Grèce ancienne. L'année sociologique, série 3 (1948/49), S. 21–119.

Komplexität reduzierenden Handlungszusammenhang kann man als soziales System begreifen. Verfahren sind in der Tat soziale Systeme, die eine spezifische Funktion erfüllen, nämlich eine einmalige verbindliche Entscheidung zu erarbeiten, und dadurch von vornherein in ihrer Dauer begrenzt sind. Diese Anwendung der Systemtheorie bedeutet allerdings, daß die vorherrschenden scharfen Entgegensetzungen von System und Prozeß oder von Struktur und Prozeß aufgegeben oder doch in wesentlichen Hinsichten modifiziert werden müssen. Prozesse *sind* Systeme und *haben* eine Struktur; anders könnten sie nicht Prozeß sein, und anders könnten auch Systeme und Strukturen nicht sein. Bevor wir mit diesen Gedanken arbeiten können, sind jedoch einige Erläuterungen notwendig.

Wichtigstes Merkmal eines Systems ist ein Verhältnis zur Komplexität der Welt. Unter Komplexität ist die Gesamtheit der Möglichkeiten zu verstehen, die sich für das faktische Erleben abzeichnen – sei es in der Welt (Weltkomplexität), sei es in einem System (Systemkomplexität). Für jede Systembildung ist bezeichnend, daß sie nur einen Ausschnitt der Welt erfaßt, nur eine begrenzte Zahl von Möglichkeiten zuläßt und verwirklicht. Systeme konstituieren einen Unterschied von Innen und Außen im Sinne einer Differenz an Komplexität bzw. Ordnung. Ihre Umwelt ist stets übermäßig komplex, unüberblickbar und unkontrollierbar, ihre eigene Ordnung dagegen höherwertig insofern, als sie Komplexität reduziert und als systemeigenes Handeln nur noch vergleichsweise wenige Möglichkeiten zuläßt. Zur systemeigenen Ordnung gehört auch ein selektiver Umweltentwurf, eine »subjektive« Weltsicht des Systems, die aus den Möglichkeiten der Welt nur wenige relevante Fakten, Ereignisse, Erwartungen herausgreift und für bedeutsam hält. Durch solche Reduktion ermöglichen Systeme eine sinnvolle Orientierung des Handelns[8].

8 Die skizzierte Systemtheorie (vgl. dazu außer dem in Anm. 2 zitierten Aufsatz auch Niklas Luhmann: Funktionale Methode und Systemtheorie, Soziale Welt 15 [1964], S. 1–25, und ders.: Soziologische Aufklärung, Soziale Welt 18 [1967], S. 97–123) setzt also bei einer Funktion an und bezieht Systemstrukturen auf diese Funktion. Demgegenüber ist die in der Soziologie herrschende Systemtheorie nicht funktional-strukturell, sondern strukturell-funktional konzipiert. Sie analysiert Systeme nur im Hinblick auf Bedingungen der Erhaltung ihrer Struktur,

Diese Funktion der Reduktion von Komplexität wird im wesentlichen durch Strukturbildung erfüllt, das heißt durch Generalisierung von Verhaltenserwartungen, die dann zeitlich über längere Zeitstrecken, sachlich für verschiedene Situationen und sozial für eine Mehrzahl von Personen »gelten«. Durch Strukturbildung gewinnt das System eine »offene« Identität, die Variationsmöglichkeiten nicht ausschließt, aber sie einschränkt, und besitzt so ein begrenztes Anpassungsvermögen[9]. Die Struktur, selbst schon Selektion im Verhältnis zur Komplexität der Umwelt, steuert das selektive Verhalten des Systems, ermöglicht also doppelte Selektivität und dadurch erhebliche Leistungssteigerungen[10].

Die Struktur eines Verfahrenssystems ist zunächst durch allgemeine, für viele Verfahren geltende Rechtsnormen vorgezeichnet. Diese Normen sind nicht schon die Verfahren selbst, und eine Rechtfertigung durch sie ist nicht schon Legitimation durch Verfahren. Sie reduzieren jedoch die unendliche Vielzahl möglicher Verhaltensweisen so weit, daß es möglich wird, ohne umständliche Vorverhandlungen über Sinn und Zweck einer Zusammenkunft einzelne Verfahren als Systeme in Gang zu bringen, ihre Thematik und ihre Grenzen zu definieren und den Beteiligten bewußt zu machen. Als konkrete Handlungssysteme nehmen solche Verfahren dann einen einmaligen Platz in Raum und Zeit ein. Sie gewinnen dadurch eine für sie spezifische Per-

kann also strukturellen Wandel nicht oder nur an Teilsystemen im Hinblick auf umfassendere Systeme erörtern. Zu dieser Auffassung vgl. namentlich Talcott Parsons: The Social System, Glencoe Ill. 1951, und, mit wachsender Distanz, ders.: Die jüngsten Entwicklungen in der strukturell-funktionalen Theorie, Kölner Zeitschrift für Soziologie und Sozialpsychologie 16 (1964), S. 30–49. Die strukturell-funktionale Theorie, die im Bestand strukturierter Systeme das letzte funktionale Bezugsproblem sieht, wäre nicht in der Lage, auch Prozesse als Systeme zu begreifen, deren Sinn ja nicht in der Erhaltung eines Bestandes, sondern in der Ordnung einer Veränderung liegt. Siehe immerhin als einen wichtigen Versuch in dieser Richtung Neil J. Smelser: Theory of Collective Behavior, New York 1963.

9 Der Begriff struktureller Variationsbegrenzung hat eine lange Geschichte. Für neuere Formulierungen siehe etwa Robert K. Merton: Social Theory and Social Structure, 2. Aufl., Glencoe Ill. 1957, S. 52, oder Harry M. Johnson: Sociology, New York 1960, S. 69.

10 Eines der bekanntesten Beispiele dafür ist die Sprache mit ihrer grundlegenden Differenz von allgemein feststehenden Symbolen und Verwendungsregeln auf der einen und konkretem Sprechen auf der anderen Seite.

spektive auf ihre Umwelt und einen eigenen Sinn, der sich in einer besonderen Konstellation von Ereignissen, Symbolen und Darstellungen manifestiert und in der Regel rasch erkennbar ist[11]. Reinemachefrauen, die zu früh in den Gerichtssaal einziehen, oder Gasthausbesucher, die statt gedeckter Tische Wahlplakate, Kabinen, Listen und offiziöse Mienen vorfinden, merken sofort, daß sie sich in ein anderes System verirrt haben, das gewisse Verhaltensmöglichkeiten ausschließt und andere eröffnet. Sie stören, definieren die Situation als Störung und unterstellen sich damit den Regeln des gestörten Systems. Systemadäquates Verhalten steht ihnen jedoch nicht zur Verfügung. Sie können weder dasein noch nicht dasein. Kommunikationsversuche zur Entschuldigung würden die Störung nur verlängern. Nicht selten ist dann systemlose Flucht die einzige Möglichkeit, dem gestörten System die Reverenz zu erweisen.

Strukturvorgabe und Definition konkret erkennbarer Systemgrenzen sind nicht die einzigen und für unser Problem nicht die wichtigsten Reduktionsweisen. Verfahren setzen stets eine strukturelle Rahmenordnung voraus, sind also nur als Teilsysteme eines größeren, sie überdauernden Systems möglich, das sie veranstaltet und ihnen gewisse Verhaltensregeln vorgibt. In diesem Rahmen besitzen sie aber Autonomie für den Aufbau einer eigenen Geschichte, und es ist diese *Verfahrensgeschichte*, durch die sie die ihnen überlassene Komplexität weiter reduzieren.

11 Erkennbarkeit der Systemgrenzen ist für soziale Systeme ein besonderes Problem, da sie im Unterschied zu physischen und zu biologischen Systemen nur durch Sinn (und nicht durch Materie) zusammengehalten und begrenzt werden. Ohne Erkennbarkeit der Grenzen wäre in einer Sozialordnung mit einer Vielzahl von Systemen geordnetes Verhalten nicht möglich. Das betonen auch Daniel Katz/Robert L. Kahn: The Social Psychology of Organizations, New York–London–Sydney 1966, S. 51, 61, während die Mehrzahl der Systemtheoretiker mit einem nur »analytischen« Systembegriff arbeitet und sich vorbehält, die Systemgrenze nach Maßgabe ihrer Erkenntnisziele selbst zu definieren. Siehe statt anderer David Easton: A Framework for Political Analysis. Englewood Cliffs N. J. 1965, insbes. S. 37 ff. Damit werden jedoch die Freiheiten der Forschung überzogen: Ihr kann die Wahl ihres Objekts, also die Wahl des Systems, freigegeben werden, das sie analysieren will, nicht jedoch die Bestimmung der Grenzen dieses Systems, die im sozialen Leben selbst gezogen werden. Vgl. dazu auch die Bemerkungen von Jürgen Habermas: Zur Logik der Sozialwissenschaften, Philosophische Rundschau Beiheft 5, Tübingen 1967, S. 88 f., 193 f.

Für den Systemcharakter des Verfahrens und seine relative Autonomie bezeichnend ist, daß jedes Verfahren seine eigene Geschichte hat, die von der »allgemeinen Geschichte« unterschieden wird. Die Beteiligten haben dadurch eine Chance und versuchen es nicht selten, sich selbst im Verfahren eine neue Vergangenheit zu geben. Indem sie sich darum bemühen, verstricken sie sich aber unversehens in das, was zur Vergangenheit des Verfahrens wird und nun ihre Operationsmöglichkeiten im Verfahren selbst zunehmend einschränkt. Wer in der Kunst des Verfahrens Meister werden will, muß daher lernen, zwei Vergangenheiten gleichzeitig zu kontrollieren.

Um eine eigene Verfahrensgeschichte herstellen zu können, muß das Verhalten der Beteiligten im Verfahren wählbar und damit auch zurechenbar sein. Verfahren sind strukturell so organisiert, daß sie das Handeln zwar nicht festlegen, es aber in eine bestimmte funktionale Perspektive bringen. Jede Kommunikation, selbst eine unbeabsichtigte Darstellung, die zum Verfahren beiträgt, wird als eine Information angenommen, die Möglichkeiten eröffnet, verdichtet oder ausscheidet, die die handelnden Personen und ihre relevante Vergangenheit definiert und den Entscheidungsspielraum einengt. Jeder Beitrag geht in die Geschichte des Verfahrens ein und kann dann in engen Grenzen vielleicht noch umgedeutet, aber nicht mehr zurückgenommen werden. Auf diese Weise wird Schritt für Schritt eine Konstellation von Fakten und Sinnbeziehungen aufgebaut, die mit den unverrückbaren Siegeln der Vergangenheit belegt ist und mehr und mehr Ungewißheit absorbiert. Im Lichte des schon Feststehenden wird das noch Offene interpretiert und weiter eingeengt. Die Verfahrensgeschichte dient dabei als Strukturäquivalent[12], sie sondert nämlich dieses eine Verfahren für eine Weile ab als ein besonderes System, in dem nicht mehr alles möglich ist, was in der Welt sonst möglich wäre.

12 In ähnlichem Sinne berücksichtigt die Organisationssoziologie zuweilen die Geschichte oder das Alter eines Systems als Faktor der Institutionalisierung. Siehe z. B. Philip Selznick: TVA and the Grass Roots, Berkeley–Los Angeles 1949; ders.: Leadership in Administration. A Sociological Interpretation. Evanston Ill.–White Plains N. Y. 1957; Samuel Huntington: Political Development and Political Decay, World Politics 17 (1965), S. 386–430.

Auf diese Weise wird das individuelle Verfahren zu einer Matrix möglicher Ereignisse, die nur in diesem Verfahren sich mit ihren spezifischen Bedeutungsgehalten ereignen können. Durch Regeln der Irrelevanz, durch Regeln der Zulassung von Personen und der Einführung von Themen, durch Übersetzungsregeln und durch Regeln der Definition dessen, was stört oder gar das System zerstört und was zur Vermeidung dessen getan werden kann, wird das Verfahren eingegrenzt und für einige Zeit zu einer gewissen Autonomie erweckt, bis die Entscheidung fällt[13]. In dem Maße, als das Verfahren sich entwickelt, ziehen die Handlungsmöglichkeiten der Beteiligten sich zusammen. Jeder muß auf das Rücksicht nehmen, was er schon gesagt oder zu sagen unterlassen hat. Äußerungen binden. Verpaßte Gelegenheiten kehren nicht wieder. Verspätete Proteste sind unglaubwürdig. Nur durch besondere Kunstgriffe kann schon reduzierte Komplexität wieder geöffnet, neue Unsicherheit geschaffen, Geschehenes wieder ungeschehen gemacht werden, und im allgemeinen weckt ein solches Agieren gegen die Tendenz zur Entscheidung den Unwillen der anderen Beteiligten, besonders, wenn es zu spät versucht wird.

In der Herstellung der Verfahrensgeschichte arbeiten die Beteiligten zusammen. Sie müssen sich daher auf ein gemeinsames Tempo einigen. Man kann nicht vorauslaufen. Der Richter kann nicht schon das Urteil begründen, während der Kläger noch die Klage begründet. Dieser Zwang macht sich besonders spürbar bei Interaktionen von Angesicht zu Angesicht, in die keine Zeitpuffer (etwa: schriftliche Mitteilungen) eingeschaltet werden können – also bei mündlichen Verhandlungen. Infolge des Zwanges zur Synchronisation wird die Interaktion für den einen zu langsam, für den anderen zu schnell ablaufen. Ungeduld, forcierte Geduld und Nichtmitkommen werden erkennbar. Während der Anwalt sich so langweilt, daß er nicht ganz verbergen

13 Skizzen zu einer allgemeinen Theorie thematisch konzentrierter Zusammenkünfte (encounters), die den Systemcharakter solcher Handlungszusammenhänge betonen, finden sich bei Erving Goffman: Encounters. Two Studies in the Sociology of Interaction, Indianapolis Ind. 1961. Siehe auch Niklas Luhmann: Funktionen und Folgen formaler Organisation, Berlin 1964, S. 295 ff., über »Situationssysteme«.

kann, daß er nicht bei der Sache ist, und dadurch Punkte verliert, muß sein Klient handeln, bevor er sich den nächsten Schritt überlegt hat. In solchen Situationen hat der Schnellere, und das ist typisch der geschulte und erfahrene Teilnehmer, aber auch der, der relativ wenig eigene Handlungen beisteuern muß, wesentliche Vorteile. Er findet Zeit, die Konsequenzen seines Handelns vorauszusehen und sich an mutmaßlichen Wirkungen zu orientieren. Er hat die Chance größerer Rationalität und größeren Einflusses auf den Verlauf der Dinge. Der Langsamere dagegen findet sich immer wieder unter Zugzwang. Er muß sich an den Forderungen des Augenblicks orientieren, also an der Gegenwart statt an der Zukunft; er kann sein Maß nur in den gerade aktuellen Zumutungen oder in seinem eigenen Zustand, etwa in seiner Verstocktheit, finden und ist so taktisch unterlegen. Er muß handeln – und kann erst nachher definieren, was er getan hat, sofern nicht auch dies von seinen schnelleren Partnern für ihn besorgt wird.

Diese Unterlegenheit bewirkt auch, daß der Langsamere den die Situation regierenden Erwartungen stärker ausgeliefert ist. Er wird durch die Situation regiert oder doch zu ständigen Kompromissen zwischen seinen Endzwecken und dem in der Situation Erforderlichen genötigt. Das, was erforderlich zu sein scheint, verschiebt sich laufend. Als Folge der Geschichte des Verfahrens und abhängig von dem, was zuvor sich ereignet hat, können sogar die Normen der sozialen Interaktion sich ändern. Das gilt vor allem für Gerichtsverfahren. Natürlich werden und bleiben die Rechtsnormen als konstant vorausgesetzt. Daneben aber gibt es normative soziale Verhaltenserwartungen, Spielregeln der Interaktion, von deren Beachtung es abhängt, ob die Beteiligten unterstützend oder sanktionierend aufeinander reagieren und in welche Richtung die Geschichte des Verfahrens dadurch gelenkt wird. Ähnlich wie auf einer Party oder bei einer Liebelei ist nicht gleich anfangs schon alles erlaubt. Die Beteiligten müssen ihre Beziehung erst anwärmen, sich wechselseitig Vertrauen verdienen durch Entgegenkommen in Ton und Stil oder auch in der Sache, bevor ein freierer Ton, ein deutlicher Angriff vorgetragen werden kann. Der Richter darf nicht am Anfang schon ungeduldig sein, sondern erst, wenn der Verlauf des Verfahrens den

Übergang zu einer anderen Einstellung trägt. Die Beteiligten können Kredit gewinnen oder verspielen und je nachdem eine andere Garnitur von Interaktionsregeln in Geltung setzen. Bricht einer der Beteiligten in Tränen aus, kann das vorübergehend seine Verfassung zum Thema werden lassen und eine langsamere Gangart oder einen menschlicheren Ton rechtfertigen. Kurz: Wie typisch für alle Systeme elementarer Interaktion, unterliegen die jeweils konkret fungierenden Normvorstellungen laufender Revision; und darüber läßt sich angesichts der Kleinheit und Übersichtlichkeit des Systems relativ rasch Konsens herstellen, sofern nur die Beteiligten als Partner intakt, bei der Sache und verhandlungsfähig bleiben.

Wendet man diese systemtheoretische Konzeption auf das Verfahren an, läßt sich dessen Eigenleben in zeitlicher, sachlicher und sozialer Beziehung studieren und dessen eigene, nicht auf den Rechtsnormen beruhende Leistung erkennen. Dabei ist nicht nur eine ritualistische Fehldeutung zu vermeiden, sondern auch eine historische Betrachtungsweise, die das Verfahren als eine Kette objektiver, gleichsam schon abgelaufener Handlungen sieht und dabei außer acht läßt, daß die meisten und jedenfalls die wesentlichsten Handlungen, die dem einzelnen Verfahren seine besondere Note geben, in einem Horizont von Ungewißheit und mehr oder weniger scharf konturierten anderen Möglichkeiten gewählt werden. Gerade diese Absorption von Ungewißheit durch selektive Schritte macht den Sinn des Verfahrens aus, macht eine Abgrenzung gegenüber der Umwelt nicht verfahrenszugehöriger Informationen erforderlich und bedingt eine gewisse Autonomie des Entscheidungsvorgangs.

Die Vorstellung eines relativ autonomen Handlungssystems ermöglicht es, weitere Merkmale und damit auch die Funktionen rechtlich geregelter Verfahren zu begreifen. Nur weil die Struktur des Verfahrenssystems Verhaltensmöglichkeiten offenläßt. also noch offene Komplexität in sich aufnimmt, kann das Verhalten der Beteiligten als eine *Rolle* angelegt sein, die sie noch auszufüllen haben und die daher Persönlichkeiten mit ihren Selbstdarstellungen und ihren anderen Rollenbeziehungen in das Verfahren hineinzieht und bindet.

Die Ausbildung eigentümlicher Verfahrensrollen, die sich erst in systemspezifischen Kommunikationsprozessen konkretisieren, bewirkt eine *Rollentrennung* zwischen dem Verfahren und seiner Umwelt, das heißt eine Ausdifferenzierung des Verfahrens aus der Gesellschaft auf der Ebene der Rollen. Ein Wähler handelt in der politischen Wahl nicht primär als Friseur, Ehemann, Briefmarkensammler oder Methodist – er kann zum Beispiel als seinen Leistungsbeitrag nicht anbieten, den Kandidaten die Haare zu schneiden oder für sie zu beten –, sondern er bleibt an die Rolle des Wählers gebunden, in der er allenfalls einige Motive aus anderen Rollenzusammenhängen »berücksichtigen« kann. Abgeordnete können im Parlament die Interessen der Konservenindustrie nicht durch Verkauf von Konserven oder durch Werbung für Konserven fördern, sondern nur durch Teilnahme an Abstimmungen oder durch Beeinflussung von Stimmabgaben, also nach den dort geltenden Spielregeln. Selbst in Scheidungsprozessen handelt der Kläger nicht primär als Ehemann, sondern in erster Linie als Kläger, und muß sich entsprechend disziplinieren. Solche Rollentrennung, die je nach den Umständen durch besondere Vorschriften verstärkt oder abgeschwächt werden kann, wirkt wie ein Filter. Die Beteiligten können sich nur nach Maßgabe des Verfahrenssystems durch ihre anderen Rollen motivieren lassen und typisch nicht durch alle anderen Rollen oder durch alle Erfordernisse anderer Rollen, wenn sie im Verfahren nicht unsinnig oder erfolglos handeln wollen.

Umgekehrt schirmt das Verfahren sie ab gegen Folgenverantwortung in anderen Rollen[14]. Der Arbeitgeber kann nicht verlangen, daß seine Arbeiter in der Wahl zum Erfolg einer bestimmten Partei beitragen. Die Ehefrau kann von ihrem Mann nicht fordern, daß er den Mietkündigungsprozeß gewinnt. Sie kann ihn zwar vor seinem Auftreten vor Gericht beraten, kann dieses Auftreten aber nicht nach den Erfordernissen eines harmonischen Familienlebens steuern, sondern nur nach den Erfordernissen gerichtlicher Verfahren. »Hintermänner« aus anderen Rollenbeziehungen sind mithin gehalten, die Eigengesetzlichkeit

14 Daß Rollen immer auch diesen Entlastungsaspekt haben, wird in der soziologischen Rollentheorie noch relativ selten gesehen. Er ist jedoch notwendiges Korrelat jeder Spezifikation von Verantwortlichkeit.

des Verfahrens zu respektieren, und müssen daher auch das Ergebnis akzeptieren, ohne ihren am Verfahren beteiligten Partnern Vorwürfe machen zu können, es sei denn, diese hätten sich nach den Maßstäben des Verfahrens ungeschickt verhalten. Die relative Autonomie des Verfahrens auf Verhaltens- und auf Rollenebene trägt somit zur *sozialen Generalisierung* des Ergebnisses bei. Verbindliche Entscheidungen müssen auch von indirekt Beteiligten, wenn nicht öffentlich, so doch ihren Mittelsmännern gegenüber, akzeptiert werden, und solche soziale Generalisierung ist, wie wir im Kapitel über Legitimität gesehen haben[15], wesentliche Bedingung für die Legitimation der Entscheidung, da der einzelne nur mit sozialer Unterstützung akzeptieren kann.

Autonomie des Verfahrens und sichtbare Selektivität der zur Entscheidung führenden Kommunikationen sind ferner Voraussetzung dafür, daß Rollen im Verfahren konkurrierend, wenn nicht gar kontradiktorisch gegeneinandergesetzt werden können. Dafür ist nämlich jene eigentümliche Orientierung an reduzierter und doch erhaltener Komplexität, an negierten und doch noch sinn- und verhaltensbestimmenden Möglichkeiten Vorbedingung, die wir erörtert haben. Sie muß durch die Systemstruktur zugelassen werden. Die Kommunikationen der Beteiligten müssen zwar Selektionsleistungen erbringen, sie müssen etwa mitteilen, daß dies (und nichts anderes) geschehen war oder geschehen soll, aber sie bleiben in ihrer Selektivität (und nicht nur mit dem Sinn, den sie auswählten) Gegenstand weiterer Kommunikation. Sie werden als bloße Kommunikation und nicht als Teilentscheidung behandelt; und erst das Sicheinlassen auf sie durch andere Teilnehmer reduziert, so weit es reicht, Komplexität für das System. In einem solchen System sind also Informationen zugelassen, welche die Komplexität steigern und damit Entscheidungsschwierigkeiten und Unsicherheit erhöhen[16]. Der Gegenfall wäre ein System, in dem jeder Entscheidungsschritt den von anderen ausgewählten Sinn kritiklos als Prämisse über-

15 Vgl. oben S. 34.

16 Das ist einer der Gründe, weshalb es schwierig sein dürfte, in diesem Bereich mit der mathematischen Informationstheorie zu arbeiten. Siehe in diesem Zusammenhang auch den Versuch einer spieltheoretischen Behandlung bei Thornton B. Roby: Commitment, Behavioral Science 5 (1960), S. 253–264.

nimmt, also Schritt an Schritt anschließt und die Komplexität der Ausgangssituation dadurch zügig reduziert wird. Demgegenüber ist das Entscheidungstempo eines Systems, das sich nicht auf jede Kommunikation definitiv verläßt, geringer – die Umwelt muß ihm also mehr Zeit bewilligen –; dafür aber ist die Offenheit, die Komplexität und die Widersprüchlichkeit der möglichen Kommunikationen größer. Eine Verfahrensstruktur kann dank dieser größeren Komplexität im System selbst *Kritik* und *Alternativen* erzeugen und eine Zeitlang offenhalten[17]. Verfahren können daher Funktionen übernehmen, die einfacheren Systemen verschlossen sind, namentlich Funktionen der *kooperativen* Wahrheitssuche von divergierenden Standpunkten aus und Funktionen des Darstellens und Austragens von Konflikten[18].

Dabei wird zwischen Kooperation und Konflikt durch die Struktur des Systems nicht vorentschieden. Sie eignet sich zu beidem. Es braucht deshalb nicht jeweils geklärt zu werden, welche Funktion in einzelnen Kommunikationen oder einzelnen Verfahrensabschnitten dominiert. Typisch verschmelzen Verfahren daher beide Funktionen. Das macht es möglich, Konflikte unter der Ideologie gemeinsamer Wahrheitssuche auszutragen,

17 Die Struktur dieser kontradiktorischen Alternativität verdiente, darauf kann hier nur anmerkungsweise hingewiesen werden, besondere Aufmerksamkeit und sorgfältige Erforschung. Es handelt sich nicht um instrumentale oder funktionale Alternativen im Sinne von anderen geeigneten Mitteln oder äquivalenten Problemlösungen. Die Alternativen, die ein Verfahren eröffnet, beruhen vielmehr darauf, daß Informationen von entgegengesetzten subjektiven Standpunkten aus und in deren Interpretationshorizonten einen je anderen Sinn erhalten können. Die Reduktion dieser subjektiven Komplexität, das Eliminieren dieser kontradiktorischen Alternativen wird daher weder durch eine rein logische Konsistenzkontrolle noch durch ein wertorientiertes Auswahl- oder Optimierungsverfahren geleistet, sondern primär durch *Bewußtmachen ihres perspektivischen Zusammenhanges*, ihrer Subjektivität. Diese Technik erlaubt es, schwache Stellen zu finden und zu generalisieren, mit Aufdecken eines Fehlarguments oder einer Lüge ganze Sichtweisen zu diskreditieren oder umgekehrt überzeugende Kommunikationen der Perspektive anzurechnen, der sie entstammen, und so zu einer Entscheidung zu kommen.

18 Sehr ähnliche Vorstellungen über den Unterschied von einfacheren und komplexeren Systemen zeichnen sich in der psychologischen Systemtheorie von Schroder, Harvey, Hunt und anderen ab. Siehe neuestens Harold M. Schroder/Michael J. Driver/Siegfried Streufert: Human Information Processing. Individuals and Groups Functioning in Complex Situations, New York 1967; ferner namentlich O. J. Harvey/David E. Hunt Harold M. Schroder: Conceptual Systems and Personality Organization, New York–London 1961.

eine Vorstellung, auf die die klassische Verfahrenskonzeption unkritisch hereingefallen war. Auf diese Weise lassen Konflikte sich »regeln«[19], das heißt durch gewisse Nebenbedingungen der Darstellung des Verhaltens entschärfen.

Dieser Struktur und diesen Funktionen rechtlich geregelter Verfahren entspricht die *Motivlage*. Der Komplexität des Systems entsprechend muß die Offenheit der Entscheidung in die Verhaltensmotivation eingehen, und sie wird in der Tat als mitwirkendes Motiv ausgenutzt. Einerseits gibt es typisch hauptberuflich oder ehrenamtlich Beteiligte, die an vielen Verfahren mitwirkend und entsprechend unspezifisch, zum Beispiel durch Bezahlung, motiviert werden müssen. Für sie wird die Offenheit der Entscheidung zur Aufgabe, die durch Arbeit erfüllt werden muß. Alle anderen Beteiligten müssen durch das einzelne Verfahrenssystem selbst zu sachgerechter Mitwirkung bewegt werden. Hierfür sind die folgenden Komponenten wesentlich: Ein eigenes Interesse am Thema; die Gewißheit, *daß* eine Entscheidung zustande kommen wird; und die Ungewißheit, *welche* Entscheidung es sein wird. Besonders diese Ungewißheit des Ausgangs ist verfahrenswesentlich. Sie gibt den Beteiligten den Anreiz, mit eigenen Reduktionsversuchen zum Fortgang des Verfahrens beizutragen, hält ihre Hoffnung wach und lotst sie zugleich auf den Weg, der nach den Regeln des Verfahrens zur Entscheidung führt. Die Ungewißheit motiviert, mit anderen Worten, die Annahme einer Rolle und damit auch des Rollenkontextes, der die Ungewißheit schrittweise absorbiert[20]. Fehlt es an solcher Ungewißheit, wie zum Beispiel bei politischen Wahlen mit feststehender Einheitsliste oder bei »Schauprozessen«, dann liegt kein eigenständiges Verfahren vor, sondern eine ritualistische

19 Dazu näher unten S. 100 ff.

20 Diese Ungewißheit der Sachentscheidung muß von älteren Formen des Prozeßrisikos unterschieden werden, die sich aus der ritualistischen, auf einzig-richtige Handlungen hin formalisierten Regelung des Prozesses ergaben. Sie dienten als institutionalisierte Fallen, die den Prozeß ohne sachliche Prüfung zur Entscheidung brachten. Sie hatten also die Funktion, angesichts geringer Sachentscheidungskapazität der Richter mehr Risiken auf die Parteien abzuwälzen – im ganzen ein Symptom für geringe Ausdifferenzierung, Autonomie und Komplexität des Prozeßsystems. Dazu mit viel Material Heinrich Siegel: Die Gefahr vor Gericht und im Rechtsgang, Sitzungsberichte der Philosophisch-Historischen Classe der Kaiserlichen Akademie der Wissenschaften 51 (1865), S. 120–172.

Darstellung der Werte eines anderen Systems, die dann auch extern motiviert werden muß.

Soviel läßt sich für Verfahren schlechthin ausmachen. Als Angelpunkt für das Verständnis von Struktur, Funktionen und Antrieben und für das Begreifen ihres inneren Zusammenhanges dient uns die Vorstellung einer begrenzten, systemeigenen Komplexität des Verfahrens. Mit ihr können wir die klassische Bestimmung des Verfahrens durch Wahrheit als Zweck ersetzen. Zugleich gewinnen wir aus diesem Grundgedanken einen Anhaltspunkt für die Gliederung der folgenden Einzeluntersuchungen. Die Eigenkomplexität, die ein Verfahrenssystem benötigt, hängt wesentlich von der Komplexität der Entscheidungsaufgabe ab. Diese wiederum ist davon abhängig, wieweit im Entscheidungsprozeß Entscheidungsprämissen vorausgesetzt oder erst geschaffen werden müssen. Entsprechend gibt es Entscheidungssituationen und -verfahren mit bestimmter und mit unbestimmter Komplexität[21]. Im politischen System finden wir bestimmte Komplexität typisch in den rechtsanwendenden oder zweckausführenden Entscheidungsbereichen, unbestimmte Komplexität dagegen in der politischen Wahl und der Gesetzgebung[22]. Letz-

21 Einteilungen dieser Art finden sich in der organisationswissenschaftlichen Literatur häufig, erreichen aber zumeist nicht den für unsere Zwecke notwendigen Abstraktionsgrad. Vgl. als vielzitierte Beispiele die Entgegensetzung von Routineentscheidungen und kritischen Entscheidungen (Führungsentscheidungen) bei Philip Selznick: Leadership in Administration. A Sociological Interpretation, Evanston Ill.-White Plains N. Y. 1957, oder die von Simon wiederholt formulierte und auf andere organisatorische Variablen bezogene Unterscheidung von programmiertem und nichtprogrammiertem Entscheiden – siehe namentlich Herbert A. Simon: Recent Advances in Organization Theory. In: Research Frontiers in Politics and Government, Brookings Lecture 1955, Washington 1955, S. 23-44 (38 ff.); ders.: The New Science of Management Decision, New York 1960, S. 5 ff. (dt. Übers. in: Ders.: Perspektiven der Automation für Entscheider, Quickborn 1966); und ausführlicher ausgearbeitet in: James G. March/Herbert A. Simon: Organizations, New York-London 1958, S. 26 ff., 141 ff., 172 ff. u. ö. Nicht oder nicht angemessen einbezogen sind dabei zweckprogrammierte Entscheidungen und Rekrutierungsentscheidungen. Als Parallele aus der allgemeinen Systemtheorie siehe ferner die Unterscheidung von organisierter und nichtorganisierter Komplexität von Ludwig von Bertalanffy: General System Theory. A Critical Review, General Systems 7 (1962), S. 1-20 (2).

22 Da die Unterscheidung funktional getroffen ist, hat sie zunächst nur analytischen Wert und läßt offen, wie weit Entscheidungsprozesse in der Wirklichkeit entsprechend differenziert sind. So hat namentlich das programmierte Entscheiden zumeist auch präjudizierende Wirkungen, also programmierende Seiteneffekte,

tere dienen dazu, die Komplexität politischer Situationen so weit zu reduzieren, daß erstere zum Zuge kommen können. Das geschieht durch Rekrutierungs- und Programmierungsentscheidungen – eben durch Wahl und Gesetzgebung, die in groben Zügen festlegen, wer entscheiden und was entschieden werden soll.

Im folgenden Teil unserer Untersuchungen wenden wir uns ausführlich dem programmierten Entscheiden zu, und zwar speziell den rechtsanwendenden Verfahren der Gerichte. Hier stellt das Problem der Legitimation durch Verfahren sich relativ konkret und empirisch. Von ihnen geht daher eine Modellwirkung aus. Auch historisch gesehen bilden diese Verfahren die ältere und elementarere Verhaltensordnung. Sie gehören zum Grundbestand abendländischer Rechtskultur; und ihre Institutionalisierung stellt weit geringere Anforderungen an die Gesellschaft und ihr politisches System als die Verfahren der politischen Wahl und der Gesetzgebung. Erst danach können diese sehr viel problematischeren Verfahren der Reduktion unbestimmter Komplexität behandelt werden.

die mitbedacht werden müssen; und unprogrammiertes Handeln muß sich, da bei völlig unbestimmter Komplexität kein Sinn zu finden ist, ebenfalls an vorgegebene Sinnstrukturen anlehnen, die als Prämisse und nicht als Problem behandelt werden – zum Beispiel an eine begrenzte Zahl namentlich genannter Kandidaten für die Wahl oder an die Masse vorliegender Rechtsnormen, in die ein neues Gesetz eingepaßt werden muß.

[illegible] politischer [illegible]
[illegible] kann [illegible]
[illegible] durch [illegible] und [illegible]
[illegible] und [illegible]
[illegible], wer [illegible] und was [illegible] soll.

Im folgenden [illegible] Untersuchungen werden wir [illegible]
anhand von dem [illegible] und [illegible]
[illegible] Methoden der [illegible]
[illegible] Problem der [illegible] und [illegible]
Konsens und [illegible] von [illegible] eine [illegible]
[illegible] und [illegible] Verfahren der
[illegible] im [illegible] Verhältnis [illegible]
Grundbestand [illegible] und [illegible]
[illegible] Stelle [illegible] gegen [illegible]
[illegible] und [illegible] der politischen
Wahl und der Gesetzgebung [illegible]
[illegible] Verfahren [illegible]
[illegible] werden.

[illegible]

II. Gerichtsverfahren

Dieser Teil behandelt rechtsanwendende Verfahren und orientiert sich dabei an Gerichten. Von den beträchtlichen Unterschieden der Verfahren in den einzelnen Gerichtssparten sehen wir dabei im großen und ganzen ab, da das in verwirrende Details hineinführen würde und dann auch die Unterschiede der einzelnen Rechtsordnungen mehr als in diesem Rahmen möglich beachtet werden müßten. Die Notwendigkeit und Nützlichkeit detaillierterer rechtssoziologischer Untersuchungen soll natürlich nicht bestritten werden. Mit Sicherheit hat zum Beispiel das Akzeptieren eines Strafurteils andere psychische und soziale Voraussetzungen, als sie im Falle der Zivilgerichtsbarkeit oder der Verwaltungsgerichtsbarkeit zu beobachten sind. Gewiß gibt die Parteiherrschaft über den Zivilprozeß dem Verfahren stärker den Charakter eines eigenen, riskanten Unternehmens, besonders für den Kläger. Überhaupt differenzieren die Perspektiven von Klägern und Beklagten sich im Zivilprozeß anders als im Strafprozeß und wieder anders im verwaltungsgerichtlichen Verfahren. Das kann für die Rolle der Beteiligten und ihre Bereitschaft, Urteile anzunehmen, von Bedeutung sein. Die Differenz zwischen dem im voraus fixierten eigenen Standpunkt und dem Urteil, eine für den Legitimierungseffekt sicher wichtige Variable, mag in den einzelnen Verfahrensarten sehr verschieden sein. Man kann in gewissen Fällen vom eigenen Unrecht überzeugt sein und als geständiger Verbrecher oder als zahlungsunfähiger Schuldner doch vor Gericht gezogen werden; im Verwaltungsgerichtsprozeß gibt es eine solche Konstellation kaum. Auch die typisch entscheidungswichtigen Verfahrensnormen variieren. Besonders diejenigen, deretwegen man »allein auf Grund des Verfahrens« verlieren oder gewinnen kann, die Beweislastregeln, haben im Zivilprozeß eine andere Bedeutung als im Strafprozeß, wo der Delinquent überführt werden muß; und ihre mehr oder weniger apokryphe, durch vielfältige Distinktionen zersplitterte Existenz im verwaltungsgerichtlichen Verfahren ist ein Symptom für die Schwierigkeit, im Verhältnis von Bürger und Staat prinzipielle Rechtsvermutungen zu begründen. Eine andere Perspektive könnte die Verwaltungs-, Finanz- und Sozialgerichtsbarkeit von den klassischen Formen der Zivil- und Strafjustiz trennen: Jene sind mit der aktuellen politischen Entscheidungspraxis des modernen Gesetzgebungsstaates eng verbunden und müssen eine rasch fluktuierende Gesetzgebung gleichsam mitlegitimieren, während in der Zivil- und Strafjustiz der Staat sich nicht als Gestalter der gesellschaftlichen Wirklichkeit aggressiv, variabel, adaptiv darstellt, sondern mit einem Ordnungsinteresse hervortritt, das sich auf relativ konstante Überzeugungen in der Gesellschaft stützen kann.

All das könnte für das Problem einer Legitimation durch Verfahren auf vielfältig vermittelte Weise relevant sein. Unser Ziel ist indes nicht ein Ausgraben, Deuten und Überprüfen dieser Unterschiede. Dafür kann hier nur eine Vororientierung gegeben und eine Fragestellung ausgearbeitet werden. Zunächst gilt es, das Gemeinsame zu sehen, das für alle Gerichtsverfahren bezeichnend ist, und diese Verfahren als geordnete, empirisch faßbare Handlungssysteme zu erkennen, die durch Rechtsvorschriften, aber auch durch gesellschaftlich institutionalisierte Übung und schließlich durch fallweise sich herausbildende Verhaltenserwartungen gesteuert werden. Schon das ermöglicht es, ein allgemeines Urteil zu gewinnen über die Funktionen, die solche Verfahren erfüllen, über die Probleme, die dabei zu lösen sind, und über die sozialen Mechanismen, die dabei ins Spiel kommen.

1. *Ausdifferenzierung*

Wie alle Systeme konstituieren sich Gerichtsverfahren durch Ausdifferenzierung, durch Festigung von Grenzen gegenüber einer Umwelt. Dabei geht es nicht darum, den Zusammenhang mit Strukturen und Ereignissen außerhalb des Verfahrens abzubrechen. Ausdifferenzierung heißt nicht kausale oder kommunikative Isolierung. Gerichte sind keine Gefängnisse. Vielmehr kommt es nur darauf an, eine Sinnsphäre für sich zu konstruieren, so daß selektive Prozesse der Verarbeitung von Umweltinformationen durch systemeigene Regeln und Entscheidungen gesteuert werden können, daß also Strukturen und Ereignisse der Umwelt nicht automatisch auch im System gelten, sondern erst nach Filterung von Informationen anerkannt werden. Ausdifferenzierung kann mithin nur durch Autonomsetzung von Verfahren vollzogen werden, und sie geht so weit, wie die Entscheidungsmöglichkeiten des Systems reichen.

In einigen Hinsichten läßt sich dieser Vorgang dem der Zeugung und Geburt vergleichen. Organismen entstehen bekanntlich nicht durch Neuentwicklung immer wieder aus reinem Zufall – das würde viel zuviel Zeit kosten, so daß ein Erfolg extrem unwahrscheinlich wäre –, sondern sie bilden sich durch Ingangsetzen eines vorkonstituierten Selektionsprogramms, das nach vererblichen Regeln den Organismus in kürzester Zeit aufbaut. Auch Verfahren werden nicht etwa von Fall zu Fall erfunden und vereinbart. Auch das wäre nämlich zeitraubendes Warten auf Zufall und würde so viel Zeit kosten, daß unterdessen die Ordnung der Gesellschaft zerfiele oder doch in äußerst primitive Zustände zurückfiele. In allen Gesellschaften von einiger Komplexität müssen Verfahren daher auf zeitsparende Weise durch Wahl eines vorkonstituierten Typs »eingeleitet« werden. Dieser Typus ist als Programm für relativ ausdifferenziertes Verhalten kulturell schon vorhanden. Die in ihm vorgesehene Verselbständigung kann mehr oder weniger weit gehen. Das Ausmaß möglicher Ausdifferenzierung hängt mit anderen Strukturen der Gesellschaft zusammen, und über diesen Zusammenhang müssen wir zunächst Klarheit schaffen.

Die Einsicht in die Bedeutung dieser Frage wird durch das Ideal einzig richtiger Entscheidungen erschwert. Soweit es solche Entscheidungen gibt und man sie finden kann, wird das Verfahren irrelevant. Die Richtigkeit der Entscheidung hängt nicht davon ab, wie man zu ihr gekommen ist. Einen Entfaltungsspielraum als soziales System hat das Verfahren nur deshalb, weil in Fragen des Rechts und der Wahrheit Ungewißheit besteht, und nur, soweit diese Ungewißheit reicht. Die Ausdifferenzierung von Verfahren bezieht sich auf den Prozeß der Absorption dieser Ungewißheit und besagt, daß dieser Prozeß durch verfahrensinterne und nicht durch externe Kriterien gesteuert wird.

Am deutlichsten läßt die institutionelle Entwicklung ausdifferenzierter Verfahren sich im Beweisrecht beobachten[1]. In ganz grober Schematisierung und ohne Behauptung einer notwendigen historischen Entwicklungsfolge lassen sich drei Formen des Zusammenhangs der Beweisführung mit außerverfahrensmäßigen Gesellschaftsstrukturen unterscheiden: der Gottesbeweis, der rollenabhängige Beweis und der freie Beweis.

In der ersten Form dient der Beweis nicht dazu, die Entscheidung des Gerichts durch Klärung einer Teilfrage vorzubereiten, sondern er provoziert eine Entscheidung höherer Mächte, welche die Ungewißheit durch Gottesurteil beseitigt. Das Verfahren selbst hat keine Autonomie, ja nicht einmal die Gesellschaft als Ganzes maßt sich an, entscheiden zu können. Die Entscheidungsfindung ist Bestandteil der magisch-religiös fundierten Lebensordnung. Von deren alternativenloser Glaubenssicherheit ist die Überzeugungskraft und Legitimität der Entscheidung abhängig[2].

1 Einen guten Überblick, wenn auch ohne systemtheoretische Verarbeitung, gibt Henry Lévy-Bruhl: La preuve judiciaire. Etude de sociologie juridique, Paris 1964. Mehr Einzelheiten bei Richard Thurnwald: Die menschliche Gesellschaft in ihren ethno-soziologischen Grundlagen, Bd. v, Berlin–Leipzig 1934, S. 145 ff., insbes. 161 ff.

2 Man darf natürlich vermuten, daß es latente Mechanismen gab, welche die Zufälligkeit des Ausgangs solcher Gottesurteile reduzierten, etwa ein informales, gerüchtartiges Vorsondieren außerhalb des eigentlichen Verfahrens, so daß nur mutmaßlich Schuldige das Gottesurteil zu bestehen hatten. Auf diese Weise konnten dann auch Status, Rollen und soziale Beziehungen des einzelnen Berücksichtigung finden, so daß die Gottesurteile im großen und ganzen auf die Bestätigung einer schon eingelebten Ordnung hinausliefen.

Die rollenabhängige Beweisführung hat demgegenüber eine sehr viel größere Anwendungsbreite. Einfachere Gesellschaften sind nicht oder nur sehr unvollkommen in der Lage, Rollen zu trennen. Auch sie aktivieren natürlich situationsweise verschiedene Rollen – in der Familie tritt man nicht als Krieger auf –, aber die Beurteilung, Kritik und Kontrolle des Verhaltens in einer Rolle ist konkret an die Person gebunden und nicht unabhängig von dem Verhalten in anderen Rollen möglich. Gerade in Rechtsverfahren, die aus Anlaß von Konflikten und Enttäuschungen entstehen, kommen daher zahlreiche Rollen der Beteiligten in den Blick, und ihr Verhalten wird einer moralischen Gesamtwürdigung unterzogen[3]. In der Frage des Verstoßes gegen eheliche Pflichten kann nicht ignoriert werden, ob der Mann als Produzent, als Krieger, im Ahnenkult, als Mitglied des Stammesrates usw. sich bewährt oder versagt hat. Und ebenso ist für die Würdigung einer Zeugenaussage die Rollengesamtheit einer sozialen Persönlichkeit und ihre Resonanz im Leben einer übersehbaren Gemeinschaft von Bedeutung. So lassen sich denn auch die Rollen im Verfahren nur situationsmäßig, nicht aber in den Kriterien der Beurteilung des Verhaltens von anderen Rollen trennen.

Der Unterschied zwischen den Verfahren einfacherer Gesellschaften und den heutigen Gerichtsprozessen darf jedoch nicht überspitzt werden. Die rollenabhängige Verhaltenswürdigung und Beweisführung kann mehr oder weniger ausgeprägt vorliegen und mehr oder weniger nach verfahrensspezifischen Kriterien rationalisiert werden. Diese Frage hat sozusagen als Gleitbahn der Ausdifferenzierung von Gerichtsverfahren gedient. Sie reicht von der Institution der Eideshelfer, die als Verwandte

3 Die Trennung von Recht und Moral setzt mithin starke, eingelebte Rollendifferenzierung mit entsprechend spezifizierten Relevanzkriterien voraus – eine sozialstrukturelle Errungenschaft, die sich für das Normalverhalten schon recht früh anbahnt, für Konfliktsfälle dagegen schwer und entwicklungsfähig erst relativ spät zu institutionalisieren ist. Vgl. für einfachere Gesellschaften Max Gluckman: The Judicial Process Among the Barotse of Northern Rhodesia, Manchester 1955, insbes. S. 18 ff.; und dazu Siegfried F. Nadel: Reason and Unreason in African Law, Africa 26 (1956), S. 160–173 (170 f.), der im wesentlichen zustimmt, jedoch auf Ansätze zur Selektion relevanter Rollenausschnitte auch in den Rechtsverfahren einfacherer Gesellschaften hinweist.

verpflichtet waren, ihren Angehörigen vor Gericht beizustehen, ohne daß ihre Glaubwürdigkeit zum Problem wurde, bis hin zu der noch heute zu beobachtenden Tatsache, daß Zeugen ihre Aussagen mit Rücksicht auf eigene außerprozessuale Rollen färben[4]. Auch ist zu vermuten, daß selbst Richter sich von eigentlich nicht relevanten anderen Rollen der Verfahrensbeteiligten beeindrucken lassen, daß zum Beispiel Angehörige höherer Gesellschaftsschichten vor Gericht größere Glaubwürdigkeit genießen[5] und es auch leichter haben, andere Beteiligte, namentlich Zeugen, aus dem Konzept zu bringen[6]. In diesen Fällen dient die Orientierung an anderen Rollen der Verfahrensbeteiligten dazu, den Entscheidungsgang in eine bestimmte Richtung zu steuern, was je nach den Umständen Steigerung oder Minderung der Ungewißheit bedeuten kann.

Die Relevanz anderer Rollen ist eine variierbare (und darum entwicklungsgünstige) Größe. Sie kann mit hoher Selbstverständlichkeit unterstellt werden und wird dann vom Entscheidungsthema selbst gar nicht oder kaum unterschieden. Sie kann aber auch durch zunehmend rationalisierte Erwägungen in die verfahrensinterne Kontrolle einbezogen werden – Erwägungen etwa der Art, daß hochgestellte Politiker, Geistliche, Lehrer es sich gar nicht leisten können, vor Gericht die Unwahrheit zu sagen, und deshalb Vertrauen verdienen. In dem Maße, als die

4 Zahlreiche Fälle, die das erkennen lassen, hat Hans von Hentig: Entlastungszeuge und Entlastungstechnik, Stuttgart 1964, zusammengetragen.

5 Siehe auch die allerdings nicht näher belegten Spekulationen über ein schichtenabhängiges Gesellschaftsbild des deutschen Richters von Ralf Dahrendorf: Bemerkungen zur sozialen Herkunft und Stellung der Richter an Oberlandesgerichten. Ein Beitrag zur Soziologie der deutschen Oberschicht, Hamburger Jahrbuch für Wirtschafts- und Gesellschaftspolitik 5 (1960), S. 260–275 (273 ff.). Neu gedruckt in: Ders.: Gesellschaft und Freiheit. Zur soziologischen Analyse der Gegenwart München 1961, S. 176-196. Vgl. auch Klaus Zwingmann: Zur Soziologie des Richters in der Bundesrepublik Deutschland, Berlin 1966, insbes. S. 25.

6 Hierzu siehe Enrico Altavilla: Forensische Psychologie, Bd. II, dt. Übers., Graz-Wien-Köln o. J. (1959), S. 254 ff. Bemerkenswert ist übrigens, daß selbst dieses renommierte Lehrbuch der Gerichtspsychologie ziemlich kategorisch behauptet, daß Polizeibeamte geneigt sind, die Wahrheit zu sagen, Prostituierte dagegen zu lügen, dem Richter mit anderen Worten als Daumenregel empfiehlt, sich an außerprozessuale Rollen zu halten (vgl. S. 231 f., 234). Dasselbe Lehrbuch mißt dem Bildungsstand für die Glaubwürdigkeit von Zeugen hohe Bedeutung zu und zitiert, ohne sich deutlich zu distanzieren, eine Formulierung von Butrigarius: Testes in summa paupertate non crederem; si duo sunt pauperes pro una parte et duo divites pro alia, praefero divites!

Abhängigkeit des Verfahrens von anderen Rollen sich lockert, kann rollenspezifisches Vertrauen in rollenspezifische Skepsis umschlagen. Beispiele dafür dürften im Wandel der gerichtlichen Würdigung der Zeugenaussage von Polizeibeamten in den letzten hundert Jahren zu finden sein.

Rationalisierte Rollenberücksichtigung geht bereits in »freie Beweiswürdigung« über. Der Übergang wird dadurch vollzogen, daß sie zur Diskussion gestellt wird und in den Entscheidungsbegründungen erscheint als eine von mehreren möglichen Deutungen, die im Verfahren selbst erarbeitet worden ist. Der Rechtsgrundsatz der freien Beweiswürdigung (§ 286 ZPO) hat diesen Sinn. Er ist nicht gedacht als Freiheit, zu treffen oder vorbeizuschießen, wie ein bekannter Prozessualist befürchtete[7], sondern als Freiheit, prozeßfremde Rollen unberücksichtigt zu lassen. Gewiß sichert der Rechtsgrundsatz nur entsprechende Begründungen, nicht ohne weiteres auch entsprechendes Verhalten[8]. Er allein kann nicht verhindern, daß nicht doch andere Rollen der Beteiligten auf die Entscheidungsfindung einwirken. Immerhin müssen im Prinzip selbst Staatspräsidenten, Erzbischöfe, Parteisekretäre oder Wirtschaftsmagnaten darauf gefaßt sein, daß die Richtigkeit ihrer Aussagen vor Gericht als eine Frage behandelt wird, auf die es zwei Antworten geben kann. Die Gesellschaft muß, wenn sie dies tolerieren will, so eingerichtet sein, daß solche gerichtlichen Untersuchungen ihr Rollengefüge im übrigen nicht erschüttern[9].

Distanzierung gegenüber dem gesellschaftlichen Hintergrund von Aussagen dient der Ausdifferenzierung von Verfahren, kann sie aber allein noch nicht sicherstellen. Es genügt nicht, allein die Aussagenden, die Parteien und Zeugen, von ihren anderen Rol-

7 Friedrich Stein: Die Kunst der Rechtsprechung, o. O. u. J. (Dresden 1900), S. 13.

8 Zur psychologischen Seite vgl. Gotthold Bohne: Zur Psychologie der richterlichen Überzeugungsbildung, Köln 1948, der allerdings die neueren Entwicklungen der Persönlichkeitstheorie unberücksichtigt läßt.

9 Daß solche Unempfindlichkeit gegen statusgefährdende Recherchen ihre Grenzen hat, muß wohl für alle Gesellschaften angenommen werden. So gibt es Anzeichen dafür, daß Konfliktslösungsmechanismen bevorzugt auf Talente zurückgreifen, die in höheren Rängen verbreitet sind, und daß Darstellungen vor Gericht in nicht allzu krassen Widerspruch mit der Statusordnung geraten. Vgl. dazu Johan Galtung: Institutionalized Conflict Resolution, Journal of Peace Research 1965, S. 348–397 (375 f.).

len außerhalb des Verfahrens zu trennen. Mindestens zwei weitere Institutionen müssen sekundierend hinzutreten.

Zum einen muß der gesellschaftliche Einfluß auf das Verfahren ein Ventil erhalten, denn Ausdifferenzierung kann natürlich nicht Rücksichtslosigkeit oder Unlenkbarkeit der Verfahren bedeuten. Der Einfluß wird jetzt über rechtsbildende, schließlich über ausdrücklich gesetzgebende Entscheidungen geleitet und auf diese Weise konzentriert und spezifiziert. Die Kanalisierung und Kontrolle gesellschaftlicher Einflüsse durch Gesetzgebung, also Positivität des Rechts, ist eine wesentliche Voraussetzung gesellschaftlicher Autonomie des gerichtlichen Entscheidungsganges. Der Richter entnimmt sein Urteil dem geschriebenen Recht, in dem definiert ist, welche Tatsachen in welchem Sinne für die Entscheidung relevant sind, und nicht mehr unmittelbar den Vorstellungen des Wahren und Richtigen, die sich in einer für ihn überschaubaren Ordnung des sozialen Lebens durchgesetzt haben. Er kann so aus größerer Distanz operieren und ist nicht darauf angewiesen, in all den vielverzweigten Sachbereichen, über die er entscheidet, moralische und konsensfähige Urteilsgrundlagen herausfühlen zu können. Er kann und soll als Fremder entscheiden.

Zum anderen muß die Rolle des Richters selbst mit ausdifferenziert werden. Er muß, mit anderen Worten, von der Rücksicht auf seine eigenen anderen Rollen entlastet werden, die ihn als Angehörigen einer bestimmten Familie oder Gesellschaftsschicht, einer Kirche oder Sekte, einer Partei, eines Klubs, eines Wohnbezirks usw. zu bestimmten Entscheidungen motivieren könnten. Ist diese Entlastung als Pflicht zu objektivem, sachlichem, Gleiches gleich behandelndem, unparteiischem Urteil institutionalisiert, werden die partikularen Beziehungen zur Person des Entscheidenden neutralisiert. Zumindest dienen sie nicht mehr der Formung legitimer Ansprüche und Erwartungen; der Entscheidende kann nicht mehr als Corpsbruder, Veteran, Nachbar angesprochen oder auf dem Tauschwege beeinflußt werden, sondern nur noch durch Übernahme einer Rolle im Verfahren selbst. Jede andere Einwirkung wird als Korruption diskreditiert[10].

10 Korruption in einem vorwerfbaren Sinne kann mithin erst auftreten, wenn die Ausdifferenzierung des politischen Systems und seiner Verfahren relativ weit

Sie scheint, zumindest soweit sie vom Strafrecht erfaßt wird, im wesentlichen ausgemerzt zu sein[11]. Auch die Kritik am Verfahren und an den Entscheidungen des Richters kann sich nicht an Rollenbindungen außerhalb des Verfahrens stützen. Eine Immunisierung gegen Kritik gehört in den Sinnzusammenhang einer Vorschrift wie der über freie richterliche Beweiswürdigung und ist überdies, wie noch gezeigt werden soll[12], Rollenrequisit des Richters in ausdifferenzierten Verfahren schlechthin.

Ausdifferenzierung erhöht die Entscheidungsschwierigkeiten. Sie entzieht dem Verfahren zahlreiche Vereinfachungsmöglichkeiten. Selbst die persönliche Lebenserfahrung und das persönliche Wissen des Richters – Qualitäten, die in nicht ausdifferenzierten Entscheidungprozessen gerade in besonderer Weise zum

fortgeschritten ist. Die Poenalisierung der direkten Bestechung (also eines mit der Gesellschaftsstruktur nicht verknüpften ad hoc Tausches) reicht zwar weit zurück – zum Beispiel bedroht schon die Zwölftafelgesetzgebung den bestochenen Richter mit Todesstrafe. Abgesehen davon entsprechen jedoch Tatbestände, die in komplexen, stark differenzierten Gesellschaften als Korruption im weiteren Sinne angesehen werden, in einfachen Gesellschaften im Gegenteil der moralischen Erwartung und werden geradezu gefordert – man soll seinen Nächsten helfen! Das haben namentlich neuere Untersuchungen aus Entwicklungsländern gelehrt, die sich in dieser Frage in einer Übergangsphase mit institutionellem Konflikt befinden. Siehe aus der reichhaltigen Literatur etwa Jacob van Kleveren: Die historische Erscheinung der Korruption, in ihrem Zusammenhang mit der Staats- und Gesellschaftsstruktur betrachtet, Vierteljahresschrift für Sozial- und Wirtschaftsgeschichte 44 (1957), S. 289–324; Fred W. Riggs: The Ecology of Public Administration, London 1961, S. 98 ff., und ders.: Thailand. The Modernization of a Bureaucratic Polity, Honolulu 1966; Ralph Braibanti: Reflections on Bureaucratic Corruption. Public Administration 40 (1962), S. 357–372; Myron Weiner: The Politics of Scarcity. Public Pressure and Political Response in India, Chicago 1962, S. 120 ff., 235 ff. u. ö.; Ronald E. Wraith/Edgar Simpkins: Corruption in Developing Countries, London 1963; H. A. Brasz: Some Notes on the Sociology of Corruption, Sociologia Neerlandica 1 (1963), S. 111–128; W. F. Wertheim: Sociological Aspects of Corruption in Southeast Asia, Sociologia Neerlandica 1 (1963), S. 129–154. Den Zusammenhang mit dem Problem der gesellschaftlichen Ausdifferenzierung des politischen Systems und seiner Verfahren erfaßt Samuel P. Huntington: Political Development and Political Decay, World Politics 17 (1965), S. 386–430 treffend mit der Formulierung: »Political organizations and procedures which lack autonomy are, in common parlance, said to be corrupt« (402).

11 Hans von Hentig: Das Verbrechen, Bd. III, Berlin–Göttingen–Heidelberg 1963, S. 456 berichtet für Deutschland seit 1900 keine Verurteilung eines Richters nach § 334, I StGB, 30 Verurteilungen nach § 334, II StGB, relativ hohe Freispruchs- und Einstellungszahlen und ein vermutlich hohes »Dunkelfeld«.

12 Vgl. unten Kap. II 9.

Richteramt befähigt hatten – werden künstlich annulliert[13]. Jedes Verfahren muß unter der Voraussetzung begonnen werden, daß alles anders sein könnte im weiten Rahmen der allgemeinkundigen und der gerichtskundigen (das heißt dem Richter aus seiner eigenen amtlichen Tätigkeit bekannten) Tatsachen[14]. Das Urteil kann nicht mehr so leicht aus Vorurteilen gewonnen werden. An die Stelle der Vorurteile müssen Vor-Urteile im Sinne von Präjudizien oder von Gesetzesentscheidungen treten, die den Einzelfall nicht mehr festlegen und vor allem die Frage der Wahrheit von Tatsachenbehauptungen offenlassen.

In einem System, das durch seine Ausdifferenzierung so weit für Alternativen geöffnet wird, müssen entsprechend wirksame Techniken der Selektion entwickelt werden – oder es kommt zu latent benutzten, formal illegalen Vereinfachungen etwa in dem Sinne, daß der Richter sich zwar durch den unterschiedlichen gesellschaftlichen Rang der übrigen Beteiligten beeindrucken läßt oder daß er seine typisiert vorliegenden Erfahrungen verwertet, solche Urteilsgrundlagen aber nicht zur Diskussion stellt und sie auch in seinen Entscheidungsbegründungen nicht erscheinen läßt. Rationalere Arbeitstechniken entwickelt die Praxis vor allem mit Hilfe von schematischen Regeln für die Abfassung von Voten und Entscheidungen[15]. Solche Regeln legen die Darstellung des Arbeitsergebnisses fest und steuern dadurch gleichsam von hinten das, was zur Herstellung der Darstellung getan werden muß.

Die übrigen Beteiligten müssen, soweit sie daran interessiert sind, das Verfahren zu einer Entscheidung zu bringen, das gleiche Problem mit anderen Techniken lösen. Auch für sie wird die

13 Vgl. dazu Friedrich Stein: Das private Wissen des Richters. Untersuchungen zum Beweisrecht beider Prozesse, Leipzig 1893. Im Kontrast dazu ist bemerkenswert, wie stark im Gesetzgebungsverfahren, namentlich in Parlamentsausschüssen, auf »zufällig« vorhandene individuelle Erfahrungen einzelner Abgeordneter zurückgegriffen wird.

14 Und selbst bei diesen offenkundigen (allgemeinkundigen oder gerichtskundigen) Tatsachen ist in der Rechtswissenschaft noch umstritten, ob und wie weit sie auf Verlangen zum Gegenstand eines Beweises bzw. Gegenbeweises gemacht werden können. Bejahend Leo Rosenberg: Lehrbuch des deutschen Zivilprozeßrechts, 9. Aufl., München 1961, S. 553.

15 Bezeichnenderweise handelt es sich bei diesen Regeln um berufsinternes, halbsuspektes, nicht zitierfähiges Wissen, das außerhalb der eigentlichen Universi-

Reduktion der Komplexität, das Ausbooten anderer Deutungsmöglichkeiten, zu einem Darstellungsproblem, und zwar zu einem Problem der Selbstdarstellung. Sie müssen, wenn sie auf den Gang des Entscheidungsprozesses Einfluß nehmen wollen, dem Gericht einen überzeugungskräftigen, vertrauenswürdigen Eindruck machen. Sie müssen glaubwürdig erscheinen, und das heißt praktisch: sich als glaubwürdig vorführen und aufführen. Das ist gerade deshalb so schwierig, weil die Notwendigkeit so offensichtlich ist und das Bewußtsein auf den Plan ruft. Die Prozeßparteien werden sich bewußt, wie sehr der Ausgang des Verfahrens davon abhängt, daß sie einen überzeugenden Eindruck machen. Sie müssen diesen Eindruck herstellen, müssen aber zugleich die Herstellung ihrer Darstellung verheimlichen, weil die Mitdarstellung der Herstellung der Darstellung andere Möglichkeiten des Darstellens sichtbar machen, also den Eindruck diskreditieren würde. So kann es dazu kommen, daß die Beteiligten sich genötigt fühlen, um Recht zu erhalten, ihre Unschuld zu verlieren.

In jedem Falle wachsen mit der Ausdifferenzierung von Verfahren die Anforderungen an das taktische Geschick der Prozeßparteien. Sie können nicht, wie in einfachen Gesellschaften, als persönlich bekannt auftreten und Vertrauen schon mitbringen[16]; sie müssen es sich als Unbekannte im Verfahren erst verdienen. Ihr allgemeiner sozialer Status und ihre sonstigen Rollen bieten ihnen keine feste Grundlage. Sie mögen Sicherheit des Auftretens und gelerntes Verhaltensgeschick als Vorteile mit in das

tätsgelehrsamkeit und ohne hohe Ansprüche rein handwerklich gelernt und tradiert wird. Siehe an einschlägiger Literatur etwa: Das amtsgerichtliche Dezernat. Begründet von Eugen Ebert, 15. Aufl., neu herausgegeben von Hans Meiss, Frankfurt 1954; Paul Sattelmacher: Bericht, Gutachten und Urteil. Eine Anleitung für den Vorbereitungsdienst der Referendare. Bearbeitet von Paul Lüttig und Gerhard Beyer, 24. Aufl., Berlin-Frankfurt 1963. Schon die Auflagenhöhe und der Wechsel der Bearbeiter lassen erkennen, daß es sich hier nicht um Bücher im gewöhnlichen Sinne handelt, sondern um Institutionen. Vgl. hierzu im übrigen J. Gillis Wetter: The Styles of Appellate Judicial Opinions, A Case Study in Comparative Law, Leyden 1960.

16 Auch im Gerichtsgang einfacherer Gesellschaften lassen sich jedoch moralisch-räsonnierende Selbstdarstellungen beobachten; sie werden durch das Bekanntsein nicht etwa entbehrlich. Vgl. A. L. Epstein: Judicial Techniques and the Judicial Process. A Study in African Customary Law, Manchester 1954.

Verfahren einbringen, und in diesem indirekten Sinne dürften Angehörige höherer Gesellschaftsschichten weiterhin vor Gericht begünstigt sein. Ihr Status und ihr persönlicher Rollenkontext lassen sich aber nicht unmittelbar in das Verfahren hinein verlängern, und es nützt ihnen wenig, die Einladung zum Tee bei der Fürstin X oder die bedeutende Stellung ihres Schwiegersohnes im Büro des Ministers Y beiläufig zu erwähnen – sie haben allenfalls bessere Verhaltenschancen, die aber durch Leistungen nach den Regeln des Verfahrens im Verfahren erst noch realisiert werden müssen.

2. *Autonomie*

Ausdifferenzierung ist eine unerläßliche Vorbedingung für das Erreichen einer eigenständigen, begrenzt autonomen Informationsverarbeitung im Verfahren, sie allein stellt aber diese Autonomie noch nicht sicher. Die Frage bleibt daher offen, ob und wieweit das System eines Gerichtsverfahrens Autonomie gewinnen kann und von welchen besonderen Voraussetzungen dies abhängt.

Um von Autonomie sprechen zu können, müssen wir zunächst diesen oft gebrauchten Begriff präzisieren. Dazu ist es erforderlich, Autonomie und Autarkie zu unterscheiden. Der Begriff der *Autarkie* bezieht sich unmittelbar auf *Austauschprozesse* zwischen System und Umwelt. Ein System ist autark in dem Maße, als es solche Austauschbeziehungen drosseln, sich also von einer Umwelt unabhängig machen und aus sich selbst heraus existieren kann. Der Begriff der *Autonomie* bezieht sich dagegen auf die *Steuerung* dieser Austauschprozesse durch systemeigene Strukturen und Prozesse, setzt also gerade voraus, daß das System nicht autark ist. Auch starke Abhängigkeit eines Systems von Leistungen seiner Umwelt schließt Autonomie nicht aus. Daß ein Gerichtsverfahren abhängig ist davon, daß ein Gebäude beschafft wird, Richter angestellt und besoldet, Kompetenzen festgelegt und durchgesetzt, Gesetze erlassen und bekanntgegeben, Tatsachen gewußt und mitgeteilt werden, schließt nicht aus, daß im System das Verhalten zum Teil an eigenen selektiven Kriterien orientiert wird.

Die Autonomie gerichtlicher Verfahren hat natürlich deutliche Grenzen; sie ist aber weit größer, als man gemeinhin annimmt[1]. Sie ist gegeben, wenn und soweit im Verfahren selbst die Gesichtspunkte erarbeitet werden, die das weitere Verhalten im Verfahren und vor allem das Ergebnis bestimmen. Sie kann sich darauf erstrecken, welche Umweltinformationen über Nor-

1 Hierzu immer wieder lesenswert Benjamin Cardozo: The Nature of the Judicial Process, New Haven 1921.

men oder über Tatsachen herangezogen werden, und ebenso darauf, welches systemeigene Verhalten diesen Informationen gegenüber gewählt wird. Jede Selektion ist Ausübung von Autonomie, auch die Auswahl des Gesetzes, das auf eine im Verfahren selbst erarbeitete Tatsachenkonstellation angewandt werden kann. Und alle Beteiligten können je nach den Chancen, die ihnen ihre Rolle gibt, an dieser Autonomie partizipieren, auch zum Beispiel der Angeklagte, der sich entschließt, bestimmte Zeugen nicht zu benennen, oder der Kläger, der sich entschließt, lieber aus dem zugrunde liegenden Schuldverhältnis statt aus dem Wechsel zu klagen. Man muß sich also hüten, die Autonomie des Verfahrens als eines sozialen Systems mit der (notwendig begrenzteren) Autonomie des Richters in seiner Rolle zu verwechseln.

Ob und in welchem Umfange Autonomie gewonnen werden kann, hängt für Systeme allgemein und für Verfahren im besonderen in zeitlicher, sachlicher und sozialer Hinsicht von verschiedenen Umständen ab, die zusammentreffen müssen.

In der Zeitdimension muß dem Verfahren Zeit gelassen werden, eigene Prozesse der Informationsverarbeitung einschalten zu können; es muß also Input und Output zeitlich trennen können. Systemautonomie wäre unmöglich, wenn auf jede Umweltursache sogleich eine Wirkung des Systems in der Umwelt folgen müßte. Verarbeitungszeit wird dem Gerichtsverfahren von seiner gesellschaftlichen Umwelt in begrenztem Maße konzediert. Daß innerhalb mehr oder weniger elastischer Grenzen Richter über Termine verfügen und sich dabei nach den verfahrensimmanenten Notwendigkeiten richten können, ist anerkannt. Zugleich ist aber auch die »Langsamkeit« der Verfahren ein altes und ewiges Thema der Justizkritik, weil die Zeitplanungen der Gerichte mit denen ihrer Umwelt nicht koordinierbar sind[2].

In der Dimension sachlicher Sinnunterschiede scheint Autonomie vor allem davon abzuhängen, daß die Sinnbeziehungen zwischen System und Umwelt auf (mindestens) zwei verschiedenen Ebenen der Generalisierung stabilisiert werden, von denen die eine sich auf das System als solches bezieht, die andere dage-

2 Als eine empirische Untersuchung dieses Problems vgl. Hans Zeisel/Harry Kalven, Jr./Bernard Buchholz: Delay in Court, Boston–Toronto 1959.

gen auf die konkreten Interaktionsprozesse zwischen System und Umwelt. Verfahren sind einerseits als Institution generell anerkannt und werden in Rechtsform ermöglicht. Ihre Existenz ist dadurch gesichert und hängt nicht davon ab, was das einzelne Verfahrenssystem leistet. Verfahrensfehler führen nicht unmittelbar zu einer Änderung der Prozeßordnung oder gar zur Abschaffung von Verfahren schlechthin. Andererseits sind diese Vorgaben an Sinn und Sicherheit so generell gehalten, daß sie das konkrete Verhalten nicht determinieren, sondern einen Entscheidungsspielraum offenlassen. In diesem Spielraum kann sich relativ eigenständige Informationsverarbeitung entfalten. Allgemeine rechtliche Regelung der Verfahren ist mithin eine der Vorbedingungen ihrer Autonomie.

Sie allein würde allerdings kaum ausreichen, wenn das Verfahrenssystem es mit nur einer Umwelt zu tun hätte, die ihm zunächst die generellen, dann die speziellen Informationen zustellte und ihm schließlich die Leistung abnähme. In der Sozialdimension hängt Autonomie von Umweltdifferenzierung ab. Für die Gerichtsverfahren zivilisierter (im Unterschied zu denen archaischer) Gesellschaften ist bezeichnend, daß die Einzugsbereiche für rechtliche und für faktische Entscheidungsprämissen *sozial* auseinandergezogen sind. Diejenigen Instanzen, die Recht setzen, geben nicht zugleich an, welche Tatsachen wahr sind und umgekehrt. Beide Umwelten sind getrennt und können sich auch nicht wechselseitig beherrschen. Ihre Konfrontierung kommt erst im Verfahren und nur durch das Verfahren zustande[3]. Dadurch wird das Verfahren von sozialem Druck entlastet, und es entstehen interne Möglichkeiten eines Wechsels der Orientierungsgrundlagen: Man muß (und kann) die Normen nach Maßgabe der Tatsachen des Falles aussuchen und auslegen und ebenso umgekehrt die Tatsache nach Maßgabe der Normen[4]. Keine

3 In ähnlichem Sinne hängt auch die Autonomie des Wirtschaftsbetriebes davon ab, daß die Konfrontation der verschiedenen Märkte – Warenmärkte, Arbeitsmarkt, Finanzmarkt – durch den Betrieb vermittelt wird und kein Markt allein das Betriebsgeschehen bestimmen kann.

4 Auch in der rechtswissenschaftlichen Methodendiskussion ist man auf diese wechselseitige Steuerung normativer und faktischer Entscheidungsprämissen gestoßen, nimmt sie aber als Eigentümlichkeit der juristischen Methode hin, ohne auf die dahinterstehende soziale Differenzierung zu achten. Siehe z. B. Wilhelm A.

Umwelt hat ein Monopol auf Determination *aller* Entscheidungsprämissen. Damit ist der Gefahr vorgebeugt, daß das Verfahren zum verlängerten Arm eines bestimmten Umweltsektors werden könnte. In der Entscheidungssprache der Verfahren selbst kommt diese Autonomiebedingung latent zum Ausdruck in der Form einer strengen Trennung von Rechtsfragen und Tatfragen, deren Korrelierung dem Einzelfall überlassen bleibt[5].

Die Aufgliederung von Bedingungen relativ autonomer Entscheidungsherstellung in Verfahren läßt erkennen, wie kompliziert und voraussetzungsvoll Verfahren als Systeme gebildet sind, und zugleich, wodurch sie gefährdet werden können. Einfache Gesellschaften können weder Ausdifferenzierung noch Autonomie erzeugen; und selbst sehr komplexe Gesellschaften können, absichtlich oder unabsichtlich, die erreichbare Autonomie der Gerichtsverfahren stören oder zerstören. Detaillierte, bis zur Automation gehende sachliche Programmierung des Entscheidens ist eine der Möglichkeiten, Zeitdruck eine andere. Die ausführlichsten Regelungen des Verfahrensrechts mit allen rechtsstaatlichen Garantien führen nicht zur Autonomie, wenn sie nicht von sozialer Differenzierung der Umwelt sekundiert werden, sondern eine einzige Stelle, etwa eine politische Zentrale, sowohl die

Scheuerle: Rechtsanwendung, Nürnberg-Düsseldorf 1952, S. 23 f.; François Gorphe: Les décisions de justice. Etude psychologique et judiciaire, Paris 1952, S. 82 ff.; Dietrich Jesch: Unbestimmter Rechtsbegriff und Ermessen in rechtstheoretischer und verfassungsrechtlicher Sicht, Archiv des öffentlichen Rechts 82 (1957), S. 163 bis 249 (188 ff.); Karl Engisch: Logische Studien zur Gesetzesanwendung, 3. Aufl., Heidelberg 1963, S. 82. Empirische Untersuchungen dieses Problems sind mir nur aus Verwaltungen bekannt. Vgl. Roy G. Francis/Robert C. Stone: Service and Procedure in Bureaucracy, Minneapolis 1956, insbes. S. 39 ff., und Günter Hartfiel/Lutz Sedatis/Dieter Claessens: Beamte und Angestellte in der Verwaltungspyramide. Organisationssoziologische und verwaltungsrechtliche Untersuchungen über das Entscheidungshandeln in der Kommunalverwaltung, Berlin 1964, insbes. S. 88 ff.

5 Da diese Trennung von Rechtsfragen und Tatfragen in den Entscheidungssprachen eine sinnvolle Funktion erfüllt, hat sie sich auch der rechtswissenschaftlichen Theorie aufgedrängt. Sie findet sich dort hinaufgesteigert zu einer radikalen Differenz von Norm und Wirklichkeit, von Sollen und Sein. Ob dies eine notwendige Konsequenz ist, wird man auch in der Rechtswissenschaft selbst zu prüfen haben. Siehe dazu die Kritik und die Gegenvorschläge von Friedrich Müller: Normstruktur und Normativität. Zum Verhältnis von Recht und Wirklichkeit in der juristischen Hermeneutik, entwickelt an Fragen der Verfassungsinterpretation, Berlin 1966.

rechtlichen als auch die faktischen Informationen kontrolliert, die dem Gericht vorgetragen werden[6].

Ob die Autonomie der Gerichtsverfahren mit dem Ausbau des modernen Industriestaates gewachsen ist oder nicht, läßt sich schwer sagen. Zu vermuten ist eine Verschiebung des Autonomiebereiches vom Recht zu den Tatsachen hin. Einerseits hat die gesetzliche Regelung der Entscheidungsbereiche an Umfang und Präzision beträchtlich zugenommen und wird durch eine ausgefeilte Leitsatztechnik, Zeitschriften und Kommentarliteratur wirkungsvoll ergänzt. Das läuft auf eine Einschränkung der Autonomie für das Einzelverfahren hinaus. Andererseits ist die Tatbestandswürdigung sehr viel komplexer geworden: Der Eid hat als Beweismittel an Bedeutung verloren, der Einfluß anderer sozialer Rollen auf die Beweiswürdigung scheint zurückgegangen zu sein, die psychologischen Hintergründe einer Aussage können und müssen weiter ausgeleuchtet werden[7]. Das aber heißt, daß die Selektivität und damit die Autonomie des Verfahrens gegenüber einer komplexer erfaßten Umwelt größer sein muß[8]. Auch die thematische Verteilung von Autonomie und Gebundenheit muß demnach mit bedacht werden.

Man muß sich natürlich hüten, relative Autonomie der Gerichtsverfahren für einen Wert an sich zu halten, zu dem man sich zu bekennen hätte und der nach Möglichkeit zu steigern wäre. Kein System ist unersetzlich. Wenn sie jedoch nicht gewährleistet wird, müssen ihre Funktionen durch andere Institutionen mit erfüllt werden; das politisch-administrative System der Gesellschaft wird dann an anderen Stellen entsprechend belastet. Das gilt vor allem für die legitimierende Funktion des Verfahrens.

Für eine Legitimation durch Verfahren sind nämlich Ausdifferenzierung und Autonomie, die einen Spielraum für alternativenreiches, Komplexität reduzierendes Verhalten der Betei-

6 Falls dies gegen den deklarierten Sinn der Institution in Einzelfällen geschehen soll, sind entsprechend komplizierte Schaltungen erforderlich. Dazu mit viel Material Otto Kirchheimer: Politische Justiz, dt. Übersetzung, Neuwied–Berlin 1965.

7 Vgl. dazu Erich Döhring: Die Erforschung des Sachverhalts im Prozeß, Beweiserhebung und Beweiswürdigung. Ein Lehrbuch, Berlin 1964, S. 6 ff.; Henri Lévy-Bruhl: La preuve judiciaire, Etude de sociologie juridique, Paris 1964, S. 110 ff.

8 Daß aus einer solchen Verlagerung der Entscheidungsleistung Folgerungen für die Ausbildung des Richters gezogen werden sollten, kann hier nur angemerkt werden.

ligten eröffnen, von grundlegender Bedeutung. Nur so können die Beteiligten motiviert werden, selbst Risiken in ihr Verhalten zu übernehmen, an der Absorption der Ungewißheit durch Eliminierung anderer Möglichkeiten unter Aufsicht mitzuarbeiten und sich dadurch Schritt für Schritt selbst zu binden. Wieweit dieser Mechanismus trägt und wieweit er zu einer Umstrukturierung von Erwartungen und damit zur Legitimation der Entscheidung führen kann – das ist die Frage, der wir mit weiteren Untersuchungen nachgehen müssen.

3. *Kontaktsysteme*

Eine besondere Konstellation soll vorab erörtert werden. Sie ist nicht verfahrenstypisch, kann in der Tat nur unter besonderen Voraussetzungen realisiert werden, hat dann aber hohe Chancen, die der Verfahrensbeteiligung zugeschriebenen integrativen Funktionen zu erfüllen. Wenn wir die sozialen Mechanismen durchschauen, die diesem besonderen Fall des Kontaktsystems sein Gepräge geben, können wir zugleich im Umkehrschluß erkennen, weshalb das normale Verfahren und besonders das Gerichtsverfahren sehr viel geringere Chancen hat, die Beteiligten zur Annahme unangenehmer Entscheidungen zu motivieren.

Kontaktsysteme entstehen, wenn dieselben Beteiligten häufiger aus verschiedenen Anlässen zusammentreffen und dabei in wechselnde Abhängigkeit voneinander geraten, indem einmal die eine und einmal die andere Seite die stärkere ist, einmal diese und einmal jene auf Kooperation der jeweils anderen angewiesen ist. Am typischsten findet man solche Konstellationen im Verhältnis von Verwaltungen und Interessenverbänden, aber auch das Verhältnis von Richtern und Anwälten, namentlich an kleineren Orten, zeigt Züge dieser Art. Unter solchen Bedingungen wechselnder Interdependenz wäre es für die Beteiligten wenig rational, ihr Verhalten taktisch lediglich im Hinblick auf das einzelne Verfahren zu planen ohne Rücksicht darauf, daß in anderen Verfahren die Macht anders verteilt sein kann[1]. Sie stehen unter dem Gesetz des Wiedersehens, und dieses Gesetz zwingt zur Generalisierung von Perspektiven. Der im Augenblick Schwächere kann nach Möglichkeiten angeln, sich in anderen Verfahren zu rächen, wenn er »unfair« behandelt wird; er wird sich zumindest fürderhin als steif, rechtsbewußt und unnahbar erweisen. Der im Augenblick Überlegene muß diese Möglichkeit der Generalisierung des Konflikts vorbedenken, und das mag ihm

1 Vgl. hierzu grundsätzlich Thomas C. Schelling: The Strategy of Conflict, Cambridge Mass. 1960. Auch Harold J. Leavitt: Managerial Psychology, Chicago-London 1962, S. 113 und 131, unterscheidet in diesem Sinne zwischen der Machtlage bei Einzelbegegnungen und bei Dauerbeziehungen.

den Rat eingeben, sich in der Ausnutzung seiner momentanen Chancen zu mäßigen[2].

Die Generalisierung der Perspektiven, die in solchen Situationen sich aufdrängt, hat einen zeitlichen, einen sachlichen und einen sozialen Aspekt. Zeitlich wird der für die Beteiligten beachtliche Ereignishorizont in die Zukunft hinausgeschoben; die für sie relevante Zeitspanne wird größer. Sachlich kommen dadurch mehr Themen in den Blick. Handlungsmöglichkeiten, die »an sich« gar nicht zusammenhängen, werden in eine künstliche Beziehung gesetzt durch Motive des Tausches, der Rache, der Dankbarkeit. Sozial gesehen vereinheitlicht sich der Stil der Begegnungen durch einen typisch erwartbaren Nenner, der nicht jeweils neu ermittelt werden muß, zum Beispiel als Kooperation oder als Konflikt. Diese Generalisierung bedeutet, zeitlich und sachlich gesehen, Zunahme der Komplexität, der Zahl möglicher Ereignisse, die relevant sind und einkalkuliert werden müssen. Dadurch werden die Orientierungsmöglichkeiten des einzelnen Beteiligten rasch überfordert, das Spiel kann allenfalls noch in den nächsten Schritten, nicht aber mehr im ganzen überblickt werden. Deshalb empfiehlt sich eine Vereinfachung, und diese Vereinfachung kann nicht in der Zeitdimension und nicht in der Sachdimension, sondern nur in der Sozialdimension geleistet werden: Die Orientierung wird von den einzelnen Zügen, ihren Aussichten und ihren Folgen weg auf das soziale System aller Kontakte verlagert, die zwischen den Beteiligten herstellbar sind. Die umfassenden »guten Beziehungen« erscheinen als solche im Blickfeld der Beteiligten und gelten ihnen als nützlich und erhaltenswürdig. Sie motivieren Vorstöße zu ihrer Stärkung und Vertiefung, Rücksichten, ja sogar Opfer und Verzichte. Die Gesamtheit der Kontakte, und nicht nur die einzelne Episode, gewinnt dadurch den Charakter eines sozialen Systems, das das dazugehörige Verhalten durch eine eigene normative Ordnung steuert.

Solche Systemorientierung abstrahiert die Ebene der Verständigung, auf der die Beteiligten einander begegnen, und ermög-

2 Siehe die auf innerorganisatorisches Zusammenleben bezogenen Feststellungen bei Robert L. Kahn/Donald M. Wolfe/Robert P. Quinn/Diedrick Snoek: Organizational Stress. Studies in Role Conflict and Ambiguity, New York–London–Sydney 1964, S. 91 ff.

licht es ihnen, die hohe Komplexität ihrer Beziehungen laufend wenigstens pauschal zu berücksichtigen, indem sie unbestimmt bleibende Möglichkeiten antizipieren und darauf vertrauen, daß Nachgiebigkeit und Kooperationswilligkeit honoriert werden wird. Die Beteiligten behalten bei der Erledigung der laufenden Sachgeschäfte immer auch ihr Vertrauen und ihre Vertrauenswürdigkeit im Auge[3]. Sie filtern nach Möglichkeit alles aus, was die Atmosphäre trüben, Verdacht wecken oder gar einen Umschlag ins Feindselige herbeiführen könnte[4]. Dadurch kann ein hohes Maß an Flüssigkeit und Verdichtung des Kontaktes erreicht werden, als deren Folge sehr oft alle Beteiligten ihren Einfluß aufeinander steigern und von dem wechselseitigen Vertrauen profitieren können[5].

Im Rahmen eines solchen Kontaktsystems wird die Einzelentscheidung zu einem Moment neben anderen. Wer im Einzelfall den kürzeren zieht, kann sich mit der Hoffnung trösten, das nächste Mal besser zu fahren. Zumindest wird er, solange diese Aussicht besteht, mit Rücksicht auf die guten Beziehungen seine Opposition gegen die Entscheidung dämpfen und prinzipiell Verständnis dafür zeigen, daß man die Angelegenheit auch so erledigen konnte. Er wird guttun, die Entscheidung »den Umständen«, vielleicht sogar der ungünstigen Rechtslage zuzurechnen und nicht etwa dem Entscheidenden persönlich als Böswilligkeit oder Vorurteil anzukreiden; zumindest muß jene Version, wenn er die Beziehung fortsetzen will, seine offizielle und dargestellte Auffassung sein. Innerhalb bestimmter Belastungsgrenzen motiviert das Kontaktsystem Zurückstellung von Interessen und expressive Kontrolle des Handelns. Diese Belastungsgrenze selbst wird zur Grenze des Kontaktsystems und

3 Als einen Versuch, Vertrauensbeziehungen empirisch zu untersuchen, siehe die Experimente von Morton Deutsch: Trust and Suspicion, The Journal of Conflict Resolution 2 (1958), S. 265-279, und ders.: The Effect of Motivational Orientation upon Trust and Suspicion, Human Relations 13 (1960), S. 123-139.

4 Glänzende Analysen eines solchen Kontaktsystems, das sich zwischen den Abgeordneten eines Haushaltsausschusses und hohen Ministerialbeamten aus Anlaß der jährlichen Haushaltsberatungen bildet, finden sich bei Aaron Wildavsky: The Politics of the Budgetary Process, Boston-Toronto 1964.

5 Vgl. dazu etwa E. J. Foley: Officials and the Public, Public Administration 9 (1931), S. 15-22, oder Joseph Bensman/Arthur Vidich: Power Cliques in Bureaucratic Society, Social Research 19 (1962), S. 467-474.

zugleich zum Eckstein rationaler Taktik der Beteiligten: Sie müssen erfühlen können, was für andere Teilnehmer an Zumutungen noch erträglich ist und wo die Schwelle liegt, jenseits derer einzelne Betroffene die Herrschaft über sich selbst und damit ihre Zukunft im System verlieren[6].

All dies läßt vermuten, und manche Beobachter[7] glauben zu erkennen, daß Kontaktsysteme dieser Art die Legitimierung der Entscheidungen erleichtern. Gleichwohl hat gerade dieser Legitimierungsmechanismus bei Juristen wenig Beifall, ja mißtrauische Ablehnung gefunden[8]. Er scheint ihnen, nicht ohne Grund, die gesamte Rechtsordnung zu unterlaufen und die offiziellen Vorkehrungen für verfahrensmäßigen Rechtsschutz aus den Angeln zu heben; denn die Rücksicht auf ihr Kontaktsystem kann die Betroffenen bewegen, auf ihr gutes Recht zu verzichten; ja die Frage, ob man sich überhaupt auf den Boden des Rechts begibt oder sich außerhalb des Rechts arrangieren soll, wird zum Problem. Natürlich ist diese Außerrechtlichkeit der Kontaktsysteme nicht zwangsläufig als Tendenz zu Rechtsbrüchen zu begreifen.

6 Überlegungen ähnlicher Art stehen im Mittelpunkt einer stärker formalisierten Organisationstheorie, der sog. »Koalitionstheorie«. Vgl. namentlich Chester I. Barnard: The Functions of the Executive, Cambridge Mass. 1938, insbes. S. 139 ff.; James G. March/Herbert A. Simon: Organizations, New York–London 1958, insbes. S. 83 ff.; Richard M. Cyert/James G. March: A Behavioral Theory of Organizational Objectives. In: Mason Haire (Hrsg.): Modern Organization Theory, New York–London 1959, S. 76–90.

7 Vgl. die in Kap. II 4 Anm. 12–17 gegebenen, leicht vermehrbaren Hinweise. Gründlich gearbeitete, methodisch kontrollierte empirische Untersuchungen zu diesem Thema sind mir nicht bekannt.

8 Aufgefallen sind die Kontaktsysteme den Juristen vor allem im Wirtschaftsverwaltungsrecht, wo die privaten Interessen auf nicht einklagbare Wohltaten hoffen und deshalb in anderen Fällen der Verwaltung gegenüber ihre Rechtspositionen nicht auszuschöpfen wagen. Siehe z. B. die Hinweise und Stellungnahmen bei Ernst Rudolf Huber: Wirtschaftsverwaltungsrecht, 2. Aufl., Tübingen 1954, Bd. II, S. 200 f.; Herbert Krüger: Diskussionsbeitrag, Veröffentlichungen der Vereinigung der Deutschen Staatsrechtslehrer 11 (1954), S. 138 f.; Erich Becker: Verwaltung und Verwaltungsrechtsprechung, Veröffentlichungen der Vereinigung der Deutschen Staatsrechtslehrer 14 (1956), S. 96–135 (129); Hans Peter Ipsen: Öffentliche Subventionierung Privater, Berlin–Köln 1956, S. 14 Anm. 23, und S. 16; Claus-Dieter Ehlermann: Wirtschaftslenkung und Entschädigung, Heidelberg 1957, S. 38 f., 50 f., 146 ff.; Ernst Forsthoff: Lehrbuch des Verwaltungsrechts, Bd. I, 9. Aufl., München–Berlin 1966, S. 71 f. Zu den verwandten Problemen einer förmlichen Koppelung verschiedener Verwaltungsgeschäfte vgl. ferner Harald Dombrowski: Mißbrauch der Verwaltungsmacht. Zum Problem der Koppelung verschiedener Verwaltungszwecke, Mainz 1967.

Die Beziehung zum offiziellen Rechtsschutz ist vielschichtig, komplex und wechselt die Akzente. Die Beteiligten können allein schon im Hinblick auf die Dauer der Gerichtsverfahren einen zeitsparenden Kompromiß vorziehen, sie können ebenso umgekehrt diesen Mechanismus benutzen, um die Entscheidung zu vertagen und Zeit zu gewinnen, oder sie können vereinbaren, die Entscheidung dem Spiel des Zufalls in Gestalt eines Musterprozesses mit unvorhersehbarem Ausgang zu überlassen. In jedem Falle mediatisieren Kontaktsysteme den offiziellen Rechtsschutz, indem sie ihm zum Gegenstand einer vorgängigen sozialen Abstimmung machen, und damit wird die Durchführung des Rechts von Macht- und Motivstrukturen abhängig, die im Rechtsverfahren selbst nicht mehr unter Kontrolle gebracht werden können.

Im täglichen Leben sind solche Vorerwägungen normal, und wenn sie sich unter Aufsicht und gutem Zureden durch den Richter vollziehen und als Vergleich protokolliert werden, stößt das juristische Gewissen sich an ihnen nicht. Der öffentlichen Verwaltung werden jedoch unlautere Motive und ihren Kontaktsystemen wird ein zu starkes Machtgefälle im Verhältnis zum Bürger unterstellt. Besonders dann, wenn die Behörden hier Möglichkeiten entdecken und nutzen, sich gerichtlicher Kontrolle zu entziehen, wird dieser Verdacht als fast schon bewiesen behandelt. Das ist, solange empirische Untersuchungen fehlen, ein mehr oder weniger berechtigtes Vorurteil. Indes bringt diese Diskussion nicht nur dies Vorurteil, sondern zugleich gewisse Sachprobleme an den Tag:

Im Grunde muß jeder Legitimierungsvorgang, der sich nicht unmittelbar auf die Überzeugungskraft und den Motivwert der Rechtsnormen stützt, auf außerrechtlichen Mechanismen beruhen. Das gilt auch für Legitimation durch Verfahren. Wie anders soll etwa der Sprung von der Tatsache des Angehörtwerdens zur Tatsache der Anerkennung einer ungünstigen Entscheidung vollzogen werden? Die Erwartung einer Legitimation durch Verfahren sprengt den juristischen Kosmos im Grunde immer. In der Mobilisierung juristisch nicht programmierter Motive, im Anzapfen neuer Motivquellen für die Stützung bindender Entscheidungen besteht eine wesentliche Funktion auch des Rechtsverfahrens. Kontaktsysteme sind nur eine besonders weitgehende, besonders effektive und besonders bedenkliche Ausprägung dieses Gedankens. Ihr Generalisierungsstil widerspricht dem des Rechts stärker als der einzelner Verfahrenssysteme. Kontaktsysteme können den zentralisierten »Willen des Gesetzgebers« zum Entgleisen bringen. Sie verstoßen gegen das Gleichheitsprinzip. Die kleinen Systeme, die sich an den Kontaktflächen der großen Organisationen bilden, drohen diese parasitengleich zu entkräften oder sie doch unlenkbar zu machen[9]. Ob ihr Beschwichtigungs- und Legitimierungseffekt mit solchen Folgen nicht zu teuer bezahlt wird, wäre ernsthafter Prüfung wert.

Wie auch immer man hier Nutzen und Nachteil gegeneinander abwägen mag, fest steht, daß nur ein sehr kleiner Teil aller laufenden Verfahren durch solche Kontaktsysteme zusammengefaßt und protegiert wird. Gerade für großbürokratische, arbeitsteilig stark differenzierte Verwaltungen und für Gerichte ist es typisch, daß Kontakte zwischen bestimmten Bürgern und bestimmten Beamten nur sporadisch zustande kommen, sich in einem absehbaren Zeit- und Interessenhorizont nicht wiederholen und sich daher nicht zu einem System verdichten, das verschiedene Verfahren umfassen kann. Vom Kraftfahrzeugzulassungsverfahren läßt sich keine Brücke zum Scheidungsprozeß, zur Postzustellung oder zu den Kontrollgängen des Gewerbeaufsichtsbeamten schlagen, weder zeitlich, noch sachlich, noch sozial. Die Kontakte sind typisch so spezifiziert, daß sich, selbst wenn man denselben Beamten, etwa den Postbeamten oder den Gewerbeaufsichtsbeamten, regelmäßig wiedersieht, keine unvorhersehbar wechselnden Macht- und Abhängigkeitslagen ergeben.

Herrscht eine solche Kontaktzersplitterung vor, dann entstehen Kontaktsysteme nicht mehr von selbst, sie müssen gesucht und durch mehr oder weniger künstliche Personalunion zwischen zahlreichen Verfahren stabilisiert werden; sei es, daß man sich einen Rechtsanwalt sucht, »der den Richter gut kennt«, in der vagen Hoffnung, nicht selbst ein Opfer dieser guten Bekannt-

9 Zur Verselbständigung von Untergebenen durch eigene Außenkontakte und zu den Folgeproblemen für eine hierarchische Ordnung vgl. auch Niklas Luhmann: Funktionen und Folgen formaler Organisation, Berlin 1964, S. 237 f., mit weiteren Hinweisen.

schaft zu werden; sei es, daß mehrere Interessenten sich zu Interessenverbänden zusammenschließen und im Regierungsviertel Kontaktbüros einrichten mit dem gleichen Ziel und den gleichen Gefahren guter Beziehungen. Damit stellt sich aber die Frage, ob und wieweit Motive und Legitimierungseffekt eines aus *Vertretern* gebildeten Kontaktsystems auf die *Vertretenen* übertragen werden können, besonders wenn die Klientenschaft von Verfahren zu Verfahren wechselt. Im übrigen zeigt die Künstlichkeit solcher Gebilde an, daß es sich um Ausnahmen handelt. Die Ausnahme aber beleuchtet die Regel. Die Analyse der Kontaktsysteme erhellt zugleich die Funktion der Tatsache, daß Beziehungen zu Behörden und Gerichten normalerweise sporadisch eingegangen werden. Diese Kontaktzersplitterung verhindert eine Bildung von Kontaktsystemen und sichert dadurch die zentrale Programmierbarkeit des Verwaltungshandelns. Denn wie eine lange Geschichte der Refeudalisierung und des Zerfalls bürokratischer Großreiche eindrucksvoll belegt, läßt sich eine relativ autonome Selbststeuerung des politischen Systems nur gewährleisten, wenn die Bürokratie an ihren Grenzen von einer Verflechtung in bestimmte, partikulare Beziehungsnetze auf verwandtschaftlicher, wirtschaftlicher oder religiöser Grundlage frei gehalten wird[10]. Andererseits stellt sich gerade infolge dieser gesellschaftlichen Autonomie und Innensteuerung politischer Großbürokratien das Problem ihrer Legitimität mit besonderer Dringlichkeit. Die gesellschaftliche Ausdifferenzierung eines relativ autonom und selbstprogrammiert handelnden »Staates« im neuzeitlichen Europa bedingt die Schärfe, mit der das Problem der Legitimität jetzt gestellt wird. Kontaktsysteme, die nun moralisch suspekt werden und gesellschaftlich nicht mehr institutionalisierbar sind, können dieses Problem nicht mehr lösen. Die Frage bleibt damit offen, ob Einzelverfahren es können.

10 Vgl. dazu Shmuel N. Eisenstadt: The Political System of Empires, New York–London 1963. Für einen charakteristischen Einzelfall siehe auch Lloyd A. Fallers: Bantu Bureaucracy. A Century of Political Evolution among the Basoga of Uganda, 2. Aufl., Chicago 1965.

4. Rollenübernahme

Wir können nunmehr präziser fragen, ob, in welchem Sinne, durch welche psychischen und sozialen Mechanismen und in welchen Grenzen die Beteiligung an einem als System ablaufenden Verfahren die Bereitschaft des Bürgers stärkt, Entscheidungen unabhängig von Inhalt und Begründung als bindend – nicht notwendig auch als richtig – zu akzeptieren. Daß es genüge, das Volk und die mit Interessen Beteiligten an der aufrichtigen Bemühung der Verwaltungsbeamten und Richter um das Recht als passive *Zuschauer* teilnehmen zu lassen, ist kaum anzunehmen. Ansichten dieser Art dürften, falls sie überhaupt noch vertreten werden, eine Standesillusion sein. Ernsthafter Prüfung bedarf dagegen die Frage, was durch eine handelnde Verflechtung der Entscheidungsempfänger in die Entscheidungsverfahren erreicht werden kann[1]. Dafür ist es nützlich, sich des soziologischen Rollenbegriffs zu bedienen und das bürokratische System der Verwaltung öffentlicher Macht (Parlamente, Verwaltungsbehörden, Gerichte eingeschlossen), als ein System des Verhaltens in Rollen zu begreifen[2]. Dann ist es möglich, den sozialen Mechanismus, auf den man spekuliert, wenn man von Verfahren eine legitimierende Wirkung erwartet, mit Hilfe des Begriffs der

1 Thomas Ellwein: Einführung in die Regierungs- und Verwaltungslehre, Stuttgart–Berlin–Köln–Mainz 1966, S. 126, bemerkt zur deutschen Rechtsstaatsüberlieferung kritisch, daß ihr der Schutz des Bürgers selbstverständlich, Beteiligung dagegen unnötig oder gar unerwünscht erschienen sei. Die starke Betonung des Verfahrensgedankens sollte indes nicht nur Schutz, sondern auch Beteiligung gewährleisten – freilich, und *das* ist bezeichnend: unpolitische Beteiligung.

2 Diese Anwendung des Rollenbegriffs auf bürokratische Organisationen jeder Art bedarf keiner Empfehlung mehr, da sie in der neueren organisationssoziologischen Forschung zur Selbstverständlichkeit geworden ist (ohne daß damit freilich eine volle theoretische Klärung dessen, was »Rolle« eigentlich ist, verbunden wäre). Vgl. z. B. Shmuel N. Eisenstadt: Bureaucracy and Bureaucratization, Current Sociology 7 (1958), S. 99–164 (121 ff.); Neal Gross/Ward S. Mason/Alexander W. McEachern: Explorations in Role Analysis. Studies of the School Superintendency Role, New York 1958; Daniel J. Levinson: Role, Personality and Social Structure in the Organizational Setting, The Journal of Abnormal and Social Psychology 58 (1959), S. 170–180; Renate Mayntz: Soziologie der Organisation, Reinbek 1963, S. 81 ff.; Daniel Katz/Robert L. Kahn: The Social Psychology of Organizations, New York–London–Sydney 1966, S. 171 ff.

»Übernahme implizierter Rollen« (kurz: Rollenübernahme) zu klären. Da dieser Begriff in seinen Grundzügen dem amerikanischen Sozialpsychologen und Philosophen George Herbert Mead zu danken ist, sei dessen Theorie hier kurz skizziert[3]:

Mead spricht von role-taking. Er meint damit, daß der Mensch andere Menschen nicht einfach als Dinge erlebt, sondern als Träger eigener, ichhafter Perspektiven, in die er sich hineinversetzen kann. Er kann sich in die Rolle des anderen einfühlen und in ihr einen Standpunkt finden, von dem aus er auf sich selbst zurückblicken kann. Durch Übernahme einer fremden Rolle kann er sich selbst eine eigene Rolle zuweisen, kann er sich selbst zum Objekt werden, aus einem »I« ein »me« werden und dabei zugleich diejenigen Aspekte der Welt herausfinden, die für beide Perspektiven den gleichen Sinn ergeben. Rollenübernahme in diesem weiten Sinne ist ein Prozeß der Selbstidentifikation und der Konstitution einer objektiven Welt als einer Synthese subjektiver Perspektiven, die für alle Menschen zugänglich ist.

Im Grunde handelt es sich hierbei um eine Analyse des Prozesses der intersubjektiven Konstitution von Sinn, wie sie tiefer und zugleich fragwürdiger auch in der transzendentalen Phänomenologie Edmund Husserls versucht worden ist[4]. Der Rollenbegriff findet bei Mead marginale Aufmerksamkeit. Er wird nicht weiter ausgearbeitet, und so hat dieser Begriff des role-taking denn auch in der herrschenden soziologischen Rollentheorie

3 Vgl. namentlich George H. Mead: Mind, Self and Society From the Standpoint of a Social Behaviorist, Chicago Ill. 1934, passim, insbes. S. 254 f.; ders.: The Philosophy of the Act, Chicago Ill. 1938, passim, insbes. S. 544 ff., 610 f. Siehe ferner Ralph H. Turner: Role-Taking. Process Versus Conformity. In: Arnold M. Rose (Hrsg.): Human Behavior and Social Processes. An Interactionist Approach, Boston 1962, S. 20–40, und als einen guten Überblick über alle Themen dieser Schule George J. McCall/J. L. Simmons: Identities and Interactions, New York–London 1966.

4 Siehe namentlich Edmund Husserl: Cartesianische Meditationen und Pariser Vorträge, Husserliana Bd. 1, Den Haag 1950, und zur Kritik etwa Alfred Schutz: Das Problem der transzendentalen Intersubjektivität bei Husserl, Philosophische Rundschau 5 (1957), S. 81–107, oder Michael Theunissen: Der Andere. Studien zur Sozialontologie der Gegenwart, Berlin 1965, S. 13 ff. Eine Verbindung von Ausläufern der phänomenologischen Schule und der Meadschen Sozialpsychologie suchen herzustellen Peter L. Berger/Thomas Luckmann: The Social Construction of Reality. A Treatise in the Sociology of Knowledge, Garden City N. Y. 1966.

wenig Verwendung gefunden[5]. Mead überdehnt den Rollenbegriff dadurch, daß er Rollen als etwas, das man »nehmen« kann, vorausgesetzt, bevor es zur Konstitution von objektivem Sinn und sozialen Identitäten, darunter Persönlichkeiten, kommt. So ausgedehnt, wird der Begriff schlaff und für weitere Analysen unbrauchbar.

Dieser Nachteil läßt sich indes leicht korrigieren, indem man zunächst die Priorität der Begriffe Rolle und Identität umkehrt und die Konstitution der Identität des anderen und des eigenen Ich für fundamentaler ansieht als die Identifikation des Verhaltens anderer unter dem Aspekt bestimmter sozialer Rollen. Der andere ist eine Person, keine Rolle, und durch ihn als Person, nicht als Rolle, bekomme ich meine eigene Identität als Person zugewiesen. Soziale Rollen, nämlich Mutter/Kind-Beziehungen oder Äquivalente dafür, sind zwar notwendig, um Personsein zu lernen. Aber für diesen Lernvorgang ist gerade entscheidend, daß der Rollencharakter dieser Beziehung abgeblendet wird, der andere vom Lernenden also nicht als Rolle, sondern als Du und dann als anderes Ich erlebt wird[6].

Durch diese mehr begriffliche als in der Sache liegende Korrektur wird der Kern der Meadschen Theorie, die Annahme eines Zusammenhangs von Rollenspiel und Selbstwerdung, nicht entscheidend getroffen, aber so formulierbar, daß die ganze Kompliziertheit des Themas erhellt. Der Mensch lernt seine eigene

5 Wo dies geschehen ist, nämlich in der Chicagoer Schule des »symbolischen Interaktionismus«, tritt denn auch die innere Problematik der Darstellung Meads, die den Rollenbegriff dem Begriff der Identität vorordnet, deutlich zutage: Seine führende Stellung diskreditiert den Begriff der Identität. Siehe z. B. Anselm Strauss: Mirrors and Masks. The Search for Identity, Glencoe Ill. 1959; Barney B. Glaser/Anselm L. Strauss: Awareness Contexts and Social Interaction, American Sociological Review 29 (1964), S. 669-679; Edward Gross/Gregory P. Stone: Embarassment and the Analysis of Role Requirements, The American Journal of Sociology 70 (1964), S. 1-15; und für unser Thema besonders interessant: Eugene A. Weinstein/Paul Deutschberger: Some Dimensions of Altercasting, Sociometry 26 (1963), S. 454-466, und dies.: Tasks, Bargains, and Identities, Social Forces 42 (1964), S. 451-456. Ganz konsequent kommt man auf dieser Grundlage zu der These, daß es keine rollenunabhängigen, tiefliegenden Persönlichkeitsmerkmale gebe, die für alle Situationen und für alle Rollen durchgehend bestimmend seien – so Orville G. Brim, Jr.: Personality as Role-Learning. In: Ira Iscoe/Harold W. Stevenson (Hrsg.): Personality Development in Children, Austin 1960, S. 127-159.

6 Vgl. hierzu Dieter Claessens: Familie und Wertsystem. Eine Studie zur »zweiten sozio-kulturellen Geburt« des Menschen, Berlin 1962.

Identität in und mit Hilfe von gesellschaftlich vorkonstituierten Rollen, kann dann, wenn er dieser eigenen Identität und der Übertragbarkeit von Perspektiven des alter ego sicher ist, auch Rollen als solche lernen und schließlich mit Hilfe eines sozial funktionierenden Zusammenspiels von Rollen seine eigene Persönlichkeit »entfalten«, qualifizieren, bewähren, variieren. Welche Rolle er übernimmt, welche Bedingungen er dabei erfüllen muß, um auf sein Rollenverhalten entsprechende soziale Reaktionen zu erhalten und sein Verhalten faktisch fortsetzen zu können, und welche Aspekte seines Rollenverhaltens ihm selbst bzw. den Normen, Anlässen oder Umständen zugerechnet werden, das strukturiert seine Chancen, einen bestimmten Charakter, eine individuell strukturierte Persönlichkeit zu gewinnen.

Im Rahmen dieser Gesamtkonzeption, die Mead durch den Begriff des role-taking abzudecken versuchte, kann man, vom üblichen engeren Begriff der sozialen Rolle ausgehend, den engeren Tatbestand der Übernahme implizierter Rollen eingrenzen[7]. Jede Rolle ist auf ein komplementäres Rollenverhalten anderer angewiesen und impliziert daher eine Aufforderung, sich korrespondierend zu verhalten[8]. Jedes Sicheinlassen auf Rollen verstrickt daher in ein Handeln, das persönlich bindet, das der Handelnde als »Teil von sich selbst« vertreten muß, sofern nicht

7 Turner, a. a. O., S. 23, spricht von »imputed other-role«. Vgl. auch McCall/Simmons, a. a. O., S. 121 ff., 130 ff. Ein ähnlicher Begriff der implizit zugewiesenen Rolle taucht in der amerikanischen Literatur gelegentlich auf, hat aber einen anderen Sinn. Er meint nur latente, unbewußte oder uneingestehbare Zuweisungen. Vgl. z. B. John P. Spiegel: The Resolution of Role Conflict Within the Family, Psychiatry 20 (1957), S. 1–16, oder Florence R. Kluckhohn/Fred L. Strodtbeck: Variations in Value Orientations, Evanston Ill.–Elmsford N. Y. 1961, S. 40 f. Wir wollen dagegen den Begriff »impliziert« nicht auf diesen engen Sinn festlegen, sondern damit lediglich ausdrücken, daß eine komplementäre eigene Rolle im Rollenverhalten anderer vorausgesetzt ist – so wie die Rolle des Befehlenden die des Gehorchenden voraussetzt und umgekehrt. Ob diese Voraussetzung bewußt und zum Gegenstand sozialer Kommunikation gemacht werden kann oder nicht – die Rolle des sich verteidigenden Angeklagten wird offen und bewußt impliziert, die des Verbrechers, der sich der Strafverfolgung entzieht, ist dagegen nur latent impliziert –, ist eine für unsere Untersuchung sehr wichtige Unterscheidung, die jedoch sekundärer Natur ist und durch die zusätzlichen Begriffe der »offenen« und »latenten« Implikation ausgedrückt werden kann.

8 Vgl. dazu etwa Frederick L. Bates: Position, Role and Status. A Reformulation of Concepts. Social Forces 34 (1956), S. 313–321, oder Siegfried F. Nadel: The Theory of Social Structure, Glencoe Ill. 1957, S. 85 ff.

der Rollenkontext ein »unpersönliches« Handeln vorsieht oder es doch ermöglicht, sich durch den expressiven Stil des Handelns persönlich vom eigenen Verhalten abzulösen, also durch die Art, wie man handelt, auszudrücken, daß man nicht damit identifiziert werden möchte. Das Rollenverhalten führt mithin zu einer Einfühlung in die Rolle des anderen, zu einem Austausch von Perspektiven, zur Stabilisierung komplementärer Verhaltenserwartungen und übergreifender Prämissen sinnhaften Verhaltens[9] – oder es muß mangels Verständigungsmöglichkeit abgebrochen werden.

Rollenübernahme ist ganz allgemein Voraussetzung kontinuierlicher Interaktion. Im Verfahren müssen alle Beteiligten einander laufend wechselseitig Rollen zumuten, einander ihre Rollen bestätigen und einander Verhaltensstützen geben, die es ermöglichen, daß jeder in seine Rolle kommt und auch bei zugemuteten Belastungen in seiner Rolle bleibt. Besonders dem Richter obliegt es, dafür zu sorgen, daß alle Beteiligten auch für schwierige, riskante, peinliche, herzzerreißende Kommunikation einen sicheren Verhaltensrahmen besitzen, daß sie nicht abgelenkt und nicht irritiert werden, sondern in Ruhe eine gute (eine nach den Maßstäben des Verfahrens gute!) Leistung vollbringen[10]. Auch wenn ihre Aussage für sie selbst oder für andere zur Katastrophe führt, soll doch die Katastrophe nicht schon im Augenblick und nicht für das Verfahren als System eintreten. Stets muß ein Teil

9 Diese Einsichten haben zentrale Bedeutung für die Theorie des Aktionssystems von Talcott Parsons. Vgl. insbes. das einführende »General Statement« zu Talcott Parsons/Edward A. Shils (Hrsg.): Toward a General Theory of Action, Cambridge Mass. 1951, S. 3–27 (14 ff.). Ähnlich Ragnar Rommetveit: Social Norms and Roles. Explorations in the Psychology of Enduring Social Pressures, Oslo–Minneapolis 1955, S. 44 ff.

10 In Grenzfällen verletzt ein Gericht, das dieses Gebot nicht beachtet, sogar den Grundsatz des rechtlichen Gehörs. Siehe den vom Bundesverwaltungsgericht durch Urteil vom 22. 11. 1963 (Neue Juristische Wochenschrift 17 [1964], S. 787 f.) entschiedenen Fall, in dem ein Richter den Kläger durch die Frage, ob er getrunken habe, in so große Erregung versetzt hatte, daß dieser der Verhandlung angeblich nicht mehr zu folgen vermochte. Das vorinstanzliche Urteil wurde aus diesem Grunde aufgehoben. Andererseits wird man kaum annehmen können, daß das Gericht verpflichtet sei, die Beteiligten in einer optimalen psychischen Verfassung zu erhalten. Hier liegen deutlich Grenzen der Juridifizierbarkeit von systemimmanenten Normen des Verfahrens. Vgl. dazu auch Hans Dahs: Das rechtliche Gehör im Strafprozeß, München–Berlin 1965, S. 20 f.

der verfügbaren Kräfte daher auf die Erhaltung des Kontaktes und der Funktionsfähigkeit in Rollen abgezweigt werden. Dies ist eine Vorbedingung für den relativ störungsfreien Ablauf des Verfahrens überhaupt, und sie gilt für das Verhältnis aller Beteiligten zueinander[11]. Darüber hinaus ist es jedoch unsere Frage, was auf diese Weise für das Akzeptieren unwillkommener Entscheidungen getan werden kann.

Vermutlich ist dies die heimliche Theorie des Verfahrens: daß man durch Verstrickung in ein Rollenspiel die Persönlichkeit einfangen, umbilden und zur Hinnahme von Entscheidungen motivieren könne. Bezeichnend dafür ist ein weit zurückliegendes Beispiel: die Nähe, ja Verbundenheit von Rat und Hilfe im mittelalterlichen Denken[12]. Im Rat lag zugleich die Selbstverpflichtung, an der Durchführung der angenommenen Vorschläge mitzuwirken – eine Konzeption, die praktisch jedenfalls nicht ganz undurchführbar gewesen sein muß. Die Ernennung zum Ratgeber konnte so als Instrument politischer Bindung (als Schritt zur Gründung eines »Kontaktsystems«) und das Ratsgremium als Stätte der Verhandlung über die Bedingungen einer besonderen Hilfeleistung dienen. An zentraler Stelle der politisch-gesellschaftlichen Verfassung eingesetzt, erforderte diese Institution des »consilium et auxilium« freilich ein Mindestmaß von Loyalität und hohe Homogenität der Interessen, setzte also ein relativ einfaches, überschaubares Gesellschaftssystem voraus[13].

11 Erich Döhring: Die Erforschung des Sachverhalts im Prozeß. Beweiserhebung und Beweiswürdigung. Ein Lehrbuch, Berlin 1964, S. 28 ff., zeigt dies sehr schön am Verhältnis von Richter und Beweisperson. Allerdings sieht Döhring in Übereinstimmung mit der klassischen Verfahrenskonzeption in der Kontaktpflege ein Mittel der Wahrheitsfindung, ohne daran zu denken, daß die Rollensicherheit eines guten Kontaktes auch dazu dienen kann, die Unwahrheit zu sagen.

12 Vgl. dazu Otto Brunner: Land und Herrschaft. Grundfragen der territorialen Verfassungsgeschichte Südostdeutschlands im Mittelalter, 3. Aufl., Brünn–München–Wien 1943, S. 308 ff., mit weiteren Hinweisen.

13 Der zeitgenössischen Literatur schien das Problem natürlich nicht hier, sondern in der Tugend des guten Ratgebers zu liegen, so daß die Verhaltensprobleme um dieses Problem geordnet wurden. Besonders die Literatur des 16. und 17. Jahrhunderts, die schon den höfischen Ratgeber vor Augen hat, mahnt, warnt, belehrt Herrscher wie Ratgeber vor den Gefahren einer solchen Beziehung. Siehe als Beispiel etwas Martinus Garatus Laudensis: Tractatus de consiliariis principum. In: Tractatus illustrium jurisconsultorum tom XVI fol. 212, Venedig 1584; John Fortescue: The Governance of England, ed. Plummer, Oxford 1885, ch. XV–XVII

Wiederaufnahmen dieses Gedankens in der heutigen Zeit wirken demgegenüber wie blasse, unrealistische Spekulationen. Überlegungen dieser Art sind zum Beispiel in der sogenannten Berufsständebewegung angestellt worden. Sie liegen zahlreichen Versuchen zugrunde, wirtschaftliche Interessen durch vorherige Anhörung und beratende Beteiligung am Entscheidungsprozeß der Staatsorgane »in den Staat zu integrieren«[14]. Und selbst wo in einen entsprechenden Staatsaufbau keine allzu großen Hoffnungen gesetzt werden, und das ist heute allgemeine Meinung, findet sich immer wieder die These, daß eine beratende Beteiligung von Betroffenen am Entscheidungsgang als Ventil für Ressentiments und Kritik dienen, Einwendungen absorbieren und dadurch die Annahme, zumindest die Durchsetzbarkeit der endgültigen Entscheidung fördere[15]. »Die schon aus rechtsstaatlichen Gründen

(besonders interessant für die Wendung zum höfischen Ratgeber); Hippolytus a Collibus: Princeps, consiliarius, palatinus, sive aulicus et nobilis, ed. nova, Helmstedt 1667; Francesco Guiccardini/Giovanni Francesco Lottini/Francesco Sansovini: Propositioni overo considerationi in materia di cose di stato, sotto titolo di avvertimenti, avvedimenti civili e concetti politici, Venedig 1598; Joannes Mariana: De rege et regis institutioni libri tres, Mainz 1605; Johann-Andreas Ockell: Commentatio de consiliis eorumque iure, Diss. Tübingen 1654 (oft zitiert unter dem Namen des Präses Wolfgang-Amadeus Lauterbach); Laelius Zechius: Politicorum sive de principe et principatum administratione libri tres, Verona 1625; Gabriele Zinano: Il Consigliere, Venedig 1625.

14 Siehe z. B. Heinrich Herrfahrdt: Das Problem der berufständischen Vertretung von der Französischen Revolution bis zur Gegenwart, Stuttgart 1921; Edgar Tartarin-Tannheyden: Die Berufstände, ihre Stellung im Staatsrecht und in der deutschen Wirtschaftsverfassung, Berlin 1922. Als Beispiel für eine zurückhaltendere, die zwischenzeitlichen Erfahrungen berücksichtigende neuere Stellungnahme siehe Hans Ryffel: Staat und Wirtschaftsverbände im nationalen und übernationalen Bereich. In: Staat und Wirtschaft im nationalen und übernationalen Recht. Schriftenreihe der Hochschule Speyer, Bd. 22, Berlin 1964, S. 159–188.

15 Vgl. z. B. E. Pendleton Herring: Public Administration and the Public Interest, New York–London 1936, S. 37, 213 u. ö.; R. V. Vernon/N. Mansergh: Advisory Bodies. A Study of Their Uses in Relation to Central Government 1919–1939, London 1940, S. 25; Reinhard Bendix: Higher Civil Servants in American Society. A Study of Social Origins, the Careers and the Power-position of Higher Federal Administrators, Boulder Col. 1949, S. 96; Herbert A. Simon/Donald W. Smithburg/Victor A. Thompson: Public Administration, New York 1950, S. 122 ff., 464 ff.; Eduard Naegeli: Die Mitwirkung der Verbände bei der Rechtsetzung unter besonderer Berücksichtigung der qualifizierten Rechtsverordnung. In: Festgabe Hans Nawiasky, Zürich–Köln 1950, S. 205–227 (212); Udo Krauthausen: Tatsachenerhebung und Beratung in der deutschen öffentlichen Verwaltung. Deutsches Verwaltungsblatt 73 (1958), S. 729–733; August Krebsbach: Lebendige Demokratie durch Ausschüsse und Beiräte, Staats- und Kommunalverwaltung 1959,

notwendige Mitwirkung der Beteiligten dient daher«, so meint Ule, »auch einer engeren Verbindung des einzelnen mit der Verwaltung, deren Entscheidungen, auch wenn sie für den Beteiligten ungünstig ausfallen, von diesem eher akzeptiert werden, wenn sie unter seiner maßgeblichen Mitwirkung zustande gekommen sind[16].« In umfangreichen empirischen Untersuchungen hat ferner die betriebssoziologische Forschung für diese Hypothese, daß durch Beteiligung am Entscheidungsvorgang die Bereitschaft zum Akzeptieren der Entscheidung gesteigert werden könne, ein gewisses Maß an Bestätigung gewinnen können[17]. Auf

S. 2–4. Anderen Beobachtern fiel jedoch auf, daß Interessenverbände in ratgebenden Gremien eine Vorsichtsstrategie des »avoidance of final commitment« betreiben, um diesem Bindungseffekt auszuweichen – so PEP: Advisory Committees on British Government, London 1960, S. 91 f.

16 Carl H. Ule: Verwaltungsreform als Verfassungsvollzug. In: Recht im Wandel. Beiträge zu Strömungen und Fragen im heutigen Recht. Festschrift hundertfünfzig Jahre Carl Heymanns Verlag KG., Köln–Berlin–Bonn–München 1965, S. 53–89 (55). Andererseits gibt es auch Stimmen, die es nicht unbedingt für demokratisch halten, den etwaigen Kritikern einer Entscheidung, Interessenten oder Experten, in gemeinsamen Sitzungen »die Zähne zu ziehen« – so Kenneth C. Wheare: Government by Committee. An Essay on the British Constitution, Oxford 1955, S. 65 ff.

17 Vgl. die positive Beurteilung bei Lester Coch/John R. P. French: Overcoming Resistance to Change, Human Relations 1 (1948), S. 512–532; William F. Whyte u. a.: Lohn und Leistung, dt. Übers., Köln–Opladen 1958, S. 188 ff., 247, 255 ff.; John R. P. French/Joachim Israel/Dagfin Ås: An Experiment on Participation in a Norwegian Factory, Human Relations 13 (1960), S. 3–19; Floyd C. Mann/Lawrence K. Williams: Observations on the Dynamics of a Change to Electronic-Data-Processing Equipment, Administrative Science Quarterly 5 (1960), S. 217–256 (225 ff.); Victor H. Vroom: Some Personality Determinants of the Effects of Participation, Englewood Cliffs N. J. 1960; Rensis Likert: New Patterns of Management, New York–Toronto–London 1961, S. 26 ff., insbes. S. 39 ff.; Bernard M. Bass/Harold J. Leavitt: Some Experiments in Planning and Operating, Management Science 9 (1963), S. 574–585. Es finden sich jedoch auch mindestens in gleicher Zahl kritische Äußerungen, die auf die voreilige Verallgemeinerung der Schlußfolgerungen, auf die Prämisse einer Interessenharmonie, die Geringfügigkeit der Differenz im Produktionsergebnis und die hohe Zahl mitwirkender anderer Variablen hinweisen. Siehe einige Beiträge zu dem Sammelband Conrad M. Arensberg u. a.: Research in Industrial Human Relations, New York 1957 (z. B. S. 33 f., 111); Leonard Sayles: Behavior of Industrial Work Groups, New York 1958, insbes. S. 168 ff.; Chris Argyris: Understanding Organizational Behavior, Homewood Ill. 1960, S. 114 f.; Michel Crozier: Le phénomène bureaucratique, Paris 1963, S. 269 ff.; George Strauss: Some Notes on Power Equalization. In: Harold J. Leavitt (Hrsg.): The Social Science of Organizations. Four Perspectives, Englewood Cliffs N. J. 1963, S. 39–84 (60 ff.). Als neuen Überblick über die gesamte Diskussion und als Übersetzung in die systemtheoretische Begriffssprache vgl. Daniel Katz/Robert L. Kahn: The Social Psychology of Organizations, New

Anhieb fallen aber auch Gegenbeweise ein, da kaum zu leugnen ist, daß manch einer unzufrieden oder gar empört den Gerichtssaal verläßt. Wir sind der Theorie, die der Legitimation durch Verfahren zugrunde liegt, auf der Spur; aber es wäre offensichtlich falsch, eine einfache Kausalrelation oder auch nur eine bestimmte statistisch verifizierbare Korrelation zwischen Verfahren und Hinnahme des Ergebnisses in dieser Allgemeinheit zu unterstellen. Wir müssen diese Theorie der Übernahme implizierter Rollen in die Persönlichkeit erheblich verfeinern, um zu brauchbaren Ergebnissen zu kommen.

York–London–Sydney 1966, S. 390 ff. und Frieder Naschold: Organisation und Demokratie. Untersuchungen zum Demokratisierungspotential in komplexen Organisationen, Stuttgart–Berlin–Köln–Mainz 1969. Einer der auffälligsten Mängel dieser ganzen Diskussion ist ihre primitive Psychologie. Wie es für die gegenwärtige Organisationsforschung überhaupt bezeichnend ist, fehlt der Kontakt mit den neueren Entwicklungen auf dem Gebiet der Persönlichkeitstheorie.

5. *Darstellungen und Entlastungen*

Zu einem wichtigen Schritt weiter verhilft die Einsicht, daß der Prozeß der Rollenübernahme wie jede soziale Interaktion mit Darstellung von Sinn, darunter auch mit einer Selbstdarstellung der handelnden Personen, verbunden ist. Sobald jemand wahrgenommen wird, sagt er mit seinem Verhalten, ob er will oder nicht, etwas über seine Situationsauffassung und damit über sich selbst aus[1]. Im allgemeinen kann niemand es sich ungestraft leisten, zu ignorieren, ob er wahrgenommen wird oder nicht. Er muß vielmehr sein Verhalten unter Kontrolle halten, sobald es zur Darstellung wird.

Eine Kontrolle ist deshalb erforderlich, weil ein gewisses Maß an Konsistenz der Darstellung als Orientierungsgrundlage aller Beteiligten erwartet wird[2]: Wer sich als Nichtraucher eingeführt hatte, darf nicht ohne weiteres anfangen zu rauchen. Er muß zumindest eine gute Erklärung abgeben, die Gewißheit darüber verschafft, daß er im übrigen derselbe bleiben wird, also weiterhin ein Gegenstand zuverlässiger Erwartungsbildung und selbstnegierter Freiheit bleibt. Im großen und ganzen legen also Selbstdarstellungen den Handelnden auf eine bestimmte Persönlichkeit

1 Daß es Situationen gibt, in denen Anwesende kraft Konvention oder zur Vermeidung peinlicher Konflikte als nichtanwesend behandelt werden müssen (z. B. Diener auf Empfängen), bestätigt, ohne Ausnahme zu sein, die Regel. Denn anwesende Nichtanwesende sind keineswegs von Darstellungsleistungen befreit; sie müssen im Gegenteil die Rolle des Nichtanwesenden und sich selbst als entsprechend unbedeutend mit besonderer Sorgfalt darstellen, weil beides unnatürlich ist, und auch, weil die Perfektion der Darstellung als nichtanwesend die einzige Möglichkeit ist, einen erlaubten Hinweis auf ihre Anwesenheit und ihre Bedeutung mitdarzustellen. – Das sei angemerkt zugleich als Beispiel dafür, mit wie vielschichtigen und komplizierten Sachverhalten wir es im folgenden zu tun bekommen.

2 Mit Konsistenzproblemen der Darstellung befassen sich zahlreiche Veröffentlichungen von Erving Goffman. Siehe vor allem: The Presentation of Self in Everyday Life, 2. Aufl., Garden City N. Y. 1959; ferner etwa: On Face Work, Psychiatry 18 (1955), S. 213–231; Alienation From Interaction, Human Relations 10 (1957), S. 47–59; Encounters. Two Studies in the Sociology of Interaction, Indianapolis Ind. 1961; Stigma. Notes on the Management of Spoiled Identity, Englewood Cliffs N. J. 1963; Behavior in Public Places. Notes on the Social Organization of Gatherings, New York–London 1963.

fest. Auch Rollen, die man einmal übernommen hat, verpflichten in diesem Sinne zur Kontinuität und beschränken Variationen auf das, was man ohne Verlust an Identität plausibel machen kann. Ohne solche wechselseitige Festlegung der Darstellungen wäre keine dauerhafte Interaktion, wäre auch so etwas wie ein »Verfahren« nicht möglich. Es muß schon durch den Beginn der Darstellung des Verfahrens wirksam ausgeschlossen werden, daß der Richter sich plötzlich als Zahnarzt oder der Beigeladene sich als Losverkäufer verhält.

Ferner ist die Besonderheit von Situationen zu bedenken, in denen die Wertgrundlagen des Verhaltens in Frage gestellt werden und Rechenschaft verlangt werden kann. Diese Situationen gibt es auch, wenngleich nur unter besonderen Voraussetzungen, im täglichen Leben[3]. Eine wechselseitige Enttäuschung ist schon eingetreten und erfordert Bereinigung. Die Beteiligten müssen auf die Grundlagen ihres Verhaltens zurückgreifen, um die wechselseitigen Erwartungen als Voraussetzung weiteren Zusammenlebens zu klären, und das heißt: sich selbst moralisieren und Konsistenz auch als moralische Person, als vernünftiger Mensch in Aussicht stellen.

Gegenüber den Normalanforderungen im täglichen Leben wird diese Pflicht zur Konsistenz der Darstellungen im Gerichtsverfahren noch erheblich verschärft[4]. Das Verfahren muß zu einer Entscheidung kommen und muß daher an die beabsichtigten und die unbeabsichtigten Informationen, die die Beteiligten geben, zuverlässig anknüpfen können. Alle Beteiligten werden durch den Sinn und das Zeremoniell des Verfahrens angehalten, ihr Verhalten ernst zu nehmen und als bindend zu betrachten wie eine Kette von Versprechungen, und sie tun gut, diesen Erwartungen durch Vorprüfung ihres Verhaltens Rechnung zu tragen. Die Forderung nach Konsistenz wird hin und wieder, zum Beispiel durch Vorhaltungen aus Anlaß von Verstößen, verbalisiert; sie liegt aber darüber hinaus so suggestiv in der

3 Dazu gibt es noch kaum Forschung, aber einen anregenden Überblick über Probleme und Strategien bei Marvin B. Scott/Stanford M. Lyman: Accounts, American Sociological Review 33 (1968), S. 46–62.

4 Das gleiche Phänomen werden wir aus dem gleichen Grunde im Gesetzgebungsverfahren antreffen. Siehe S. 187 f.

Luft, daß sie einfache Gemüter, die ihr Verhalten nicht in seinen Konsequenzen kalkulieren können, zum Verstummen bringen kann – ein letzter Versuch, trotz physischer Präsenz sich den symbolischen Implikationen der Anwesenheit zu entziehen[5].

Szene und Zeremoniell des Verfahrens werden so zur Norm, wenn nicht gar zur Falle für Beteiligte, die sich gar nicht so weit engagieren wollten. Außerdem wird ihr eigenes Verhalten zur Verfahrensgeschichte und damit zur Fessel. Häufig wird es protokolliert in einer Sprache, die bereits nicht mehr die des Sprechenden ist, sondern die der Polizei, des Gerichts, des Gesetzes; oder es wird in Erinnerungen festgehalten, die nicht die seinen sind, und tritt ihm im weiteren Verlauf des Verfahrens als Objekt gegenüber, mit dem er sich zu identifizieren hat[6]. Protokollierte Aussagen dokumentieren gelungene Verständigungen – wenn nicht über den Inhalt, so doch über die Tatsache einer bestimmten Aussage – und werden dadurch zur Norm, gegen die man sich nur noch mit besonderen Gründen zur Wehr setzen kann – etwa dann, wenn im Verfahren auch an anderen Stellen Unstimmigkeiten auftreten, die eine Umnuancierung der Aussage nahelegen. Ohne solche Stützen fährt man am besten oder jedenfalls am leichtesten, wenn man protokollieren läßt, daß man auf die schon vorliegenden Protokolle verweist.

Solche Bindungen sind nicht mit Außenbindungen des Verfahrens zu verwechseln. Sie sind das Ergebnis seiner eigenen Systemgeschichte. Jeder kann zwar am Anfang seine Linie, seine Sinndarstellung und den expressiven Stil seines Verhaltens mit

5 Der Verfasser hat verschiedentlich erlebt, daß in solchen Fällen, wenn eine Darstellung aus Verlegenheit oder Verwirrung auszufallen droht (genaugenommen: zur Darstellung einer Nichtdarstellung zu werden droht), zunächst die Richter die Strenge des Zeremoniells zu mildern, menschlich zuzureden oder gar den Überblick über die Konsequenzen des Verhaltens zu erleichtern suchen; daß aber darüber hinaus auch die anderen Beteiligten ungeachtet ihrer jeweiligen Ziele und Interessen sich genötigt fühlen, durch Takt oder sonstige Hilfen etwas dafür zu tun, daß das System in Gang bleibt und daß es wenigstens zu einer Darstellung kommt. Anwälte, welche die Verlegenheit von Zeugen oder Parteien ausnutzen oder steigern, operieren in ihrem vermeintlichen Interesse gegen das System des Verfahrens, das ihr Interesse verwirklichen soll, und können sich im ganzen dadurch mehr schaden als nützen.

6 Die stabilisierende Wirkung gemachter Aussagen ist ein Gemeinplatz der forensischen Psychologie. Vgl. statt anderer Enrico Altavilla: Forensische Psychologie, Bd. II, dt. Übers., Graz–Wien–Köln o. J., S. 205 ff.

beträchtlicher Freiheit wählen: Er kann das Ausmaß seines gezeigten Interesses festlegen, sich als schweigsam oder geschwätzig, hart oder entgegenkommend, kleinlich oder großzügig, rechtsbewußt oder vergleichsbereit, objektiv oder egozentrisch stilisieren. Er hat außerdem gewisse Freiheiten in der Wahl dessen, was er als sein Tatsachenwissen und seine Rechtsansicht vortragen will. Ist er gewitzt, kann er in begrenztem Umfange die Selbstbindung hinausschieben, ja sogar die Zeitfolge der Darstellungen selbst zum Gegenstand taktischer Überlegungen machen – etwa für eindrucksvolle Überraschungen (zu Lasten anderer) sorgen, die Wahrheit erst aufleuchten lassen, nachdem andere die Unwahrheit schon gesagt haben, oder Argumente in Reserve halten, bis der beste Zeitpunkt für sie gekommen ist[7]. Im allgemeinen bietet das Verfahren dafür jedoch wenig Chancen, und diese müssen gleichsam im Spiel gegen die Institution gewonnen werden. Denn in die Rollen ist, als Sinn der Institution, ein Zug zur Entscheidung eingebaut; und eine erkennbar verzögernde Taktik rächt sich leicht an dem Spieler, besonders wenn er nicht nur den Gegner, sondern auch das Gericht auf falscher Fährte laufen ließ[8].

Bindende Entscheidungen über die eigene Darstellung sind für alle Beteiligten also praktisch unvermeidlich. Jeder muß diese Vorentscheidungen treffen, ohne damit auf das Ergebnis des Verfahrens, das ja noch nicht feststeht, reagieren zu können, also im Ungewissen und nur im *Hinblick auf das Verfahren selbst als ein System von Darstellungen.* Er wird die Linie wählen, die ihm über die Dauer eines kooperativen Handelns hinweg Erfolg zu versprechen scheint. So engagiert, kann er seine Darstellung nicht mehr wechseln, es sei denn, daß *das Verfahren selbst* ihm einen darstellbaren Grund dafür gibt. Als Zukunftsplan absorbiert das Verfahren Ungewißheit, als Geschichte wird es Bindung. In beiden Aspekten, und durch ihr Zusammenwirken, gewinnt das Verfahren eine beträchtliche Eigengesetzlichkeit, die

7 Eine der seltenen Untersuchungen zum taktischen Aspekt des Gerichtsverfahrens, Wilhelm A. Scheuerle: Studien zur Prozeßtaktik, Archiv für die civilistische Praxis 152 (1952/53), S. 351–372, behandelt unter anderem auch Fragen dieser Art.

8 In krassen Fällen finden die Richter dabei sogar die Unterstützung des Gesetzgebers, der z. B. in der Zivilprozeßordnung (§§ 279, 529) eine Zurückweisung von Angriffs- und Verteidigungsmitteln gestattet, wenn die Verspätung auf Verschleppungsabsicht oder grobe Nachlässigkeit zurückzuführen ist.

das Verhalten zwar nicht determiniert, ihm aber doch erhebliche Schranken zieht. Dieser Bindungseffekt würde auch unabhängig von den Prozeßgesetzen und selbst dann eintreten, wenn alle Beteiligten völlig frei wären, ein Verfahren zu beginnen oder nicht; er kann mithin nicht aus dem Gesetz abgeleitet werden, sondern entsteht erst im Verfahren und durch das Verfahren. Aber natürlich verpflichtet er nicht ohne weiteres zur Anerkennung des Ergebnisses, und außerdem gibt es, wie wir gleich sehen werden, gewisse Möglichkeiten, sich ihm zu entziehen.

Denn die Konsistenzpflicht würde zu unerträglichen Darstellungslasten und Verhaltenskomplikationen anschwellen, würde sie nicht in einigen Hinsichten eingeschränkt, abgemildert oder gar aufgehoben werden. Nur in sehr einfachen Sozialordnungen ist es denkbar, daß Personen in all ihren Lebenssituationen als persönlich bekannt, in ihrer Darstellung konsistent und mit sich selbst durchgehend identisch auftreten und erwartet werden. Unter dieser Voraussetzung kann es nur relativ wenig verschiedene Arten von Handlungen geben. Alle Sozialordnungen mit höherer Komplexität müssen dem einzelnen mehr Handlungen abverlangen, als er auf eine persönliche Lebensformel bringen und als Ausdruck seines Charakters integrieren kann. Komplexere Sozialordnungen zwingen daher einerseits zu einer symbolischen Abstraktion und »Verinnerlichung« der Konsistenzkontrolle[9], und andererseits benötigen sie zahlreiche entlastende Einrichtungen, die verhindern, daß jede Handlung auf die Persönlichkeit angerechnet wird.

Zwei Arten von Entlastungen sind besonders verbreitet: die Pflicht oder die Befugnis zu »unpersönlichem« Handeln und eine Art von expressiver Rollendistanz. Beide Entlastungen bilden Ziele für diejenigen Strategien, mit denen Verfahrensbeteiligte es zur Meisterschaft bringen können, mit denen sie das Zeremoniell intakt, die Situation in störungsfreiem Fluß, den Fluß in der Richtung ihrer eigenen Ziele und zugleich ihr Selbst von verbindlichen Engagements frei halten können.

9 Als eine Interpretation des Gewissens und der Gewissensfreiheit unter diesem Gesichtspunkt vgl. Niklas Luhmann: Die Gewissensfreiheit und das Gewissen, Archiv des öffentlichen Rechts 90 (1965), S. 257–286.

Unpersönlich ist ein Verhalten, das die eigene Person als unmaßgeblich darstellt und damit zugleich Rückschlüsse vom Verhalten auf die Person und auf ihre anderen Rollen zu verhindern sucht. Eine solche Distanznahme steht nicht ohne weiteres frei; sie bedarf einer institutionellen Rückendeckung, denn normalerweise dominiert in »natürlichen« Situationen das Interesse an der Person als Garant für Verhaltenserwartungen. In komplexen Sozialordnungen ist jedoch ein unpersönlicher Verhaltensstil als ein Mechanismus der Isolierung von funktionalspezifischem Teilsystem weit verbreitet und wird in manchen Bereichen sogar zur Pflicht. Vor allem Beruf und Familie, Geschäft und Kultur, Religion und Politik werden derart voneinander getrennt, daß Rollenerwartungen nicht ohne weiteres aus einem Bereich in den anderen übertragen werden können und die Identität der Person, die an allen Bereichen beteiligt ist, keine sicheren Rückschlüsse auf ihr Verhalten gestattet; dieses wird systemspezifisch reguliert. Im Interesse der Erhaltung einer komplexen Sozialordnung und eines relativ autonomen Verfahrenssystems in ihr sind daher alle diejenigen, die hauptberuflich als Vorsitzender oder Beisitzer, Anwälte oder Interessenvertreter, Sekretäre oder Boten an Verfahren beteiligt sind, zur Darstellung von unpersönlichem Verhalten verpflichtet.

Das erlaubt ihnen freilich nicht, sich in ihrem sonstigen Leben von ihrem Verhalten im Verfahren völlig freizuzeichnen. Die Unpersönlichkeit ist institutionell als einseitig wirkender Filter angelegt, nicht als vollständige Trennung. Ein Richter soll keine persönlichen Gefühle und Beziehungen, Einstellungen oder Informationen in das Verfahren hineinziehen; er soll dem Verfahren seinen Charakter als nur durch das Gesetz regiertes Sozialsystem belassen. Andererseits würde es befremden, ja zu Sanktionen führen, wollte er sich in seinem Privatleben über seine amtliche Rolle lustig machen, das Todesurteil als einen Scherz bezeichnen, seine eigentliche, aber überstimmte Meinung bekanntgeben oder behaupten, daß er alles begründen könne, was er wolle. In dieser Richtung bleibt er zur Darstellung von Konsistenz und zu durchgehender Identifikation mit seinem Handeln und dessen Prämissen verpflichtet.

Für unser Problem der Legitimation sind indes die nicht hauptberuflich beteiligten Verfahrensteilnehmer, die Antragsteller, Beschwerdeführer, Angeklagten usw., wichtiger, die durch die Entscheidung betroffen werden. Sie genießen nicht den Schutz legitimer Unpersönlichkeit. Im Gegenteil: das Verfahren ist darauf angelegt, ihre Persönlichkeit einzufangen und zu binden[10].

Damit ist nicht nur gemeint, daß je nach der Konstellation von Rechtsfragen Informationen über persönliche Verhältnisse bis in die Intimsphäre hinein beschafft und mit den Betroffenen erörtert werden. Mindestens ebenso wichtig wie die Thematik sind Form und Stil der Darstellung, vor allem, daß die Beteiligten die Stellungnahmen, mit denen sie sich selbst belasten könnten, frei und ohne jeden Zwang abgeben[11]. Selbst die rein wissenschaftliche Wahrheitssuche findet an dem Prinzip freier Darstellung ihre Schranke[12]. Diese Freiheit ist nur denkbar vor dem Hintergrund der Möglichkeit, die Unwahrheit zu sagen. Sie wird dem Betroffenen insofern als Privileg suggeriert. Den Richtern scheint die Freiheit der Aussage als Bedingung der Glaubwürdigkeit, also der Wahrheitsfindung, unerläßlich zu sein, was sie indes nicht hindert, auch die Aussageverweigerung als Selbstdarstellung zu werten[13]. Darüber hinaus ist aber zu beachten, daß die Freiheit der Aussage von äußerem Zwang die latente Funktion hat, die

10 Demgegenüber betont Vilhelm Aubert: The Hidden Society, Totowa N. J. 1965, S. 67 ff., die Tendenz moderner Gerichtsverfahren, Persönlichkeiten nur noch marginal zu erfassen. Eine solche Tendenz ist mit der Abstraktion, Spezifikation und Variabilität des Rechts und mit der Massenbetrieblichkeit der Verfahren gegeben. Dem wird jedoch gerade im Verfahren mit Erfolg entgegengearbeitet.

11 Das alte »nemo tenetur edere contra se« ist im Zivilprozeß zwar weitgehend abgebaut worden, gilt im Strafprozeß jedoch uneingeschränkt fort. So gehört zum Beispiel nach angelsächsischer Auffassung das privilege against self-incrimination zu den grundlegenden Erfordernissen eines due process. In der deutschen Strafprozeßordnung ist die Aussagefreiheit gesetzlich garantiert (§§ 136, 136 a, 243 III StPO). Darüber hinaus sind ganz allgemein Prozeßhandlungen juristisch als freie Willensakte konstruiert, die bei Willensmängeln wie Zwang und Täuschung widerrufen werden können. Dazu in monographischer Breite Karl Siegert: Die Prozeßhandlungen, ihr Widerruf und ihre Nachholung, Berlin 1929.

12 Vgl. dazu aus einer rasch anschwellenden Literatur etwa Jean Graven: Les procédés nouveaux d'investigation scientifique et la protection des droits de la défense, Schweizerische Beiträge. v. Internationaler Kongreß für Rechtsvergleichung, Zürich 1958, S. 203–231; Altavilla, a. a. O., S. 342 ff., mit weiteren Literaturhinweisen; Jerome S. Skolnick: Scientific Theory and Scientific Evidence. An Analysis of Lie Detection, Yale Law Journal 70 (1961), S. 694–728.

13 Einen Überblick über unterschiedliche Einstellungen zum Schweigen der Beschuldigten in verschiedenen Rechtsordnungen und Verfahrensarten vermittelt Erich

Persönlichkeit zu engagieren. Wer in Ketten erscheint und unter Peitschen aussagt, macht zugleich deutlich, daß die Ursache seiner Aussage nicht in ihm selbst liegt. Er kann sein Selbst von seiner Aussage trennen und entlasten[14]. Anders steht derjenige da, den man dazu bringen kann, frei auszusagen. Ihm wird sein Verhalten als Selbstdarstellung zugerechnet. Das Recht der Aussagefreiheit gewährt zugleich das Privileg, ein Verbrechen an sich selbst im Gerichtssaal zu begehen.

Ein solcher Zwang zur Freiheit und zu persönlicher Darstellung macht das Verhalten der Beteiligten schwierig, ja notwendig ambivalent. Denn das Verfahren ist ein System von so eigener Art, daß der Teilnehmer gar nicht so auftreten kann, wie er sich fühlt oder sonst ist. Eine eigentümliche Beklemmung und Unsicherheit derjenigen, für die das Verfahren keine Routinesache ist, läßt sich daher typisch beobachten. Dazu kommt, daß ihnen auch der andere Ausweg einer expressiven Rollendistanz verlegt wird. Sie haben nicht die Möglichkeit, durch die Art, wie sie ihr Rollenverhalten stilisieren, auszudrücken, daß es im Verfahren gar nicht um sie selbst geht[15]. Obgleich man Ansätze zur und

Döhring: Die Erforschung des Sachverhalts im Prozeß. Beweiserhebung und Beweiswürdigung. Ein Lehrbuch, Berlin 1964, S. 178 ff.

14 Es gibt natürlich zahlreiche Möglichkeiten, Zwang auszuüben, aber die Mitdarstellung des Gezwungenseins zu verhindern, zum Beispiel durch zeitliche und räumliche Trennung der Zwangssituation und der Aussagesituation oder durch Drogen, biophysische Aussagekontrollen usw. Davon wird man Methoden unterscheiden müssen, die den Betroffenen vor seinem Auftreten dazu bringen, eine andere Persönlichkeit zu werden. Das bedeutet, daß die Umstrukturierung der Erwartungen, also das Lernen, *im* Verfahren durch ein Lernen *vor* dem Verfahren ersetzt wird.

15 Vgl. zu diesem Thema den Essay Role Distance. In: Erving Goffman: Encounters, a. a. O., S. 83 ff., und außerdem Rose Laub Coser: Role Distance. Sociological Ambivalence, and Transitional Status Systems, The American Journal of Sociology 72 (1966), S. 173–187. Goffman veranschaulicht die Notwendigkeit, sich vom vollen Gewicht seiner Rolle zu entlasten, am Beispiel des karussellfahrenden Jungen, der über das Alter des Karussellfahrens eigentlich hinaus ist; ferner am Verhalten und Jargon von Ärzten und Krankenschwestern in höchst verantwortungsvollen Situationen. Man muß im übrigen jedoch eine Distanz, die während der Rollendurchführung selbst expressiv durch inkongruentes Verhalten zum Ausdruck gebracht wird, unterscheiden von einer Entlastung, die nachher in anderen Situationen gesucht wird, in denen man sich scherzhaft oder sarkastisch, kollegial oder fachlich über seine Rolle äußern kann, ohne der Rollendisziplin zu unterstehen. Hierzu vgl. Peter M. Blau: The Dynamics of Bureaucracy, Chicago 1955, S. 88 ff., und ders.: Orientation Toward Clients in a Public Welfare Agency, Administrative Science Quarterly 5 (1960), S. 341–361.

Bemühungen um Distanzierung von der eigenen Rolle bei Behördenbesuchern, Prozeßparteien und vor allem natürlich bei Angeklagten im Strafprozeß immer wieder beobachten kann, werden ihnen durch das Zeremoniell, die eindrucksvolle Strenge der Szene und die offizielle Ernsthaftigkeit des Geschehens die wichtigsten Ausdrucksmittel wie Scherz, Übertreibung, Lässigkeit usw. genommen[16]. Nicht einmal ihre eigenen Angelegenheiten dürfen sie bagatellisieren. Typisch reagieren die Veranstalter des Verfahrens sogar scharf auf jeden Versuch zur expressiven Rollendistanz, weil das dem expressiven Stil der Situation und ihrer eigenen Rolle darin widerspricht und ihnen daher als »Ungehörigkeit« erscheint.

Dieses problematische Verhältnis von Darstellungen und Entlastungen im Verfahren deutet auf einen immanenten Widerspruch hin, dessen Sinn zu klären bleibt. Wir hatten bisher die Problematik von Darstellungen und Darstellungsentlastungen nur ganz allgemein behandelt und am Beispiel des Verfahrens zu veranschaulichen versucht. Wir müssen nun das Verfahren selbst als Anlaß für Darstellungen etwas genauer betrachten.

16 Vgl. dazu Deutsche Richterzeitung 44 (1955), S. 403 – das Bekenntnis eines Richters, im Austausch von Bonmots mit dem Angeklagten aus der Rolle gefallen zu sein und dabei eine »Lehre fürs Leben« erhalten zu haben.

6. Erlaubter Konflikt

Einer der auffälligsten Züge gerichtlicher Verfahren ist, daß in ihnen kontradiktorisch verhandelt wird, also gegeneinander gerichtetes Handeln erlaubt ist. Daß eine »Institutionalisierung von Konflikten« möglich ist und Vorteile hat, ist wohl bekannt[1]. Weniger durchsichtig ist, worauf dieser Erfolg im einzelnen beruht[2]. Am Beispiel des Gerichtsverfahrens läßt diese Frage sich besonders einleuchtend erörtern, weil hier die Konflikte im elementaren Verhalten von Angesicht zu Angesicht dargestellt werden müssen.

Schon die historische Entwicklung von der unmittelbar motivierten Selbsthilfe zur gerichtlich vermittelten Rechtsdurchset-

1 Von »Institutionalisierung von Konflikten« spricht zum Beispiel Ralf Dahrendorf verschiedentlich; siehe etwa: Soziale Klassen und Klassenkonflikt in der Industriegesellschaft, Stuttgart 1957, S. 70 ff., oder: Sozialstruktur des Betriebs – Betriebssoziologie, Wiesbaden 1959, S. 64 ff. (im Anschluß an Theodor Geiger: Klassengesellschaft im Schmelztiegel, Köln–Hagen 1949, S. 182 ff., der eine »Institutionalisierung des Klassengegensatzes« zu beobachten meinte), und Bernhard Külp: Theorie der Drohung, Köln 1965, S. 100 ff. Der gleiche Gedanke bei Talcott Parsons: The Social System, Glencoe Ill. 1951, S. 282.

2 Interessante Beiträge hierzu sind E. Paul Torrance: Function of Expressed Disagreement in Small Group Processes, Social Forces 35 (1957). Neu gedruckt in: Albert H. Rubenstein/Chadwick J. Haberstroh (Hrsg.): Some Theories of Organization, Homewood Ill. 1960, S. 250–258, und George A. Theodorson: The Function of Hostility in Small Groups. The Journal of Social Psychology 56 (1962), S. 57–66. Vgl. ferner (im Anschluß an Simmel) Lewis A. Coser: The Functions of Social Conflict, Glencoe Ill. 1956, insbes. S. 121 ff.; Robert C. North/Howard E. Koch, Jr./Dina A. Zinnes: The Integrative Functions of Conflict, The Journal of Conflict Resolution 4 (1960), S. 355–374; Ralf Dahrendorf: Gesellschaft und Freiheit. Zur soziologischen Analyse der Gegenwart, München 1961, insbes. S. 197 ff.; J. M. G. Thurlings: The Dynamic Function of Conflict. Sociologia Neerlandica 2 (1965), S. 142–160; Johan Galtung: Institutionalized Conflict Resolution. A Theoretical Paradigm, Journal of Peace Research 1965, S. 348–397; und für ethnologisches Material den Überblick bei Robert LeVine (Hrsg.): The Anthropology of Conflict, The Journal of Conflict Resolution 5 (1961), S. 3–108. Daneben gibt es besonders im angelsächsischen Schrifttum engagierte Verfechter der Ansicht, daß Konflikte »an sich nichts Schlechtes seien«, ja in gewissen Grenzen sogar etwas Konstruktives und Gutes. Siehe statt anderer Henry C. Metcalf/Lyndall Urwick (Hrsg.): Dynamic Administration. The Collected Papers of Mary Parker Follett, London–Southampton 1941, S. 30 ff.; Carl J. Friedrich: The New Image of the Common Man, 2. Aufl., Boston 1950, S. 151 ff.

zung zeigt, worum es geht. Wir wissen heute, daß auch Sozialordnungen ohne zentralisierte Entscheidungsrollen, die als Mittel der Rechtsdurchsetzung nur Selbsthilfe kennen, durchaus stabil sein können. Nie arten sie in einem Krieg aller gegen alle aus, den Hobbes als Naturzustand unterstellte[3], denn ein Kampf aller gegen alle ist viel zu schwierig zu kämpfen. In allen Kämpfen müssen sich, und sei es nur des Überblicks halber, Fronten bilden, müssen also soziale Ordnungsleistungen erbracht werden, und zwar nicht erst im Getümmel, sondern schon vorher. Jeder Konflikt setzt eine strukturierte Gesellschaft voraus. Diese Korrelation von Gesellschaftsstruktur und Konfliktsform setzt sich zwingend und von selbst durch; die Frage ist nur: auf welchem Niveau der Komplexität.

Gesellschaften mit Selbsthilferecht können eine Schwelle sehr geringer Komplexität nicht überschreiten[4]. Höhere Stufen der Entwicklung lassen sich nur durch zunehmende Zentralisierung der Entscheidungen über die Anwendung physischen Zwanges erreichen. Gesellschaften, die dies versuchen, stehen zugleich vor der Notwendigkeit, ihre Konflikte umzustrukturieren und in Konflikte über zu treffende Entscheidungen zu verwandeln. Für unentscheidbare müssen entscheidbare Konflikte substituiert werden.

Dies ist vor allem deshalb erforderlich, weil Konflikte an sich zur *Generalisierung* tendieren, zur Ausdehnung auf alle Eigenschaften, Lagen, Beziehungen und Mittel der Gegner[5]. In dem Maße, als Dissens und wechselseitige Behinderung bewußt werden, ergreifen sie mehr und mehr Themen, und zugleich ziehen die Gegner mehr und mehr soziale Beziehungen mit in den Konflikt, die an sich miteinander verträglich wären. Was der Gegner ist, hat und macht, erscheint dann als in jedem Falle verwerflich; wer sein Freund ist, kann nicht mein Freund sein. Diese Tendenz zur Generalisierung schafft unnötige Konflikte. Sie wird mit

3 Siehe Thomas Hobbes: Leviathan, Kap. 13, zit. nach der Ausgabe der Everyman's Library, London–New York 1953, S. 63 ff.

4 Zu den Mechanismen der Konfliktsteuerung in diesen Gesellschaften vgl. namentlich Max Gluckman: Custom and Conflict in Africa, Oxford 1955, oder ders.: Politics, Law, and Ritual in Tribal Society, Oxford 1965, S. 81 ff.

5 Vgl. hierzu Theodore M. Newcomb: An Approach to the Study of Communicative Acts, Psychological Review 60 (1953), S. 393–404; ferner auch Thurlings, a. a. O., S. 154 f.; Galtung, a. a. O., S. 349.

zunehmender funktionaler Differenzierung der Gesellschaft zunehmend unerträglich, weil in einer solchen Gesellschaft Konfliktsträchtigkeit und Störempfindlichkeit zugleich wachsen. Sie muß daher gestoppt und, soweit möglich, durch entgegenwirkende Institutionen in einen entgegengesetzten Prozeß der *Spezifizierung* der Konflikte umgeleitet werden. Eben das geschieht, wenn Konflikte auf Entscheidung hin kanalisiert werden.

Wie jedes Brechen natürlicher Tendenzen ist das ein schwieriges Unterfangen und kann nur einigermaßen komplexen Sozialsystemen gelingen. Es müssen nämlich inkompatible Mechanismen verbunden werden. Einerseits müssen den streitenden Parteien gewisse Waffen entwunden und ihr Streit muß weitgehend auf eine verbale Ebene verlegt werden. Dabei müssen zugleich die Regeln abstrahiert werden, an denen die Parteien sich gemeinsam orientieren. Mehr und mehr sind zur Koordination des Verhaltens nicht nur komplementär gebildete Verhaltenserwartungen (von der Art: wenn du dein Schwert ziehst, zieh' ich meines), sondern gemeinsam anerkannte Regeln erforderlich. Das allein genügt aber nicht. Zum anderen muß gleichwohl die Ernsthaftigkeit des Konfliktes erhalten bleiben. Die Form darf nicht zu einem Zeremoniell erstarren, das wie ein Turnier aufgeführt wird, während die wirklichen Konflikte auf andere Weise entschieden oder nicht entschieden werden[6]. Dieses Doppelerfordernis des Erfassens und Begrenzens der Konflikte wird durch die Form des durch Rollen geordneten Konfliktes erfüllt.

Eine Institutionalisierung von Konflikten ist nur erreichbar, wenn es gelingt, Macht vorläufig zu suspendieren und doch zu erhalten. Die Macht muß mit einer gewissen Verzögerung zum Zuge kommen (was voraussetzt, daß das System Zeit hat). Zunächst müssen *hinreichend ambivalente Situationen* geschaffen und bis zur Entscheidung offengehalten werden, welche eine allzu direkte Konfrontation der Gegner in ihrer Rolle als Gegner unterbinden und insbesondere verhindern, daß die einzelnen Akte der Beteiligten die Komplexität für einander so drastisch reduzieren, daß nur noch Verzweiflungsschritte Sinn haben. Das

6 Vgl. Galtung, a. a. O., S. 356, 363 ff., über Isomorphie und Relevanz im Verhältnis von institutionalisiertem Konflikt und zugrunde liegendem realen Konflikt.

kann auf verschiedene Weise geschehen, zum Beispiel (1) durch sich überschneidende Loyalitäten, die unklar werden lassen, wer als Gegner und wer als Verbündeter in Betracht kommt; (2) durch Spielregeln im Sinne von Verhaltensbedingungen, die zum Beispiel bestimmte Mittel ausschließen oder vorschreiben; (3) durch Institutionalisierung einer Entscheidungsregel, etwa des Mehrheitsprinzips, oder (4) einer Entscheidungsinstanz, die einen Teil der Aktivität vom Gegner weg auf andere Personen hinlenkt und so Rollenrücksichten vielfältiger Art ins Spiel bringt. Während einfache Gesellschaften sich vor allem auf das unter 1 genannte Prinzip stützen, kommen für Verfahren die Strategien 2 bis 4, für Gerichtsverfahren 2 und 4 in Betracht, mit dem wesentlichen Vorteil, daß dadurch zugleich das Zustandekommen einer Entscheidung garantiert werden kann.

Alle Gerichtsverfahren bauen somit auf einer Rollendifferenzierung auf, die sicherstellt, daß die Betroffenen nicht selbst entscheiden. Dadurch finden sich selten günstige Bedingungen für wechselseitige Disziplinierung und Kontrolle zusammen, nämlich: ein kleines, übersichtliches System, eine begrenzte, für alle gleiche Thematik und funktionale Differenzierung der Stellung der Beteiligten zu dieser Thematik[7]. Auf Einzelheiten dieser Rollendifferenzierung kommen wir im nächsten Kapitel zurück. Zunächst müssen wir die Verhaltensweisen, die damit ermöglicht werden, etwas genauer betrachten. Die Kompetenzverteilung allein sagt noch sehr wenig darüber aus, wie die Regelung des Konflikts funktioniert. Das erhellt erst, wenn man darauf achtet, welches Verhalten sie den Parteien nahelegt.

Indem die streitenden Beteiligten, um einen Erfolg zu erreichen, sich bestimmten Verhaltensregeln unterwerfen und ihr Verhalten dem sich entwickelnden Verfahrenssystem einfügen, erkennen sie sich wechselseitig in ihren Rollen als Parteien an. Das ist möglich, weil damit über die Entscheidung selbst noch nicht vorentschieden wird. Jede Partei gibt der anderen gleichsam einen Freibrief für Gegnerschaft, ohne daß dadurch der Ausgang des Konflikts beeinflußt würde. Insofern ist das Prin-

7 Eine weitere Voraussetzung, annähernd gleiche Qualifikation, ist praktisch nur durch Beteiligung von Anwälten erreichbar.

zip der Gleichheit der Parteien ein wesentliches Verfahrensprinzip. Vor Gericht geschieht diese Umstrukturierung in der Form, daß der Interessenkonflikt gleichsam sistiert und nur noch als Dissens über Tatsachen oder Rechtsfragen weiterbehandelt wird[8]. Denn vor der Wahrheit sind alle gleich. In solch einer Atmosphäre praktischer Enthaltsamkeit, in der eine Äußerung die Sache selbst nicht verrücken, die Wahrheit selbst nicht verändern, aber natürlich die Chance des Gewinnens beeinflussen kann, können die Parteien sich wechselseitig chancenneutrale Rollen konzedieren, in denen sie sich als Gegner darstellen und verhalten können. Jedes Verhalten impliziert so einen Gegner, der als solcher anerkannt ist, also ein Recht darauf hat, Gegner zu sein. Alles Streithandeln wird in eine Form gegossen, welche eine Vorstellung des Gegners vermittelt, die dessen eigener Selbstauffassung entspricht und von ihm in seinem eigenen Handeln bestätigt wird[9]. Dadurch wird das Verfahren als System integriert und in Betrieb gehalten[10].

8 Vgl. hierzu Vilhelm Aubert: The Hidden Society, Totowa N. J. 1965, S. 86 ff., insbes. S. 98 f.

9 Ältere Prozeßordnungen enthielten vielfach ausdrückliche Vorschriften darüber, daß nicht nur die Würde des Gerichtes, sondern auch die des Gegners zu wahren sei, Schmähungen, Injurien und dergleichen zu unterbleiben hätte und »niemands weder mündlich noch schriftlich zu stumpfieren« sei (Reichskammergerichtsordnung von 1555 I 23 § 2, zitiert nach L. Levin: Richterliche Prozeßleitung und Sitzungspolizei in Theorie und Praxis, Berlin 1913, S. 247).

10 Ganz Ähnliches leistet übrigens gesellschaftlicher Takt. Takt ist die Bereitschaft zu Kooperation an Selbstdarstellungen, und zwar unter Abhebung dieser Kooperation von den jeweiligen Themen des sozialen Verkehrs. Auch er ermöglicht kontroverse Konversation dadurch, daß die Beteiligten bei der Darstellung ihrer Meinungen zugleich ihren Respekt vor anderen Meinungen mitdarstellen, also zum Ausdruck bringen, daß die Annahme anderer Meinungen den anderen Menschen nicht diskreditiert. Der klassisch-liberale Begriff der »öffentlichen Meinung« setzt Institutionalisierung von Takt in diesem Sinne voraus und wurde sicherlich nicht zufällig in einer Zeit geprägt, die glaubte, sich in bestimmten gesellschaftlichen Kreisen auf Takt verlassen zu können. Die Theorie der »öffentlichen Meinung« hatte aus diesem Grunde immer ein problematisches (nicht zuletzt ideologisches) Verhältnis zur Wahrheit.

Diese Überlegungen beleuchten zugleich die innere Konsequenz und die Grenzen des altliberalen Staatsdenkens. Die beiden Säulen, die öffentliche Meinung und das rechtlich geregelte Verfahren, ruhten auf parallel gebildeten Prämissen über Institutionalisierung von Konflikten und zugleich auf einem gebrochenen Verhältnis zur Wahrheit. Das kommt auch in der Übertragung des Takt-Postulats auf Rechtsverfahren zum Ausdruck – in dem, was Angelsachsen fair trial nennen und wir aus dem Grundrecht der Menschenwürde herleiten.

Natürlicherweise ist ja ein Streit um Recht ebenso wie ein Streit um Wahrheit immer zugleich Streit über den Streit. Das heißt: Dem Gegner wird das Recht zum Streiten bestritten. Unter solchen Bedingungen diskreditiert das streitende Verhalten zugleich die Selbstdarstellungen, hat jenen bedenklichen Generalisierungseffekt und erzielt im Grenzfalle nicht nur die physische, sondern auch die moralische Tötung. Die Gefährdung der physischen und sozialen Identität radikalisiert den Streit und entbindet letztlich von der Beachtung der Regeln. Im institutionalisierten Konflikt besteht dagegen über das Recht zum Streiten kein Streit und daher auch kein Streit über die Vertretbarkeit kontroverser Selbstdarstellungen. Auf diese Weise werden die ärgsten Konsequenzen des Streitens für die Selbstdarstellung abgefangen; es wird verhindert, daß aus bedrohten oder zerstörten Masken immer neuer, immer stärker gefühlsbedingter Streit aufflammt; und es wird erreicht, daß die soziale Situation unter Kontrolle gehalten werden kann. Die Beteiligten können ihr Recht nicht mehr in der reinen Behauptung, in der Intensität des Durchhaltens ihrer Erwartungen darstellen; sie müssen es moralisieren, das heißt: es mit einer Projektion der Möglichkeiten weiteren gesellschaftlichen Zusammenlebens verbinden.

Der Preis für diesen Erfolg ist ein gebrochenes Verhältnis zur Wahrheit und zum Recht. Gerade auf diese »Vermittlung« von Wahrheit und Recht kommt es im Verfahren an[11]. Jedenfalls wird ein existentielles Engagement nach Möglichkeit verhindert. »Andere Möglichkeiten« müssen im Blick behalten und mit dargestellt werden. Man kann etwas Bestimmtes behaupten und aussagen, muß aber zugleich im expressiven Stil des Verhaltens zum Ausdruck bringen, daß die Darstellung anderer Meinungen nichts Ehrenrühriges an sich hat. Daß ein Mensch sich selbst unbedingt aus der Wahrheit und dem Im-Recht-Sein versteht, kann im Verfahren nicht angemessen zur Sprache gebracht werden, weil solch eine Selbstdarstellung nicht in erlaubte Konflikte paßt, weil über sie nicht verhandelt werden kann. Die Selbstdarstellung ist nur in Rollen zulässig. Das mag manch einer als unbefriedi-

11 Diese Vermittlung als »Mittel« zum Zweck zu denken, wie es die klassische Verfahrenstheorie tut, greift an diesem Problem vorbei.

gend empfinden. Andererseits schützt das Verfahren durch solche Rollenbindung und durch sie symbolisierendes Zeremoniell den Menschen vor dem Unheil einer allzu engen persönlichen Identifikation mit Wahrheit und Recht.

Sein Selbst wird im Verfahren also schonend behandelt und schonend auf das noch ungewisse Ergebnis vorbereitet. Es wird ihm die Möglichkeit offengehalten, sich von Wahrheit und Recht zu distanzieren und zu überleben. Das heißt natürlich nicht, daß auf diese Weise die Zustimmung auch zu nachteiligen Entscheidungen gewonnen werden kann. In der Literatur wird gelegentlich postuliert, daß effektive Gruppen größere Diskrepanzen am Anfang des Entscheidungsprozesses mit größerer Bereitschaft zur Annahme des Ergebnisses kombinieren, also mehr Konflikt behandeln können, ohne die Legitimität des Entscheidens zu gefährden[12]. Aber damit ist nicht gesagt, daß dieses Akzeptieren durch Zulassung von Ausdruckschancen für Dissens bewirkt werden könnte. Die tragende Ursache verbirgt sich rätselvoll hinter dem Begriff der effektiven Gruppe.

Diese Chiffre für offensichtlich sehr komplexe Zusammenhänge aufzulösen, liegt nicht in der Absicht dieser Studie, die lediglich einen Aspekt des Problems, die Einrichtung geordneter Verfahren, herausgreift. Wir müssen daher den Blick zurückwenden auf das Funktionieren des Verfahrens selbst und dabei mehr als bisher auf die Dynamik des Systems, auf die sich selbst ordnende Zeitfolge der Darstellungen achten.

12 So z. B. Torrance, a. a. O., Die juristische Version dieser sozialwissenschaftlichen Hypothese findet man in der Behauptung, daß kontradiktorisches Verhandeln immer noch das beste Mittel sei, die Wahrheit an den Tag zu fördern. Zur Kritik vgl. Jerome Frank: Courts on Trial. Myth and Reality in American Justice, Princeton N. J. 1949, S. 80 ff. oder im deutschen Recht die Erwägungen, die zur Einfügung des § 138 Abs. 1 (Wahrheitspflicht) in die ZPO Anlaß gaben.

7. Grenzen der Lernfähigkeit

Der Sinn der offiziellen Gerichtsverfahren, dem sich Inszenierung und Verhalten der Beteiligten unterordnen müssen, besteht in der Darstellung eines Vorgangs der Entscheidungsfindung auf Grund von Normen. Dabei ist für alle zur Anwendung staatlicher Entscheidungsgewalt bestimmten Verfahren eine klare, unverwechselbare Trennung von Entscheidenden und Entscheidungsempfänger wesentlich: Die einen treffen die Entscheidung, die anderen müssen sie als Prämissen ihres Verhaltens beachten. Beide Hauptrollen, denen Nebenrollen wie Protokollführer, Sekretäre, Polizisten, Boten bzw. Anwälte und Berater zugeordnet sein können, haben entsprechend ihrer unterschiedlichen Stellung im Verfahren unterschiedliche Darstellungsleistungen zu erbringen und daher eine unterschiedliche Verantwortung für den störungsfreien Verlauf. Beider Leistungen müssen sich, soll das Verfahren gelingen, komplementär ergänzen, sich also gegenseitig die »implizierten Rollen« abnehmen. Das setzt voraus und führt dazu, daß sich gemeinsame Sinnperspektiven, gemeinsame Hintergründe, unstreitig bleibende Informationen zu einem System von Annahmen und Symbolen verfestigen, das nicht ohne schwerwiegende Störungen des Verfahrens – und daher Risiken für die Beteiligten – in Frage gestellt werden kann[1]. Doch engagieren sich die Entscheidungsempfänger so nur im Hinblick auf einen ungewissen Entscheidungsausgang und in der Hoffnung, ihn beeinflussen zu können. Daß deswegen sie auch jedes Ergebnis zu überzeugen vermöchte, wird man nicht unterstellen dürfen.

Die Darstellung und Durchführung eines solchen Verfahrens muß nämlich mit erheblichen Belastungen erkauft werden, die darum nicht geringer, sondern eher größer sind, weil sie nicht mit dargestellt werden können. Diese Verhaltenslasten liegen

1 Hierzu instruktiv die Experimente, über die Harold Garfinkel: Studies of the Routine Grounds of Everyday Activities, Social Problems 11 (1964), S. 225–250, berichtet. Sie dienen der Aufhellung solcher Konsensprämissen im täglichen Verhalten und klären damit auch, welche Voraussetzungen erst geschaffen werden müssen, wenn Unbekannte sich zu einem Verfahren zusammenfinden.

nicht allein in der ungleichen Verteilung des Einflusses, sondern eher darin, daß diese Asymmetrie im Falle des Verfahrens psychologisch nicht ausreichend kompensiert werden kann[2].

Eine Quelle der Spannung liegt in dem unterschiedlichen Grad an Personalisierung der Darstellung auf beiden Seiten. Die Person des Entscheidenden muß aus der Darstellung ausgeschaltet werden, weil die Entscheidung als eine Folgerung aus Normen und Fakten erscheinen soll. Andererseits muß die Person des Entscheidungsempfängers in die Darstellung des Verfahrens einbezogen werden, weil die Entscheidung für ihn eine Verhaltensprämisse bilden und durch Übernahme als Entscheidungsprämisse ihr Ziel erreichen soll. Diese Diskrepanz macht die Kommunikation schwierig und wird nicht selten als Problem erlebt: Man findet Richter und Verwaltungsbeamte, die sich dadurch gedrängt fühlen, ihre Rolle zeitweise zu verlassen und, wenn nötig, einmal ein Wort von Mensch zu Mensch zu sprechen; und man findet Entscheidungsempfänger, die sich dieser Belastung entziehen, indem sie einen Vertreter schicken, indem sie also die Rolle des engagierten Anwesenden spalten in die Doppelrolle des nichtengagierten Anwesenden und des engagierten Abwesenden.

Damit hängt zusammen, daß Situationen, die von einer Seite routinemäßig behandelt werden, für die andere dagegen außergewöhnliches Erleben bedeuten, ebenfalls unstabil sind[3]. Sie vermitteln dem, der ein wichtiges Anliegen vortragen will, das Gefühl, gar nicht gesehen oder gehört und dann doch wieder unerwartet festgenagelt zu werden. Die routinemäßig unpersön-

2 Hierarchisch-ungleiche Einflußverteilungen gelten in der heutigen Soziologie als prinzipiell unstabile, aber stabilisierungsfähige Sozialstrukturen. Als besonders bemerkenswerte Auseinandersetzungen mit diesem Problem vgl. Chester I. Barnard: Functions and Pathology of Status Systems in Formal Organizations. In: William F. Whyte (Hrsg.): Industry and Society, New York–London 1946, S. 46–83; Peter M. Blau: Exchange and Power in Social Life, New York–London–Sydney 1964; Gerhard E. Lenski: Power and Privilege. A Theory of Social Stratification, New York 1966. Diese Fragestellung hat den Vorteil, das Problem der Kompensation bewußt zu machen und einen Vergleich verschiedenartiger Institutionen unter diesem Gesichtspunkt zu ermöglichen.

3 So z. B. Edward E. Jones/John W. Thibaut: Interaction Goals as Bases of Inference in Interpersonal Perception. In: Renato Tagiuri/Luigi Petrullo (Hrsg.): Person Perception and Interpersonal Behavior, Stanford Cal. 1958, S. 151–178 (157). Vgl. ferner Niklas Luhmann: Lob der Routine, Verwaltungsarchiv 55 (1964), S. 1–33 (30).

liche Handhabung des »Falles« ist wesentlicher Bestandteil des Verfahrens und seiner Darstellung, denn die Entscheidung soll ja als eine Folgerung aus Fakten und Normen dargestellt werden. Dementsprechend muß sie vorbereitet und müssen auch die Beteiligten auf sie vorbereitet werden[4]. Daher können nur Informationen relevant werden, die im Entscheidungsprogramm vorgesehen sind. Die Entscheidung muß wie etwas schon Feststehendes, aber noch nicht Bekanntes behandelt werden. Anwesenden Entscheidungsempfängern kann dann, weder offen noch latent, die Rolle derjenigen zugewiesen werden, die die Entscheidung zu legitimieren haben. Sie werden lediglich als Informationsträger behandelt oder auch als Fehlerquellen, nicht aber als Person, als anderes Ich, als originäre Quelle von Sinn und Recht. Daß dies mit Respekt vor der Menschenwürde geschehen kann und durchweg auch geschieht, versteht sich von selbst. Aber damit sind nur die gröbsten Kränkungen ausgeschlossen, nicht feinere Formen der Marterung und schon gar nicht jenes rein sachliche Vorbeigreifen an der Personalität, das im Situationsstil vorgesehen ist und so fein und so tief trifft, daß es sich der Entgegnung und oft sogar dem Bewußtsein entzieht.

Unter solchen Umständen dürfte die Erwartung, durch Verfahrensbeteiligung in erheblichem Umfange die Zustimmung der Entscheidungsempfänger oder jedenfalls ein einsichtiges Sichabfinden mit der Entscheidung erreichen zu können, in der Institution keinen ausreichenden Grund haben[5]. Auch die psychologische Forschung vermag solche Hoffnungen nicht zu stützen[6]. Es kann

4 Besonders in Strafverfahren kann ein »menschlicher«, freundlicher, zu vertrauensvoller Kommunikation anregender Stil der Verhandlungsführung zu bitterer Enttäuschung führen, wenn derselbe Richter dann nachher steif, hart und unnahbar das Urteil verkündet und begründet, und dabei die gegebenen Informationen in einem emotional ganz anders gefärbten Zusammenhang verwendet.

5 Ein anderer Begründungsversuch: den Beteiligten müsse eine gute Chance gegeben werden, mit Rechtsbrüchen davonzukommen, um sie zur Anerkennung der Spielregeln und ihrer Ergebnisse zu veranlassen (so Murray Edelman: The Symbolic Uses of Politics, Urbana Ill. 1964, S. 44 ff.), spekuliert zu sehr auf angelsächsischen Sinn für Sport, Konkurrenz und Tauschgeschäft, als daß er sich verallgemeinern ließe. Selbst im Steuerrecht oder im Straßenverkehrsrecht dürften dieser Konzeption die vorausgesetzten Einstellungen weitgehend fehlen.

6 Gordon W. Allport: The Psychology of Participation, The Psychological Review 53 (1945), S. 117–132, dämpft die in Amerika zuweilen anzutreffende Überschätzung sozialer Aktivität durch die Unterscheidung von activity und ego-involved partici-

zwar sein, daß der Betroffene in einer so verfahrenen Lage den psychisch möglichen Ausweg wählt, sich mit dem Ergebnis zu identifizieren und in der amtlichen Entscheidung gleichsam sein Alibi zu finden. Das geht besonders dann, wenn eine dazu passende Geschichtsdarstellung gefunden werden kann und wenn seine anderen sozialen Rollen seiner Frau, seinen Freunden, seinen Arbeitskollegen, seinen Nachbarn gegenüber, ihn in einer solchen Haltung bestärken und das Anerkennen ihm nicht als unbegreifliche Kehrtwendung angekreidet wird[7]. Doch zumeist hängen die Nächsten zu sehr an dem alten Selbst des Verlierers, so daß dieser nicht plötzlich mit neuen Auffassungen über Recht und Unrecht auftreten kann; er würde sonst fürchten müssen, nicht nur den Prozeß, sondern auch seine Freunde zu verlieren.

Jene Lösung des psychischen Problems durch Annahme ist

pation. Damit ist indes nicht viel mehr gewonnen als eine skeptische Formulierung unseres Problems.

7 Zur Bedeutung des zwischenmenschlichen Kontakts und relevanter anderer für die Lern- und Änderungsfähigkeit einer Persönlichkeit siehe auch Paul F. Secord/Carl W. Backman: Personality Theory and the Problem of Stability and Change in Individual Behavior. An Interpersonal Approach, Psychological Review 68 (1961), S. 21–32; dies.: Social Psychology, New York–San Francisco–Toronto–London 1964, S. 583 ff., und Carl W. Backman/Paul F. Secord/Jerry R. Peirce: Resistance to Change in the Self-concept as a Function of Consensus Among Significant Others, Sociometry 26 (1963), S. 102–111. Unergiebig für unsere Zwecke sind indes eine Reihe von empirischen Untersuchungen über Meinungsänderung als Folge von Rollenverhalten, da sie eine andere Situation im Auge haben. Siehe z. B. Irving L. Janis/Bert T. King: The Influence of Role Playing on Opinion Change, The Journal of Abnormal and Social Psychology 49 (1954), S. 211–218; Bert T. King/Irving L. Janis: Comparison of the Effectiveness of Improvised Versus Non-improvised Role-Playing in Producing Opinion Change, Human Relations 9 (1956), S. 177–186; Seymour Lieberman: The Effects of Changes in Roles on the Attitudes of Role Occupants, Human Relations 9 (1956), S. 385–402; Frances M. Culbertson: Modification of an Emotionally Held Attitude Through Role Playing, The Journal of Abnormal and Social Psychology 54 (1957), S. 230–233; Chadwick F. Alger: United Nations Participation as a Learning Experience, Public Opinion Quarterly 27 (1963), S. 411–426; Theodore R. Sarbin/Vernon L. Allen: Role Enactment, Audience Feedback, and Attitude Change, Sociometry 27 (1964), S. 183–193 (letztere Studie mit dem sehr interessanten Ergebnis, daß Rollenträger, die Widerspruch finden, stärker zur Meinungsänderung in Richtung auf ihre Rolle verleitet werden als solche, die Zustimmung finden). Diese Untersuchungen machen die Voraussetzung, daß die Rolle im Widerspruch zur vorherigen eigenen Meinung steht und ihr keine Ausdrucksmöglichkeiten gibt, wären also etwa für die Frage interessant, ob Schöffen eine bessere Meinung über die Justiz gewinnen, wenn sie an ihr teilnehmen. In den hier interessierenden Fällen geht es dagegen um Rollen, die für die eigene Meinung Ausdrucksmöglichkeiten bereitstellen sollen.

indes keineswegs die einzig mögliche. Die Alternative der inneren Verhärtung und einer Generalisierung des Konflikts auf alle Beteiligten und alle ähnlichen Sachlagen mag ein funktionales Äquivalent sein. Daß ein Verfahren Irrende zur Einsicht bringen oder Rechtsbewußte vergleichsbereit machen kann, soll demnach nicht bestritten werden. Aber weder Nachgeben noch Einsicht in Irrtümer ist die eigentliche Leitidee oder auch nur die latente Funktion des Verfahrenssystems[8].

Natürlich kommt eine Umstrukturierung von Erwartungen, ein Lerneffekt, durch die Entscheidung so oder so zustande. Man kann nach dem Verfahren nicht mehr dieselben Erwartungen hegen wie vor dem Verfahren. Die Frage ist aber, ob dieser Lerneffekt im Verfahren gesteuert und, dem Recht entsprechend, in die Selbstauffassung der Beteiligten aufgenommen wird oder ob er erst nach der Entscheidung durch ein Enttäuschungserlebnis zustande kommt. In diesem Fall wird der Lernvorgang unberechenbar. Der Enttäuschte wird seine Erfahrungen, Verhaltensweisen und Ziele in einer »abweichenden« Rolle neu organisieren und versteifen[9]. Er wird künftig konsistent als Gekränkter, Geknechteter, Vergewaltigter, Verkannter, Betrogener, wenn nicht gar als Kranker aufzutreten suchen. Er wird seine Erwartungen so umstrukturieren, daß sie seine Enttäuschung »erklären« und zugleich mit den enttäuschten, vom Recht nicht bestätigten Erwartungen konsistent bleiben. Er wird zum Beispiel einen Schuldigen suchen und finden: den Richter, seinen Anwalt, einen Zeugen, der falsch aussagte, usw.[10]. Seine früheren Erwartungen

8 Das Vorherrschen des Schlichtungsgedankens wird zuweilen für Rechtsverfahren einfacherer Stammesgesellschaften behauptet. Die Durchsetzung des Rechts scheint ihnen nicht Selbstzweck zu sein, sondern eher die Form, in der Störungen und Streitigkeiten ausgeräumt werden. Vgl. etwa Richard Thurnwald: Die menschliche Gesellschaft in ihren ethno-soziologischen Grundlagen, Bd. v, Berlin–Leipzig 1934, S. 145 ff.; Paul Bohannan: Justice and Judgment Among the Tiv, London 1957. Dazu kritisch A. L. Epstein: Judicial Techniques and the Judicial Process. A Study in African Customary Law, Manchester 1954; T. Olawale Elias: The Nature of African Customary Law, Manchester 1956, S. 212 ff.; Max Gluckman: Politics, Law and Ritual in Tribal Societies, Oxford 1965, S. 183 ff.

9 Zu solcher Selbstfestlegung auf abweichendes Verhalten als konsistente Rolle vgl. Michael Schwartz/Gordon F. N. Fearn/Sheldon Stryker: A Note on Self Conception and the Emotionally Disturbed Role, Sociometry 29 (1966), S. 300–305.

10 Wie man aus vielerlei Quellen, etwa aus der ethnologischen Forschung über Hexenglauben oder aus sozialpsychologischen Forschungen über Sündenbock-Stereotypen

scheinen ihm dann nach wie vor als richtig, aber als nicht mehr durchsetzbar; und seine Zukunft wird belastet mit der Hypothek permanenter Frustration, die nur langsam abgetragen werden kann.

Die Verbreitung eines negativ stereotypisierten Bildes des Juristen und des Richters in der Öffentlichkeit braucht daher nicht zu erstaunen[11]. Sie dient als ein noch relativ unschädliches Ventil. Verfahren erzeugen nicht nur bleibende Einsichten, sondern auch bleibende Enttäuschungen. Ihre Funktion liegt nicht in der Verhinderung von Enttäuschungen, sondern darin, unvermeidbare Enttäuschungen in die Endform eines diffus verbreiteten, privaten Ressentiments zu bringen, das nicht Institution werden kann.

Daß in Rechtsverfahren ein zielgerichtetes, enttäuschungsloses Lernen erreicht werden könnte, ist im Normalfall nicht zu erwarten. Nach allem, was wir heute über den Lernvorgang und namentlich über das Umlernen von Meinungen und Einstellungen wissen, müßte ein soziales System, das dies leisten sollte, ganz anders strukturiert sein[12]. Es dürfte nicht durch invariante Vor-

weiß, bieten personale Enttäuschungserklärungen dieser Art erhebliche Vorteile, weil Personen ein sehr plausibler Zurechnungspunkt für Handlungen sind. Vgl. statt anderer Neil J. Smelser: Theory of Collective Behavior, New York 1963, insbes. S. 105 ff., 222 ff., mit weiteren Hinweisen. Wie gerade das hier behandelte Beispiel des Rechtsverfahrens zeigt, erlauben sie ein hohes Maß von Konsistenz alter mit neuen Erwartungen.

11 »Das zutiefst Unbefriedigende, ja Gefährliche an unserem Rechtsbetrieb ist die elementare Rechtsferne und Rechtsfremdheit in unserem Volke, die Hand in Hand gehen mit seiner Geschichtsfremdheit, mit seinem Mangel an einem schlichtsicheren und darum nicht angreiferischen Staats- und Nationalgefühl und mit seinem erschreckenden Mangel an gemeinsamen Grundüberzeugungen und Wertvorstellungen«, kontert ein Richter (nämlich Hermann Weinkauff anläßlich seiner Abschiedsrede als Präsident des Bundesgerichtshofs: vgl. Deutsche Richterzeitung 38 [1960], S. 135). Entsprechend konservativ fallen seine Empfehlungen aus: Abbau der Gesetzesflut, Rückkehr zum Naturrecht, Statuserhöhung des Richters.

12 Hierzu grundlegend Talcott Parsons: The Social System, Glencoe Ill. 1951, S. 249 ff. Seitdem wächst die Literatur über »therapeutische« Gemeinschaften ins Unübersehbare, empirisch bezogen vor allem auf Gefängnisse, Krankenanstalten, Entwöhnungsheime usw., von denen, zumindest in der soziologischen Analyse, erwartet wird, daß sie ihren Insassen bei der moralischen Karriere ihres Selbst behilflich sind. Siehe als typische Beispiele für diese Konzeption Maxwell Jones: The Therapeutic Community, New York 1953; Robert N. Rapoport/Rhona Rapoport/I. Rosow: Community as Doctor, London 1960; Oscar Grusky: Role Conflict in Organization. A Study of Prison Camp Officials, Administrative Science Quarterly 3 (1959), S. 452–472; Donald R. Cressey (Hrsg.): The Prison. Studies in Institutional Organization and Change, New York 1961; und ders.: Prison

schriften programmiert sein, müßte innerhalb gewisser Grenzen über die Möglichkeiten verfügen können, von anerkannten Werten abzuweichen, Verstöße zu tolerieren oder doch von Sanktionen abzusehen. Es dürfte vorgefaßte Meinungen nicht frontal attackieren, sondern müßte indirektes Vorgehen erlauben, müßte zunächst Ersatzpositionen mit neuen Erwartungen aufbauen, von denen aus dann die alten nach und nach abgestoßen werden könnten. Es müßte Lernerfolge belohnen können und auf ein Fortschreiten Schritt für Schritt eingerichtet sein. Es müßte schließlich die Möglichkeit haben, auf die individuellen Bedürfnisse und Lernschwierigkeiten einzugehen und sich nach ihnen zu richten. Das alles kann von einem System, das primär auf Rechtsanwendung im Sinne von Programmausführung spezialisiert ist, nicht erwartet werden[13]. Auch ein solches System eröffnet zwar gewisse Lernmöglichkeiten – vor allem wenn es den Beteiligten nicht völlig unverständlich und zufallskontrolliert abzulaufen scheint, sondern ihnen eine Gelegenheit gibt, die Kausalität des eigenen Handelns, etwa die Überzeugungskraft der eigenen Argumentation, miterlebend zu verfolgen[14]. Schon diese Vor-

Organizations. In: James G. March (Hrsg.): Handbook of Organizations, Chicago 1965, S. 1023–1070; William R. Rosengren: Communication, Organization, and Conduct in the »Therapeutic Milieu«, Administrative Science Quarterly 9 (1964), S. 70–90; Earl Rubington: Organizational Strains and Key Roles, Administrative Science Quarterly 9 (1965), S. 350–369. Vgl. ferner Dieter Claessens: Familie und Wertsystem. Eine Studie zur »zweiten, soziokulturellen Geburt« des Menschen, Berlin 1962, bes. S. 141 ff., über »paradoxe«, elastische Transmission von Werten in den Nachwuchs und die besondere Eignung der Familie für diese Aufgabe.

13 Diese Beurteilung auch bei Harry C. Bredemeier: Law as an Integrative Mechanism. In: William M. Evan (Hrsg.): Law and Sociology. Exploratory Essays, New York 1962, S. 76–90 (85 ff.). Vgl. auch Aubert, zit. S. 18 Anm. 11. Die gegenteilige Auffassung von Talcott Parsons: The Law and Social Control. In: Evan, a. a. O., S. 56–72, dt. Übers. in: Ernst E. Hirsch/Manfred Rehbinder (Hrsg.): Studien und Materialien zur Rechtssoziologie, Köln–Opladen 1967, S. 121–134, die sich insbes. auf die Rolle des Anwalts stützt, ist ziemlich unrealistisch.

14 Diese Variable prüfen Julian B. Rotter/Shepard Liverant/Douglas P. Crowne: The Growth and Extinction of Expectancies in Chance Controlled and Skilled Tasks, The Journal of Psychology 52 (1961), S. 161–177. Vgl. auch Melvin Seeman: Alienation, Membership, and Political Knowledge. A Comparative Study, The Public Opinion Quarterly 30 (1966), S. 353–367; William A. Watts: Relative Persistance of Opinion Change Induced by Active Compared to Passive Participation, Journal of Personality and Social Psychology 5 (1967), S. 4–15. Vermutlich lägen auch hier Möglichkeiten, den Lernvorgang im Rechtsverfahren und damit dessen Legitimierungseffekt empirisch zu überprüfen.

aussetzung ist aber bei komplizierten Rechtsproblemen schwer erfüllbar. Im übrigen spricht die notwendige Intoleranz des Rechts gegen Verstöße und die Entweder/Oder-Struktur des Entscheidens, die eine Enttäuschungsquote von 50 % bedingt, dagegen, daß im Verfahren selbst und ohne den Umweg über das Enttäuschungserlebnis ein wesentlicher Lerneffekt erzielt werden kann. Die Anwendung von Recht und das Lernen von Recht sind verschiedenartige, diskrepante Funktionen, auf die ein System nicht zugleich spezialisiert werden kann, ohne daß beide darunter litten.

Mit diesen Überlegungen ist indes die legitimierende Funktion von Verfahren nicht schon negiert, vielmehr nur eine übertriebene, unrealistische Erwartung zurückgewiesen und im übrigen die Richtung angezeigt, in der eine Antwort gesucht werden muß. Ein Verfahren ist zwar im allgemeinen nicht motivkräftig genug, um den unterliegenden Entscheidungsempfängern eine Anerkennung oder gar eine Selbständerung abzugewinnen, aber es bringt sie jedenfalls zu einem: zu unbezahlter zeremonieller Arbeit.

Durch ihre Teilnahme am Verfahren werden alle Beteiligten veranlaßt, den dekorativen Rahmen und die Ernsthaftigkeit des Geschehens, die Verteilung der Rollen und Entscheidungskompetenzen, die Prämissen der gesuchten Entscheidung, ja das ganze Recht, soweit es nicht im Streit ist, mit darzustellen und so zu bestätigen[15]. Es genügt nicht, daß die Vertreter der Macht ihre Entscheidungsgrundsätze und Entscheidungen in einseitiger Feierlichkeit verkünden. Gerade die Mitwirkung derer, die möglicherweise den kürzeren ziehen, hat für eine Bestätigung der

15 Daß Rechtsbrüche Anlaß bieten zu einer zeremoniellen Wiederherstellung des Rechts, betonte bereits Emile Durkheim: De la divion du travail social, 7. Aufl., Paris 1960, S. 35 ff. (vgl. auch ders.: Les règles de la méthode sociologique, 8. Aufl., Paris 1927, S. 80 ff.), und sah darin eine wichtige positive Funktion von Abweichungen. Siehe dazu auch George H. Mead: The Psychology of Punitive Justice, The American Journal of Sociology 23 (1918), S. 557–602, und, mit entgegengesetzter Bewertung, Floyd H. Allport: Institutional Behavior. Essays Toward a Re-interpreting of Contemporary Social Organization, Chapel Hill 1933, S. 106 ff. Dieser Gedanke läßt sich auf Verfahren im allgemeinen übertragen. Die laufende Sanktifizierung des Rechts kann auch in Verfahren erfolgen, die nur der Beseitigung von Ungewißheit dienen und keine zuvor erfolgten Rechtsbrüche voraussetzen.

Normen, für ihre Fixierung als verbindliche, persönlich-engagierende Verhaltensprämisse besonderen Wert[16].

Kommt es auf bestätigende Mitwirkung des Betroffenen an, gewinnt die Frage des Gesprächsumfangs im Verfahren große Bedeutung. Ein Gericht, das den Beteiligten nur einige noch fehlende Informationen abverlangt und dann nach eigener Einsicht überraschend entscheidet, nutzt die Chancen der Legitimation nicht, die ein Verfahren bietet. Je mehr nicht nur offene Tatfragen, sondern auch Rechtsprobleme Gegenstand der Verhandlung werden, um so größer ist die Aussicht, den Streitstoff thematisch zu begrenzen oder doch in schwierige Einzelfragen aufzulösen und die Endentscheidung dadurch zu entlasten[17].

Im Verlaufe einer solchen Verhandlung werden die Parteien dazu gebracht, ihre Unzufriedenheit zu spezifizieren und die wenigen offenen Streitpunkte herauszuarbeiten, und zwar mit Hilfe der Rechtsordnung und deren Rhetorik, die als solche in die Darstellung eingeht. Einmal in den Trichter des Verfahrens geraten, müssen die Parteien sich auf eine Entscheidung hin bewegen. Nur durch Beachtung der Grenzen des Möglichen, die sich zunehmend verengen, können sie hoffen, eine günstige Entscheidung zu erhalten. Um konsensfähige Punkte zu gewinnen, müssen sie ihre Freiheit einschränken, bestimmte Zweifel auswählen, Argumente zuspitzen – und sie bringen sich selbst damit

16 Darauf beruhte wohl auch der ältere, aus dem Mittelalter stammende Gedanke der Repräsentation als einer festlichen Darstellung der sozialen Ordnung »in corpore et membris«. Vgl. dazu Jürgen Habermas: Strukturwandel der Öffentlichkeit. Untersuchungen zu einer Kategorie der bürgerlichen Gesellschaft, Neuwied 1962, S. 17 ff.

17 Die heutige deutsche Gerichtspraxis sieht aus verständlichen praktischen Gründen von der eingehenden Erörterung von Rechtsfragen in der Regel ab. Gewisse Schwierigkeiten eines solchen »Rechtsgesprächs« vor Gericht dürften auch darin begründet sein, daß die bei einem Gespräch vorauszusetzende Gleichheit fehlt. Während die Parteien ihre Position festlegen müssen, muß das Gericht gerade umgekehrt die seine im dunkeln lassen und nur potentiell relevante Meinungen zur Diskussion stellen. Die Betroffenen können dann ihre eigenen Rechtsansichten nur aufs Geratewohl, nicht aber im Hinblick auf die Fragestellungen des Gerichts präzisieren. Die Kritik dieser Praxis durch Adolf Arndt: Das Rechtsgehör, Neue Juristische Wochenschrift 12 (1959), S. 6–8, und ders.: Die Verfassungsbeschwerde wegen Verletzung des rechtlichen Gehörs, Neue Juristische Wochenschrift 12 (1959), S. 1297–1301, hat ein skeptisches Echo gefunden. Zum Stand der Diskussion vgl. auch Hans Dahs: Das rechtliche Gehör im Strafprozeß, München–Berlin 1965, S. 24 ff.

an einen Punkt, an dem niemand mehr rechtes Interesse für ihr besonderes Anliegen aufbringen kann außer denen, die beruflich damit befaßt sind und darüber entscheiden müssen. Es handelt sich dann nicht mehr, wie es dem Kläger und seinen Freunden und vielleicht auch der Presse zunächst schien, um einen empörenden Übergriff in Rechte und Freiheiten des Bürgers, einen Gewaltakt der Bürokratie, gegen den die Gemeinschaft sich zur Wehr setzen müßte; sondern nur noch um eine schwierige Zweifelsfrage aus dem Enteignungsgesetz, zu der entgegengesetzte Gerichtsurteile, aber noch keine höchstrichterlichen Entscheidungen vorliegen.

Funktion des Verfahrens ist mithin die Spezifizierung der Unzufriedenheit und die Zersplitterung und Absorption von Protesten[18]. Motor des Verfahrens aber ist die Ungewißheit über den Ausgang. Diese Ungewißheit ist die treibende Kraft des Verfahrens, der eigentlich legitimierende Faktor[19]. Sie muß daher während des Verfahrens mit aller Sorgfalt und mit Mitteln des Zeremoniells gepflegt und erhalten werden – zum Beispiel durch betonte Darstellung der richterlichen Unabhängigkeit und Unparteilichkeit, durch Vermeidung bestimmter Entscheidungsversprechen und durch Verheimlichung schon gefaßter Entscheidungen, im englischen Prozeß sogar durch die Regel, daß der Richter vollständig unvorbereitet zur Verhandlung erscheint und ihm alle Einzelheiten mündlich vorgetragen werden müssen. Die Spannung muß bis zur Urteilsverkündung wachgehalten werden. Ein Richter, der sich an diesem Gebot vergeht, kann wegen

18 In einem allgemeineren Sinne findet das Thema der »Absorption von Protesten« in der Sozialordnung heute zunehmendes Interesse. Vgl. z. B. Clark Kerr/John T. Dunlop/Frederick K. Harbison/Charles E. Myers: Industrialism and Industrial Man. The Problem of Labor and Management in Economic Growth, Cambridge Mass. 1960, insbes. S. 194 ff.; Amitai Etzioni: A Comparative Analysis of Complex Organizations. On Power, Involvement, and Their Correlates, New York 1961, S. 246 ff.; Myron Weiner: The Politics of Scarcity. Public Pressure and Political Response in India, Chicago 1962, S. 4 ff.; Neil J. Smelser: Theory of Collective Behavior, New York 1963, insbes. S. 231 ff.; Ruth Leeds: The Absorption of Protest. A Working Paper. In: William W. Cooper/Harold J. Leavitt/Maynard W. Shelly II (Hrsg.): New Perspectives in Organization Research, New York–London–Sydney 1964, S. 115–135.

19 Jerome Frank: Courts on Trial. Myth and Reality in American Justice, Princeton N. J. 1949, hat dies Moment der »chanciness« der Gerichtsverfahren besonders betont und ins geradezu Abenteuerliche karikiert, dabei jedoch die positive Funk-

»Befangenheit« abgelehnt werden. Die Ungewißheit wird nämlich als Motiv in Anspruch genommen, um den Entscheidungsempfänger zu unbezahlter zeremonieller Arbeit zu veranlassen. Nach deren Ableistung findet er sich wieder als jemand, der die Normen in ihrer Geltung und die Entscheidenden in ihrem Amte bestätigt und sich selbst die Möglichkeiten genommen hat, seine Interessen als konsensfähig zu generalisieren und größere soziale oder politische Allianzen für seine Ziele zu bilden[20]. Er hat sich selbst isoliert[21]. Eine Rebellion gegen die Entscheidung hat dann kaum noch Sinn und jedenfalls keine Chancen mehr. Selbst die Möglichkeit, wegen eines moralischen Unrechts öffentlich zu leiden, ist verbaut. Die Entscheidung wird, ohne daß es auf innere Bereitschaft noch ankäme, als verbindlich akzeptiert. Das Ausmaß an institutioneller Anerkennung der Gerichtsbarkeit schlechthin – das hatte man immer schon gesehen –, aber auch die im Verfahren erst erbrachten Leistungen schaffen eine eindeutig strukturierte Situation, die dem einzelnen keine Chancen mehr läßt. Und gerade diese Eindeutigkeit erleichtert das Akzeptieren, gerade die Wehrlosigkeit des einzelnen Verlierers ermöglicht es ihm eher, die Entscheidung als eigene Verhaltensprämisse zu übernehmen[22]. Wer infolgedessen seine Erwartungen und seine Verhaltensweisen ändern muß, paßt sie einer Situation an, von der er sich selbst distanzieren kann; es ist weder nötig noch wird erwartet, daß er neue Wertorientierungen übernimmt oder tief-

tion nicht ausreichend in den Blick bekommen. Die positive Funktion der Unvorhersehbarkeit für die Konfliktslösung betont Galtung, a. a. O., S. 370. Vgl. ferner Vilhelm Aubert: The Structure of Legal Thinking. In: Legal Essays. Festskrift til Frede Castberg, Kopenhagen 1963, S. 41–63 (43 ff.).

20 Gerade diese Möglichkeit, umstehende Zuschauer für den eigenen Rechtsstandpunkt zu gewinnen und dadurch die Richter oder auch die Gegner zu beeindrucken, ist dagegen ein wesentlicher Aspekt der öffentlichen Rechtsfindungsverfahren einfacherer Gesellschaften.

21 Isolierung durch Zeremoniell kann also nicht nur der »Berührungsangst« von Richtern zugerechnet werden – so Paul Reiwald: Die Gesellschaft und ihre Verbrecher, Zürich 1948, S. 80 ff. Sie ist gemeinsames Werk aller Verfahrensbeteiligten.

22 Insofern kann man im Anschluß an Leon Festinger: A Theory of Cognitive Dissonance, Evanston Ill. – White Plains N. Y. 1957, insbes. S. 84 ff., sagen, daß in solchen Situationen typisch geringe kognitive Dissonanz entsteht. Nicht zu folgen vermag ich Festinger in der Hypothese, daß eben deshalb auch die Chancen der Internalisierung geringer seien als bei hoher kognitiver Dissonanz mit stärkeren Pressionen auf inneren Spannungsausgleich. Denn hohe kognitive Dissonanz kann durchaus auf andere Weise als durch Internalisierung der erzwun-

liegende Interessen oder Formen der Erlebnisverarbeitung umlernt[23]. Entscheidend ist, daß Konfliktsthemen, *bevor sie Anwendung physischen Zwanges auslösen,* eine Form erhalten, in der sie nicht mehr generalisierbar und daher auch nicht mehr politisierbar sind. Die dieser Ordnung der Rechtsanwendung entsprechende Form der Politik muß, wie wir noch sehen werden[24], eine Aufsplitterung der Konflikte voraussetzen, um Politik als autonomes System der Entscheidungsvorbereitung dagegen absetzen zu können.

In dieser isolierten Position kann der Verlierer seine Erwartungen zwar festhalten, aber um einen hohen Preis. Dann treten soziale Prozesse in Aktion, die ihn nicht mehr zu belehren und zu verändern trachten, sondern ihn in der Rolle des Abweichenden stabilisieren. Abweichungsstabilisierungen sind fast unvermeidlich mit Statusverlust verbunden. Der Verlierer wird zum Sonderling, zum Querulanten, zu einem, dessen Lieblingsthema man kennt und nach Möglichkeit vermeidet. Er muß sein Publikum sehr vorsichtig und sehr eng wählen, kann nicht zu jedermann über seinen Prozeß sprechen. Er wird so charakterisiert, daß sein Erwarten nicht mehr zählt, insbesondere dafür nicht mehr zählt, wie andere sich selbst zu begreifen haben. Solches Fixieren in der Abweichung hat, als Alternative zur Sanktion, in der neueren Forschung einige Aufmerksamkeit gefunden. Man hat es beobachtet zum Beispiel bei Prostituierten, Homosexuellen, Rauschgiftsüchtigen, Geisteskranken, politischen Extremisten, Stotterern, Strafgefangenen[25]. Es ist zu vermuten, harrt aber noch empirischer Untersuchung, daß auch Prozeßverlierer,

genen Zumutung entspannt werden, zum Beispiel auch durch Annahme einer frustrierten Weltsicht.

23 Entsprechend unterscheidet Howard S. Becker: Personal Change in Adult Life, Sociometry 27 (1964), S. 40–53, situational adjustment und commitment und betont, daß die Sozialordnung im allgemeinen Situationsanpassung erreichen könne, ohne Persönlichkeiten tiefgreifend umzustrukturieren. Ähnlich Irving Rosow: Forms and Functions of Adult Socialization, Social Forces 44 (1965), S. 35–45.

24 Vgl. unten Teil III, Kap. 3.

25 Einige Literaturhinweise: John I. Kitsuse: Societal Reaction to Deviant Behavior. Problems of Theory and Method, Social Problems 9 (1962), S. 247–256; Thomas J. Scheff: Being Mentally Ill. A Sociological Theory, Chicago 1966; Erving Goffman: Stigma. Über Techniken der Bewältigung beschädigter Identität, Frankfurt 1967; Edwin M. Lemert: Human Deviance, Social Problems, and Social Control, Englewood Cliffs N. Y. 1967, insbes. S. 40 ff.

die das gebotene Lernen verweigern, auf eine solche negative Identität festgelegt und damit symbolisch entschärft werden.

Legitimation durch Verfahren führt demnach nicht unbedingt zu realem Konsens, zu gemeinschaftlicher Harmonie der Ansichten über Recht und Unrecht und auch nicht zu dem, was Parsons rätselvoll »articulation of power with real commitments« nennt[26]. Überhaupt kann Legitimität als »Internalisierung« einer Institution, als persönliche Einverseelung sozial gebildeter Überzeugungen nicht vollständig begriffen werden[27]. Vielmehr geht es im Kern um einen Vorgang der Umstrukturierung von Rechtserwartungen, also des Lernens im sozialen System, der weitgehend dagegen indifferent gemacht werden kann, ob derjenige, der seine Erwartungen ändern muß, zustimmt oder nicht. Es scheint, daß damit ein Verhältnis von Individuum und Sozialordnung angebahnt wird, das auf stärkerer Systemtrennung beruht und dadurch ein höheres Potential für Komplexität aufweist: Die Sozialordnung kann auf diese Weise[28] von der Eigenart individueller Persönlichkeiten als Motivierungssystemen weitgehend unabhängig gestellt werden und eben deshalb eine ausgeprägte Individualisierung der Persönlichkeiten erlauben.

Ganz allgemein wird man die soziale Funktion eines Konfliktslösungsmechanismus nicht als Auslösung bestimmter psychischer Prozesse des Akzeptierens zu begreifen haben, sondern

26 Siehe Talcott Parsons: Some Reflections on the Place of Force in Social Process. In: Harry Eckstein (Hrsg.): Internal War. Problems and Approaches, New York 1964, S. 33-70 (57). Für ältere, teilweise überholte Formulierungen zum Parsonsschen Legitimitätsbegriff siehe Talcott Parsons: Authority, Legitimation, and Political Action. In: Carl J. Friedrich (Hrsg). Authority (Nomos 1), Cambridge Mass. 1958, S. 197-221, und zuletzt ders.: The Political Aspect of Social Structure and Process. In: David Easton (Hrsg.): Varieties of Political Theory, Englewood Cliffs N. J. 1966, S. 71-112, insbes. S. 82 f.

27 Parsons mißt dagegen im Anschluß an Durkheim psychischen Prozessen dieser Art tragende Bedeutung für die Stabilität sozialer Institutionen bei und fragt nicht nach funktionalen Äquivalenten. Vgl. hierzu auch die kritischen Bemerkungen von Einhard Schrader: Handlung und Wertsystem. Zum Begriff der Institutionalisierung in Talcott Parsons' soziologischem System, Soziale Welt 17 (1966), S. 111-135 (122 f.).

28 In anderer Weise lassen sich ähnliche Indifferenzen durch Mitgliedschaft in Organisationen erreichen. Dazu näher Niklas Luhmann: Funktionen und Folgen formaler Organisation, Berlin 1964, insbes. S. 39 ff.

eher als Immunisierung des sozialen Systems gegen diese Prozesse. Die Unklarheit des Begriffs des »Akzeptierens«, bei dem die meisten wohl an eine erfreuliche Art innerer Befriedigung denken, verdeckt dieses Problem[29]. Natürlich »akzeptiert« der Betroffene, wenn ihm eine Entscheidung zugestellt wird, die er weder ändern noch ignorieren kann. Dazu braucht man kein Verfahren. Das Problem liegt nicht darin, dies zu bewirken, sondern darin, das Sozialsystem gegen die Folgen der Wahl einer psychischen Lösung für die Verarbeitung dieses Faktums zu schützen. Diese Wahl darf keine soziale Resonanz mehr finden, die dafür aufgebotenen Ressentiments dürfen, wie gesagt, nicht Institution werden. Und dies ist der Grund, aus dem der einzelne durch ein Verfahren dazu gebracht werden muß, seine Position freiwillig zu individualisieren und zu isolieren.

Alle Systemmerkmale eines Verfahrens, die wir im Vorigen theoretisch vorgeführt haben, müssen zusammenwirken, um dieses Egebnis zu erreichen: Das Verfahren muß durch spezifisch organisations- und verfahrensrechtliche Normen und durch eine gesellschaftlich institutionalisierte Rollentrennung als ein besonderes Handlungssystem ausdifferenziert werden; es muß bei aller Bindung an Rechtsnormen eine gewisse Autonomie gewinnen, um sich durch eine eigene Geschichte individualisieren zu können; es muß zureichend komplex sein, um Konflikte zur Sprache bringen und ihren Ausgang eine Zeitlang im Ungewissen lassen zu können. Nur so kann es bei den Betroffenen Motive mobilisieren, an Rollen mitzuwirken, denen der Zug zur Festlegung und Verengung eigen ist. So werden die Betroffenen veranlaßt, bewußt oder unbewußt Verhaltensalternativen aufzugeben, das, was geschieht, als Reduktion der Komplexität mit zu vollziehen und schließlich die Entscheidung in neue Situationen weiteren Lebens zu übernehmen unter Aktivierung psychischer Anpassungsmechanismen, gegen deren Auswahl die Gesellschaft weitgehend indifferent sein kann.

29 Sehr kennzeichnend dafür sind die Ausführungen von Johan Galtung: Institutionalized Conflict Resolution, Journal of Peace Research 1965, S. 348-397, insbes. S. 354, der betont, daß volles Akzeptieren als Effekt eines Konfliktlösungsmechanismus nicht zu erwarten sei, daß durch Institutionalisierung des Mechanismus die Bereitschaft zu akzeptieren gesteigert werden könne – und den Begriff des Akzeptierens unerläutert läßt.

8. *Darstellung für Unbeteiligte*

Zu den Prämissen der von Durkheim und Mead und in ähnlichem Sinne auch von Freud geförderten Symboltheorie gehören gewisse psychologische Grundannahmen, darunter vor allem die, daß Symbole Gefühle binden und daß mit ihrer Hilfe soziale Normen einverseelt und zum Gesetz des eigenen Selbst gemacht würden – äußeren, gesellschaftlichen Zwang durch inneren Zwang ersetzend. Daß damit eine bedeutsame Möglichkeit sozialer Integration entdeckt wurde, ist sicher[1]. Andererseits bestehen doch Zweifel daran, in welchem Umfange sehr stark differenzierte, durch spezifizerte und wechselbare Rollen geordnete Gesellschaften sich solcher Mechanismen, die konkrete Persönlichkeiten gefühlsmäßig binden, bedienen können. Zumindest hat unsere Analyse den Verdacht geweckt, daß an der Grenze zwischen Entscheidungsbürokratie und Publikum solche einverseelenden Mechanismen kaum erfolgreich wirken können; Bürokratie und Publikum liegen dafür zu weit auseinander. Das heißt nicht, daß die symbolbildenden und darstellenden Prozesse hier fehl am Platze wären und aufgegeben werden könnten; aber sie erfüllen eine andere Funktion, nämlich die, den einzelnen, wenn er nicht zustimmt, thematisch und sozial so zu isolieren, daß sein Protest folgenlos bleibt. Es scheint mithin, daß eine Legitimation durch Verfahren nicht darin besteht, den Betroffenen innerlich zu binden, sondern darin, ihn als Problemquelle zu isolieren und die Sozialordnung von seiner Zustimmung oder Ablehnung unabhängig zu stellen. Eben diese Indifferenz gegen individuelle Motivationsstrukturen und Zustimmung oder Ablehnung durch einzelne wird mit dem Begriff der »Geltung« von Werten und Normen ausgedrückt. Verfahren dienen dazu, diesen Geltungsanspruch im sozialen Leben gefahrlos zu verwirklichen.

Das kann indes nicht allein durch Separatbehandlung ein-

1 Im Anschluß an Durkheim und Freud greift vor allem Parsons in seiner Theorie der Institutionalisierung sozialer Werte und Normen auf diesen Gedanken psychischer Internalisierung zurück. Eine gute Einführung vermittelt Schrader, a. a. O.

zelner Verfahrensbeteiligter erreicht werden. Deren Auswahl durch Beschränkung der Parteifähigkeit wird mit den Grenzen des berechtigten Interesses am Verfahren begründet. Sie ist überdies ein Erfordernis wirksamer, durch Rollen geordneter Interaktion: Es kann nicht jedermann hinzutreten und mitreden. Außerdem hat das Prinzip der begrenzten Zulassung die latente Funktion eines Mechanismus zur Isolierung einzelner Interessenten. Nicht jeder, der sich für die behandelten Probleme interessiert oder sich durch die möglichen Entscheidungen berührt fühlen mag, hat Zugang zum Verfahren; man muß vielmehr sehr spezielle, rechtlich fixierte Interessen nachweisen können, um eine aktive, sprechende Rolle im Verfahren zu erhalten. Auf diese Weise wird der Konflikt politisch neutralisiert[2], und es wird verhindert, daß spezielle Probleme durch generalisierende Mechanismen wie Parteinahme, Identifikation, Tausch wechselseitiger Unterstützung, Rachegefühle und dergleichen zum Kristallisationspunkt allgemeiner Konfliktsfronten werden, die größeren Gruppen der Bevölkerung trennen[3].

Das bedeutet jedoch nicht, daß die Einstellung der Nichtbeteiligten für die Legitimation durch Verfahren schlechthin irrelevant wäre. Das Gegenteil trifft zu. Legitimierung ist Institutionalisierung des Anerkennens von Entscheidungen als verbindlich. Institutionalisierung heißt aber, daß Konsens über bestimmte Verhaltenserwartungen vermutet und als Handlungsgrundlage benutzt werden darf. Das ist nur möglich, wenn Konsens in großem Umfange tatsächlich besteht oder doch durch Nicht-

2 Auf diese Funktion der begrenzten Parteifähigkeit im Gerichtsverfahren geht auch David Easton ein – vgl. A Systems Analysis of Political Life, New York–London–Sydney 1965, S. 264 ff.

3 Daß dies nicht immer gelingt, zum Beispiel dann nicht, wenn große Verbände politisch wichtige Musterprozesse führen und es ihnen dann schwerfällt, die Gerichtsentscheidung zu akzeptieren und auf politische Aktion zu verzichten, ist zuzugeben. Bezeichnenderweise sind diese Fälle, in denen die Justiz ihre latente Funktion der politischen Neutralisierung nicht erfüllen kann, zugleich jene, in denen die Legitimität der Justiz problematisiert wird. Als Beispiel siehe das Urteil des Bundesarbeitsgerichts vom 31. 10. 1958 (SAE 1959, S. 41 ff.) im schleswig-holsteinischen Metallarbeiterstreik und die anschließende Diskussion, etwa die Kritik als »politische Option« bei Wolfgang Abendroth: Innergewerkschaftliche Willensbildung, Urabstimmung und »Kampfmaßnahme«, Arbeit und Recht 7 (1959), S. 261–268 (263).

äußerung von Dissens fingiert wird[4]. Um solche Konsensvermutungen, die Verbindlichkeit des amtlichen Entscheidens betreffend, stabilisieren zu können, muß man auch die Nichtbeteiligten am Verfahren beteiligen. Sie werden zwar nicht als Sprecher in Rollen zugelassen, aber das Verfahren ist als Drama auch für sie bestimmt. Sie sollen mit zu der Überzeugung gelangen, daß alles mit rechten Dingen zugeht, daß in ernsthafter, aufrichtiger und angestrengter Bemühung Wahrheit und Recht ermittelt werden und daß auch sie gegebenenfalls mit Hilfe dieser Institution zu ihrem Recht kommen werden. Ist diese Einstellung faktisch verbreitet oder wird sie doch auf Grund der Kommunikationslage als verbreitet vermutet, kann derjenige, der gegen eine bindende Entscheidung rebellieren will, nicht auf die Unterstützung anderer rechnen. Sein Aufbegehren wird ihm selbst zugerechnet und nicht auf ein Versagen der Institution zurückgeführt. Es erscheint als Hartnäckigkeit, Nörgelei, Uneinsichtigkeit oder zumindest als absonderliche, praktisch unvernünftige Lebenseinstellung. Bei dieser Interpretation kann der Problemfall sich nicht ausbreiten, sondern bleibt am einzelnen Betroffenen hängen[5].

Um eine solche unbeteiligte Teilnahme des Publikums am Verfahren zu eröffnen, ist dessen Öffentlichkeit wesentlich. Der Ablauf des Verfahrens muß für Unbeteiligte miterlebbar sein. Dabei kommt es auf Zugänglichkeit an, nicht so sehr auf aktuelle Präsenz, auf wirkliches Hingehen und Zuschauen. Entscheidend ist, daß die Möglichkeit dazu offensteht. Diese Möglichkeit

4 Als eine Untersuchung, die ein hohes Maß von Scheinkonsens in moralisch institutionalisierten Verhaltenserwartungen aufdeckte, siehe Richard L. Schanck: A Study of a Community and Its Groups and Institutions Conceived of as Behavior of Individuals, Psychological Monographs, Bd. 43, No. 2, Princeton N. J.–Albany N. Y. 1932. Die gleiche Problematik erwischt Helmut Schelsky: Soziologie der Sexualität. Über die Beziehungen zwischen Geschlecht, Moral und Gesellschaft, Hamburg 1955, S. 51 ff., in seiner Analyse der sozialen Bedeutung der Kinsey-Reporte.

5 Wer den Standpunkt des einzelnen einnimmt, wird deshalb geneigt sein, allein in dieser Verteilung der Chancen schon ein Unrecht zu sehen. Siehe z. B. das Aufbegehren gegen »that universal institution-worship through which Sacco and Vanzetti were put to death« von Floyd H. Allport: Institutional Behavior. Essays Toward a Re-interpretating of Contemporary Social Organization, Chapel Hill 1933, S. 106 ff. (129).

stärkt das Vertrauen oder verhindert zumindest das Entstehen jenes Mißtrauens, das an allen Versuchen der Geheimhaltung sich ansetzt. Die Funktion des Verfahrensprinzips der Öffentlichkeit liegt in der Symbolbildung, in der Ausgestaltung des Verfahrens als eines Dramas, das richtige und gerechte Entscheidung symbolisiert, und dazu ist die ständige Gegenwart eines mehr oder weniger großen Teiles der Bevölkerung nicht erforderlich. Es genügt ein allgemeines und unbestimmtes Wissen, daß solche Verfahren laufend stattfinden und daß sich jedermann bei Bedarf darüber genauer unterrichten kann.

Eine effektive Kontrolle und eine Steigerung der Rationalität des Entscheidungsvorgangs läßt sich von einem anwesenden Publikum ohnehin nicht erwarten. Die Öffentlichkeit des Verfahrens führt vielmehr dazu, daß die nicht darstellbaren Komponenten des Entscheidungsvorganges aus dem einsehbaren Handlungsraum herausgezogen und vorab oder zwischendurch entschieden werden. Zu diesem unsichtbaren Teil des öffentlichen Verfahrens gehören vor allem auch die Entscheidungen über die Darstellung des Entscheidens. Das öffentliche Verfahren enthält dann bestenfalls Bruchstücke des Prozesses der Herstellung von Entscheidungen; im übrigen dient es einer ausgewählten und vorbereiteten Darstellung der Herstellung des Entscheidens. Aber das genügt für seine symbolisch-expressive Funktion, und auf diese Funktion kommt es bei der Legitimierung des Entscheidens an. Demgemäß sind die leeren oder nur durch Sensationslust gefüllten Gerichtssäle kein Argument gegen das Prinzip der Öffentlichkeit.

Damit steht man vor der Frage, ob die Vorstellung des Gerichtsverfahrens als eines primär auf Rollenebene integrierten Interaktionssystems ausreicht, um diese symbolisch-expressive Funktion zu erfassen. Auch Abwesenheit ist ein sinnvolles Verhältnis zur Öffentlichkeit des Gerichtsverfahrens, wenn die Möglichkeit der Anwesenheit besteht. Auch Pressereportagen, Rundfunk, Film und Fernsehen können den Eindruck vermitteln, daß in bestimmten Formen und unabhängig von den persönlichen Interessen und Stimmungen der Beteiligten Recht geschieht. Durch die Vermittlungsleistung der Massenmedien wird die Funktion des Zuschauens von der Notwendigkeit physischer Anwesenheit befreit und damit auch von der individuellen Motivlage und anderweitigen Rollenverpflichtungen des einzelnen unabhängig stabilisiert. Sie wird indifferent dagegen, ob jemand, wann jemand und wer Zeit und Lust hat, Information aufzunehmen und zu verarbeiten – im Vorortszug oder beim Frühstück, in der Tagungspause, beim Fernsehen vor dem eigentlich interessanten Programm oder durch murmelnde Mitteilung des zeitunglesenden Ehegatten. Die Massenmedien ersparen eine konkrete Synchronisation der Verfahrensrollen mit dem Zuschauen – ein Beispiel dafür, daß in differenzierten Sozialordnungen stärker generalisierte Formen der Abstimmung von Situationen, Zeitplänen, Rollenpflichten und Interessen gefunden werden müssen. Sie stellen überdies die notwendige Passivität des Zuschauens technisch, und dadurch überzeugend, sicher. Erst durch die Presse werde »la publicité facile sans réunions tumultueuses« und damit permanente Staatseinrichtung, rühmte schon Guizot[6].

Vorteile dieser Art müssen natürlich durch Verzichte erkauft werden. Die Integration eines Systems, das an seiner Peripherie anonyme, abwesende Zuschauer einschließt, kann nicht mehr durch Rollenzusammenspiel erfolgen, sondern nur noch durch gemeinsame Identifikation mit einigen abstrakten Symbolen, die wenig Sicherheit über die konkreten Einstellungen und Aktionsbereitschaften des anderen Menschen vermitteln. So kann es nicht wundernehmen, daß diesem »üblen Trend zur Publicity«[7] Widerstand entgegengesetzt wird – nicht nur von Juristen, sondern auch von Soziologen[8]. Im ganzen scheint jedoch nach neueren empirischen Erhebungen[9] die literarische Diskussion

6 Histoire des origines du gouvernement représentatif en Europe, Bd. 1, Brüssel 1851, S. 80.

7 So Eberhard Schmidt: Öffentlichkeit oder Publicity. In: Festschrift für Walter Schmidt, Berlin 1959, S. 338–353 (338). Ausführlicher ders.: Justiz und Publizistik, Tübingen 1968. Vgl. auch Paul Bockelmann: Öffentlichkeit und Strafrechtspflege, Neue Juristische Wochenschrift 13 (1960), S. 217–221, mit der Absicht, Gerichtsöffentlichkeit von der politischen Öffentlichkeit zu distanzieren; Dieter Brüggemann: Die rechtsprechende Gewalt. Wegmarken des Rechtsstaates in Deutschland. Eine Einführung, Berlin 1962, S. 185 ff.

8 Siehe Jürgen Habermas: Strukturwandel der Öffentlichkeit. Untersuchungen zu einer Kategorie der bürgerlichen Gesellschaft, Neuwied 1962, S. 227 ff.

9 Siehe Wolfram Zitscher: Die Beziehungen zwischen der Presse und dem deutschen Strafrichter, Kiel 1968; Manfred Rühl: Die Zeitungsredaktion als organisiertes soziales System, Gütersloh 1969, S. 81–83.

ein übertriebenes Bild der realen Gegensätze zu vermitteln. Die Abneigung dürfte sich vor allem gegen die unsichtbare Präsenz einer Masse richten, die nicht in Rollen gebracht, daher auch nicht in ihren Motiven durchschaut und kontrolliert und nicht an Ort und Stelle zur Ruhe angehalten werden kann. Man sollte jedoch vor Entrüstung über billige Antriebe der Schaulust und der Unterhaltung, die fremdes Schicksal zum Gegenstand eigenen Vergnügens machen, nicht verkennen, daß diese Motive nicht nur ihren eigenen Zwecken dienen, sondern zugleich eine symbolisch-identifizierende Teilnahme am Hoheitshandeln tragen und damit eingespannt werden in den Prozeß der Legitimierung staatlichen Entscheidens. Gewiß geben die Massenmedien, wie oft eingewandt wird, ein selektives, ausschnitthaftes Bild des Geschehens vor Gericht und ermöglichen dem durch sie Erlebenden kein objektives Urteil über den Einzelfall. Aber das ist ein durchgehendes, unvermeidliches Schicksal allen Miterlebens in hochdifferenzierten Zivilisationen. In keiner seiner Rollen und Funktionen kann der Staatsbürger als rational und richtig urteilend vorausgesetzt werden. Nicht darauf kommt es an, sondern auf die symbolisch vermittelte Überzeugung, daß Recht geschieht[10].

Im ganzen kann mithin das Wirken der Massenmedien dazu dienen, den Gerichtsverfahren öffentliche Resonanz zu geben. Die Gerichte werden bereits gemahnt, diese Wirkungsmöglichkeiten ernst zu nehmen und mit systematischer »Öffentlichkeitsarbeit« zu beginnen[11]. Selbst ein geschickter Pressereferent des Gerichts könnte jedoch kaum ausschließen, daß diese Wirkungsübermittlung zu bestimmten institutionellen Anforderungen des Gerichtsverfahrens in Widerspruch gerät – ein Konflikt, der zugleich eine immanente Widersprüchlichkeit der Funktionen des Gerichtsverfahrens verrät und der entweder zugunsten der Gerichte oder zugunsten der Massenmedien entschieden werden

10 Anders wird man urteilen müssen, wenn die am Verfahren unmittelbar Beteiligten selbst sich durch die Möglichkeit einer ausschnitthaften und dadurch entstellenden Wiedergabe ihrer Darstellung – z. B. nur des Höhepunktes mit den Tränen – irritiert fühlen. Darauf geht Werner Sarstedt: Rundfunkaufnahmen im Gerichtssaal, Juristische Rundschau 1956, S. 121–127, ein.

11 So von Horst Bührke: Plädoyer für die Öffentlichkeitsarbeit der Justiz, Deutsche Richterzeitung 44 (1966), S. 5–9. Vgl. auch Rudolf Wassermann: Justiz und Public Relations, Deutsche Richterzeitung 41 (1963), S. 294–298.

muß. Dabei kommt es darauf an, den Konflikt nicht ins Ideologische zu verbreitern, sondern die Teilfunktionen präzise herauszuarbeiten, in denen wechselseitige Interferenz zu erwarten ist. Vor allem haben drei Funktionsüberschneidungen zu Schwierigkeiten geführt, die auseinandergehalten werden müssen:

Die Massenmedien können die Gerichtsszene selbst durch ihre physische Präsenz beeinträchtigen[12]. Das ist der Fall, wenn der Aufbau und die Betätigung ihrer technischen Apparaturen so umfangreich werden, daß sie als ein besonderes Drama das Verfahren physisch oder durch diskrepante Stilmomente symbolisch zu stören beginnen. Wenn Photographen herumlaufen oder in die Knie gehen, um den richtigen Winkel für einen Schnappschuß zu erwischen, Apparate zu surren und zu klicken beginnen, Blitzlicher oder Scheinwerfer die agierenden Personen beleuchten, Aufnahmeinstruktionen geflüstert werden müssen, Fehler gemacht und korrigiert werden, kann das die Aufmerksamkeit vom Hauptgeschehen ablenken oder gar den Primat des Hauptgeschehens in Frage stellen. Das Ausmaß an Störung hängt natürlich von den szenischen Erwartungen ab. Wird die Gerichtsszene so traditional gespielt wie in England, wird schon das Photographieren als solches zum Sakrileg und deshalb verboten.

Ein anderes Problem ist die aktuelle, auf das Ergebnis vorgreifende Berichterstattung während laufender Verfahren. Hier werden Gefahren für die Unabhängigkeit des Richters gesehen, vor allem in Großbritannien, wo die Schwurgerichte große Bedeutung besitzen, wo auch der Richter unvorbereitet zur Verhandlung kommen soll und jede Vorbereitung als Quelle von Befangenheit beargwöhnt wird[13]. Angesichts des institutionellen Schutzes dieser Unabhängigkeit muß man jedoch zweifeln, ob dies das einzige Problem ist (oder nicht vielleicht nur der Ansatz-

12 Vgl. dazu von richterlicher Seite Heinrich Jagusch: Rundfunk- und Fernsehübertragungen von Gerichtsverhandlungen, Deutsche Richterzeitung 38 (1960), S. 85. Gegen diese Gefahr vor allem richtet sich der neue § 169 S. 2 GVG, der Ton- und Fernseh-Rundfunkaufnahmen sowie Ton- und Filmaufnahmen für Zwecke der Veröffentlichung während der Verhandlung ausschließt.

13 Vgl. dazu Harold P. Romberg: Die Richter Ihrer Majestät. Porträt der englischen Justiz, Stuttgart–Berlin–Köln–Mainz 1965, S. 226 f., mit der einsichtigen Bemerkung, daß man in diesen Fällen, obwohl man von contempt of court spricht, nicht das Gericht, sondern Angeklagte und Parteien schützen will. Vgl. im übrigen

punkt für die juristische Konstruktion seiner Lösung). Sinn und Funktion des Verfahrens hängen nicht nur von einer Ausdifferenzierung der Richterrolle, sondern von einer Ausdifferenzierung aller Verfahrensrollen ab, wie oben eingehend erörtert[14]. Auch gegen andere Verfahrensbeteiligte darf daher während des Verfahrens kein gesellschaftliches Vorurteil aufgebaut werden, das sie in ihren anderen Rollen diskreditieren oder ihr Auftreten vor Gericht als unfrei und festgelegt erscheinen lassen könnte. Die Ungewißheit des Verfahrensausgangs muß erhalten bleiben und muß im Verfahren das Rollenhandeln sichtbar motivieren. Nur so kommt der Effekt einer Selbstdarstellung, einer Übernahme implizierter Rollen, einer selbstgewollten Themenspezifikation zustande, auf dem die legitimierende Funktion des Verfahrens beruht. Wäre der Ausgang schon ersichtlich vorher klargestellt, würde das Verfahren zu einem nur um der Form willen veranstalteten Zeremoniell erstarren.

Davon zu unterscheiden ist drittens das Problem der Kritik der Gerichtsverfahren und der Gerichtsentscheidungen durch die Presse. Eine Überspitzung der Darstellung gehört zu den Erfordernissen einer Presse, die, mit anderen Informationsquellen konkurrierend, um Aufmerksamkeit kämpfen muß. Eine Zügelung von Kritik gehört zu den Erfordernissen eines Gerichtsverfahrens, das Probleme zerlegen, kleinarbeiten und isolieren soll. Der Schluß liegt nahe, daß sachliche Kritik erlaubt, unsachliche dagegen unterbunden werden sollte. Nur steht mit dieser Feststellung die Grenze noch nicht fest. Es dürfte auch kaum genügen, persönlich treffende Kritik auszuschließen[15], denn es ist gerade die Frage, welche Art von Kritik persönlich trifft. Um hier klarer zu sehen, müssen wir in einem weiteren Kapitel Sinn und Grenzen einer Immunisierung des Richters gegen Kritik erörtern.

bereits Et. Dumont: De l'organisation judiciaire et de la codification. Extraits de divers ouvrages de Jérémie Bentham, Paris 1828, S. 194. An neueren Stellungnahmen siehe z. B. Wolf Middendorff: Der Strafrichter. Auch ein Beitrag zur Strafrechtsreform, Freiburg 1963, S. 34 ff.; Ulrich Fitzner: Unzulässige Presseberichte von der Hauptverhandlung, Deutsche Richterzeitung 44 (1966), S. 301–302; E. Schmidt, a. a. O. (1968), S. 48 ff.

14 Vgl. Teil II, Kap. 1.

15 Darauf laufen die Ausführungen von Brüggemann, a. a. O., hinaus.

9. *Programmstruktur und Verantwortlichkeit*

Durch Beteiligung am Zeremoniell des Verfahrens und an der laufenden Bestätigung der Entscheidungsprämissen und -kompetenzen werden den Betroffenen, so haben wir gesehen, nach und nach immer mehr Möglichkeiten der Kritik abgeschnitten und andere in bestimmte Bahnen gelenkt. Eine solche Zügelung der Kritik durch Betroffene ist indes nur erreichbar, wenn sie in Einklang gebracht wird mit den Formen, in denen die Entscheidung sonst kritisiert werden kann, vor allem also mit den Formen der Verantwortlichkeit im hierarchischen Aufbau der Entscheidungsorganisation und in der Öffentlichkeit. Wäre nämlich die hierarchische oder die öffentliche Kritik schrankenlos freigegeben, fänden die Betroffenen immer neuen Anlaß, ihre Unzufriedenheit in allen Hinsichten wachzuhalten, zu schüren und in den weiteren Entscheidungsgang hineinzublasen. Die Institution der Rechtskraft stellt diese Möglichkeit definitiv ab.

Mit dieser Auskunft können sich Soziologen jedoch nicht begnügen. Formale Kunstgriffe solcher Art haben ihre soziale Belastungsgrenze. Sie würde versagen, wenn sich allzuviel sozialer Druck hinter ihnen anstaute. Die Rechtskraft verbindlicher Entscheidungen kann nicht allein alle Unzufriedenheit absorbieren; sie muß vorbereitet werden durch Prozesse der Vorwegnahme, Spezifizierung und Ausschaltung von Kritik – von privater, hierarchischer und öffentlicher Kritik zugleich.

Die Zuspitzung und Koordinierung der verschiedenen Verantwortlichkeiten kann nicht isoliert und ohne Rücksicht auf den strukturellen und programmatischen Kontext des Entscheidens erfolgen[1]. Vor allem müssen die Grenzen der Kritikfähig-

1 Ganz allgemein zählt die Einsicht in die Interdependenz von organisatorischer und programmatischer Struktur auf der einen und Rationalität des Entscheidens auf der anderen Seite zu den grundlegenden Errungenschaften der neueren Organisations- und Entscheidungstheorie. Siehe z. B. James G. March/Herbert A. Simon: Organizations, New York–London 1958; Horst Albach: Zur Theorie der Unternehmensorganisation, Zeitschrift für handelswissenschaftliche Forschung 11 (1959), S. 238–259; Rolf Kramer: Information und Kommunikation. Betriebswirtschaftliche Bedeutung und Einordnung in die Organisation der Unternehmung, Berlin 1965.

keit und die Programmstruktur, also Kontrollbedingungen und Entscheidungsbedingungen harmonieren. Die Entscheidungen, die in einem Verfahren erarbeitet werden sollen, müssen so programmiert werden, daß Kritik und Verantwortlichkeit sich spezifizieren lassen; anders läßt sich die sachliche, zeitliche und soziale Isolierung von Problemen durch Verfahren nicht erreichen.

Im allgemeinen stehen für die Programmierung von Entscheidungen zwei Grundtypen zur Verfügung: Zweckprogrammierung und konditionelle Programmierung[2]. Zweckprogramme knüpfen an erstrebte Wirkungen an und suchen von da her unter Berücksichtigung von Nebenbedingungen günstige Mittel zu finden; sie werden durch Wirtschaftlichkeitsrechnung rationalisiert[3]. Bei Konditionalprogrammen haben die Entscheidungsprämissen dagegen die Form von Ursachen, von Informationen, die in der Lage sind, jedesmal wenn sie vorliegen, bestimmte Entscheidungen auszulösen. Es handelt sich also um »Wenn-Dann«-Programme, und solche Programme werden vor allem durch juristische Begriffsarbeit rationalisiert. Während Zweckprogramme auf die Zukunft gerichtet sind, haben es Konditionalprogramme mit vergangenen Tatbeständen zu tun. Das Verknüpfen und Ineinanderschachteln oder auch das Nebeneinanderbrauchen beider Programmtypen erlaubt daher eine Koordination von Zukunft und Vergangenheit.

Die Unterscheidung dieser zwei Programmtypen ist für die moderne, großbürokratische Staatsorganisation von grundlegender Bedeutung[4]. Unter anderem hängen die Ansatzpunkte und

2 Zu dieser Unterscheidung und ihrem Zusammenhang mit dem Problem der Verantwortlichkeit finden sich vortreffliche Ausführungen bei Torstein Eckhoff/Knut Dahl Jacobsen: Rationality and Responsibility in Administrative und Judicial Decision-making, Kopenhagen 1960. Als Versuch einer systemtheoretischen Begründung dieser beiden Programmtypen siehe auch Niklas Luhmann: Lob der Routine, Verwaltungsarchiv 55 (1964), S. 1–33.

3 Hierzu ausführlich Niklas Luhmann: Zweckbegriff und Systemrationalität. Über die Funktion von Zwecken in sozialen Systemen, Tübingen 1968.

4 Das kann im Rahmen dieser Studie nicht angemessen erörtert werden. Für andere Anwendungen dieser Typenunterscheidung siehe Niklas Luhmann: Öffentlich-rechtliche Entschädigung rechtspolitisch betrachtet, Berlin 1965, S. 29 ff.; ders.: Recht und Automation in der öffentlichen Verwaltung. Eine verwaltungswissenschaftliche Untersuchung, Berlin 1966, S. 35 ff.; ders.: Positives Recht und Ideologie, Archiv für Rechts- und Sozialphilosophie 53 (1967), S. 531–571 (557 ff.).

die Tragweite möglicher Entscheidungskriterien von ihr ab[5]. Beide Programmtypen eröffnen natürlich Möglichkeiten der Kritik und der logischen und empirischen Kontrolle in dem Maße, als sie detailliert und operational ausgearbeitet sind. In beiden Fällen gilt, daß Unbestimmtheit der Prämissen die Kritik erschwert, Bestimmtheit sie erleichtert. Abgesehen davon lenkt die konditionale Programmierung die Entscheidungskritik auf sehr viel engere Bahnen.

Zweckprogramme können immer angegriffen werden, wenn die bezweckten Folgen später nicht eintreffen (also ungeeignete Mittel gewählt werden) oder andere Wege mit einer andersartigen Verteilung von Folgelasten, insbesondere wirtschaftlichere Mittel, entdeckt werden. Angelpunkt der Kritik sind hier die Folgen. Besonders in unserer fachwissenschaftlich differenzierten Wissenskultur ist die jeweils gewählte Folgenkombination typisch vielfältigem Tadel unter den verschiedensten fachlichen Gesichtspunkten ausgesetzt, die kein einzelner mehr koordinieren kann. Der Entscheidende kann sich hier praktisch nicht von eigenem Werturteil freizeichnen. Daher bleibt er selbst und auch sein Verfahren, das ihn zu einer bestimmten Entscheidung hinführt, suspekt. Zweckprogrammiert handelnde Verwaltungen, zum Beispiel solche planwirtschaftlichen Stils, müssen daher von oben bis unten intensiv und im Detail politisch kontrolliert werden. Anderes würde gelten, wenn es Möglichkeiten gäbe, schlechthin optimale Entscheidungen zu kalkulieren. Das ist aber zumindest in der wertkomplex handelnden öffentlichen Verwaltung praktisch ausgeschlossen.

All dies ist bei Konditionalprogrammen im Prinzip und weitgehend auch in der Praxis anders. Hier wird nach Maßgabe eines »Wenn« das programmierte »Dann« gewählt. Die Folgen werden von dem Entscheidenden nicht mit verantwortet, sondern dem angelastet, der das Programm erließ (und damit vielleicht seinerseits bestimmte Zwecke erreichen wollte). Die Verantwortlichkeit kann hier in weitem Umfange nach oben abgeschoben werden. Beim konditional programmierten Entscheiden geht es nur noch um den Nachweis, daß ein bestimmter Tat-

5 So auch Eckhoff/Jacobsen, a. a. O., S. 32 f.

bestand faktisch vorliegt und daß es sich dabei um jenes Signal handelt, das nach dem Programm die Entscheidung auslösen sollte. Zum Entscheiden genügt juristischer Sachverstand, der sich nach Bedarf durch Zeugen und Sachverständige informieren läßt, die Entscheidung aber allein verantwortet[6]. Auf diese Weise kann die Entscheidung gegen zahlreiche Möglichkeiten der Kritik praktisch immunisiert werden[7], vor allem (1) gegen eine Kritik der Person, (2) gegen eine Kritik des Verfahrens[8], (3) gegen eine Kritik des fachlichen (nichtjuristischen) Sachverstandes und vor allem (4) gegen eine Kritik der Auswirkungen (im Unterschied zu den rein juristischen Konsequenzen). Bezahlt wird diese Beschränkung der Kritik mit einer Zuspitzung des Fehlerbewußtseins und der Fehlerempfindlichkeit in dem noch kritisierbaren Bereich: Jede Abweichung vom feststellbar Richtigen ist ein Fehler, und Fehler sind schlimm[9]. Der dichotomisch zugeschliffene Darstellungsstil juristischer Begründungen, das Feststellen von Begriffen und Fakten als so und nicht anders, entspricht genau dieser Funktion, die Kritikfähigkeit einer Entscheidung zu reduzieren und auf wenige kontrollierbare Fehlerquellen zu beschränken – im Unterschied zum Denken in Wahr-

6 Die traditionell zentrale Stellung des Juristen in kontinental-europäischen öffentlichen Verwaltungen ist demnach ein Symptom dafür, daß von diesen Verwaltungen konditional programmiertes Entscheiden erwartet wurde, und umgekehrt sind die personalpolitischen Forderungen nach verstärkter Rekrutierung fachwissenschaftlicher Intelligenz ein Symptom für das Vordringen von Zweckprogrammen.

7 Siehe auch einige Bemerkungen über Standardisierung als Verteidigung gegen Fehler bei Richard M. Cyert/James G. March: A Behavioral Theory of the Firm, Englewood Cliffs N. J. 1963, S. 105. Ferner für dieses Problem sehr interessant: Isabel E. P. Menzies: A Case-Study in the Functioning of Social Systems as a Defense against Anxiety. A Report on a Study of the Nursing Service of a General Hospital, Human Relations 13 (1960), S. 95-121.

8 Hierzu ist eine Erläuterung notwendig. Es gibt natürlich auch hier eine Verfahrenskritik eigener Art als Kritik des Verstoßes gegen besondere Verfahrens*normen*. Aber diese Kritik hat als solche keine Relevanz für die Entscheidung. Mit ihr kann man unter Umständen eine Wiederholung des Verfahrens erzwingen, nicht aber auch eine andere Entscheidung in der Sache. Eine solche Trennung von Sachfragen und Verfahrensfragen gibt es im Bereich der Zweckprogrammierung kennzeichnenderweise nur, wo Optimierungskalküle anwendbar sind und die absolute Richtigkeit der Entscheidung unabhängig von dem Verfahren, in dem sie erreicht wurde, feststellen können.

9 Hierzu und zu den gleichwohl möglichen Schutzvorkehrungen vgl. näher Niklas Luhmann: Funktionen und Folgen formaler Organisation, Berlin 1964, S. 256 ff., und ders.: Recht und Automation in der öffentlichen Verwaltung, a. a. O., S. 75 ff.

scheinlichkeiten und Chancen, gleitenden Skalen, Nutzenschätzungen, Wertverhältnissen und zeitbedingten Opportunitäten, das bei Zweckprogrammen angebracht ist[10].

Diese Überlegungen zeigen, daß die Absorption von Kritik, die auf seiten des Betroffenen zur Legitimation von Entscheidungen führt, auf seiten des Entscheidenden durch konditionale Programmierung seines Handelns und entsprechende Argumentation erreicht wird. Beide Aspekte des Entscheidungsprozesses dienen in komplementärer Weise dem Zurückschneiden von Wahlmöglichkeiten, der Reduktion von Komplexität. Man wird daher vermuten dürfen, daß eine *Legitimation durch Verfahren nur in Verbindung mit konditionaler Programmierung* des Entscheidens institutionalisiert werden kann. So ist es wohl kein Zufall, daß die verfahrensmäßige Legitimation des Rechts im gleichen geschichtlichen Augenblick, an der Wende zum 19. Jahrhundert, akut wurde, als die naturrechtlich-teleologische Begründung des Rechts aufgegeben und das Recht dann nach und nach als System konditionaler Entscheidungsprogramme positiviert wurde. Was heute an teleologischer Rechtstheorie fortlebt, dient der Auslegung fremder Entscheidungen (namentlich von Gesetzen), nicht der unmittelbaren Rechtfertigung eigener.

In anderer Weise kann man dieses Ergebnis auch durch eine Analyse des Prinzips der richterlichen Unparteilichkeit gewinnen. Weithin wird dieser Grundsatz angeführt, wenn es gilt, die letzte Souveränität des Richterspruchs zu legitimieren, so als ob in der Unparteilichkeit schon eine Wahrheitsgarantie läge. Das Prinzip besagt jedoch nichts weiter als negative Gleichheit aller spezifischen Interessen in der Chance, den Richter innerhalb seines Programmes zu beeinflussen, und kann so niemals einen Spruch begründen, der letztlich doch immer zugunsten bestimmter Interessen ausfallen muß. Hinter der Ideologie der richterlichen Unparteilichkeit sind latente soziale Mechanismen zu vermuten, die bewirken, daß das Prinzip trotzdem Glauben findet.

Einmal dient es natürlich der Erhaltung echter Ungewißheit über den Verfahrensausgang – eine Funktion, die latent bleiben

10 Zum gleichen Ergebnis kommt Vilhelm Aubert in seinen oben (Teil 1, Kap. 1, Anm. 11) zitierten Bemühungen um einen Vergleich juristischer und wissenschaftlicher Denkweise.

muß, weil der offiziellen Darstellung nach alle Entscheidungen im Recht schon vorentschieden sind, mithin gar keine Ungewißheit bestehen kann. De facto verhilft das Prinzip der richterlichen Unparteilichkeit den Parteien aber zu dem Vertrauen, das der Richter nicht schon vor dem Verfahren spezifische Bindungen eingegangen ist, und auf diesem Vertrauen in die Offenheit der Situation beruht – wie oben gezeigt – das Motiv, sich im Verfahren zu engagieren. Insofern ist das Unparteilichkeitsprinzip Grundbedingung der Selbstverstrickung der Betroffenen in das symbolische Geschehen, das die Entscheidung legitimiert. Das ist die eine Funktion, den Prozeß betreffend.

Auf der anderen Seite, im Hinblick auf die Programmstruktur und Verantwortlichkeit der richterlichen Entscheidung, erfüllt das Unparteilichkeitsprinzip die komplementäre Funktion, und auch sie muß latent bleiben. Unparteilichkeit wirkt sich hier als Rollentrennung aus, die mit der oben skizzierten Begrenzung von Kritik und Verantwortlichkeit korrespondiert, sie deckt und verbirgt. Die Freistellung von bestimmten sozialen (verwandtschaftlichen, politischen, religiösen, interessenmäßigen, fachwissenschaftlichen usw.) Bindungen heißt nämlich zugleich, daß die Entscheidung in diesen Hinsichten weder verantwortet werden muß noch kritisiert werden kann. Sie mag politisch inopportun sein, der Inflation unerwünschten Auftrieb geben, den Klassenkampf versteifen, die einzig wahre Religion an der Verbreitung hindern oder den neuesten Erkenntnissen über gesunde Lebensführung in industriellen Ballungszentren widersprechen – dann müssen eben die Gesetze geändert werden. Ihnen allein gehorcht der Richter. Hinter dem Prinzip der richterlichen Unparteilichkeit steht somit die Notwendigkeit, Verantwortlichkeit einzugrenzen, Alternativen auszuschalten, Kritik zu eliminieren und dadurch jene Reduktion von Komplexität im Entscheidungsgang zu stützen, an der auch die anderen Verfahrensbeteiligten zu ihrem Glück oder ihrem Unglück mitwirken.

Die Darstellung richterlicher Unparteilichkeit wird gefährdet, wenn der Richter zuviel Aktivität zeigt[11]. Unter diesem Gesichts-

11 Einsichtsvolle Bemerkungen dazu bei Torstein Eckhoff: Impartiality, Separation of Powers, and Judicial Independence, Scandinavian Studies in Law 9 (1965), S. 11–48, insbes. 14, 40 f., 45 f.

punkt ist die oben (S. 115) behandelte Forderung Arndts nach einem echten Rechtsgespräch im Verfahren nicht unbedenklich, ja letztlich jede richterliche Ermittlungstätigkeit ein Problem. Vor allem zeigt sich hieran nochmals die Weisheit der Beschränkung des Rechts auf konditionale Programme. Ein Richter, dem abverlangt würde, in der sozialen Wirklichkeit bestimmte Zwecke zu erreichen, könnte kaum unparteilich handeln und jedenfalls nicht unparteilich erscheinen, da die Parteien im Instrumentarium seiner Zweckverwirklichung fast unvermeidlich einen unterschiedlichen Stellenwert hätten. Ein Richter, dem die volle Verantwortung für die Folgen seiner Entscheidung aufgegeben wäre, könnte kein unparteilicher Richter sein. Die Freistellung des Richters von Kritik an Hand der Folgen ist daher auch unter diesem Blickwinkel wesentliches Moment des gerichtlichen Verfahrens.

III. Politische Wahl und Gesetzgebung

Bisher haben wir auf rechtsanwendende Verfahren, auf Verfahren für programmiertes Entscheiden geblickt. Sie sind der ursprüngliche Tatbestand, sowohl historisch als auch soziologisch, weil sie elementares Handeln von Angesicht zu Angesicht regeln. Sie können für sich allein existieren, auch wenn es gar keine Gesetzgebung gibt, und programmieren sich dann selbst. Im Zuge der Anwendung von Recht wird dann gleich mit entschieden, was als Recht gilt; bei der Begründung der Entscheidungen werden die Gründe mit erzeugt und tradierbar formuliert, ohne daß die Programmierung als Entscheidungsinhalt ausgewiesen oder mit verantwortet würde. Die Begriffe, nach denen Informationen kategorisiert werden, und die Regeln, nach denen entschieden wird, kommen gleich ontifiziert auf die Welt, sie werden wie Tatsachen behandelt, so als ob sie nicht gemacht, sondern nur entdeckt und interpretiert worden wären. Dadurch entlastet sich der richterliche Entscheidungsprozeß von einer Komplexität, die er selbst nicht bewältigen könnte. Als System von ziemlich geringer Eigenkomplexität ist das Gerichtsverfahren auf relativ konkrete und invariante Strukturen der Informationsverarbeitung angewiesen, auf gut konturierte, unverwechselbare Denkfiguren und Rechtsinstitute wie Eigentum oder väterliche Gewalt, Stellvertretung oder strafbaren Versuch, Verwaltungsakt, Trust oder condictio, die bei aller Verallgemeinerung und Elastizität doch genug lebensnahe Assoziationen und Sinnverweisungen bündeln, um rasch anwendbar zu sein. Bei all dem verdeckt der richterliche Entscheidungsprozeß sich seine eigene Kausalität, was ihm um so leichter fällt, als die Masse der Rechtsgedanken in vielen Rechtsverfahren in Form gebracht wird, so daß der Beitrag jedes Einzelverfahrens in der Tat nur minimal ist[1].

Es ist also keineswegs so, daß eine logische Ordnung auch zeitlich eingehalten werden müßte, daß die Entscheidungsprogramme

1 Besonders hier ergeben sich überraschende Parallelen zu der oben (S. 50 Anm. 18) zitierten psychologischen Systemtheorie, die ebenfalls einen Zusammenhang postuliert zwischen Komplexität des Systems und Komplexität seiner Umwelt, Verfügbarkeit von Alternativen, Konkretheit bzw. Abstraktion der Systemregeln für den Verkehr mit der Umwelt und der Möglichkeit, eigene mitwirkende Kausalität zu erkennen und zu organisieren.

zunächst gemacht werden müßten und erst danach angewandt werden könnten. Einfachere Gesellschaften kennen vielmehr nur eine Entscheidungsebene und haben deshalb ein ontisch fixiertes »Naturrecht«. Die Trennung von Rechtsetzung und Rechtsanwendung, ihre Differenzierung durch verschiedene Normen, verschiedene Rollen, verschiedene Verfahren, setzt eine hochentwickelte Rechtskultur und darüber hinaus eine bereits sehr komplexe, differenzierte Gesellschaft voraus. Und selbst dann gibt es, wie man heute einzusehen beginnt, immanente Schranken dessen, was als Gesetzgebung aus den Rechtsentscheidungsprozessen herausgezogen und verselbständigt werden kann[2].

Aufgabe der folgenden Kapitel ist es, die Funktion solch einer Differenzierung von programmierten und programmierenden Entscheidungen zu erfassen, einige ihrer Bedingungen und Probleme zu beleuchten und vor allem zu erkennen, welche Bedeutung rechtlich geregelte Verfahren für die Institutionalisierung und Legitimierung dieser Differenz besitzen. Wenn wir uns dieser Aufgaben zuwenden, müssen wir die bisherige mikrosoziologische Betrachtungsweise verlassen und außer den Kleinsystemen der Interaktion von Angesicht zu Angesicht auch die umfassenderen Sozialsysteme in Betracht ziehen, denn nur sie können das Risiko der Recht*setzung* oder gar das Risiko der Positivierung des gesamten Rechts tragen. Dabei behalten wir als theoretischen Bezugsrahmen die soziologische Systemtheorie bei, müssen aber verschiedene Systemreferenzen zugleich ins Auge fassen, sie also nicht nur auf die einzelnen Verfahrenssysteme, sondern daneben auch auf das politische System und auf die Gesellschaft im ganzen anwenden.

2 Vgl. z. B. Léon Husson: Les transformations de la responsabilité. Etude sur la pensée juridique, Paris 1947, insbes. S. 12 ff., oder Josef Esser: Grundsatz und Norm in der richterlichen Fortbildung des Privatrechts, Tübingen 1956.

1. Positivierung des Rechts[1]

Unter positivem Recht sind Rechtsnormen zu verstehen, die durch Entscheidung in Geltung gesetzt worden sind und demgemäß durch Entscheidung wieder außer Kraft gesetzt werden können[2]. Ob und wieweit das Recht Entscheidungsprozessen überantwortet werden kann, ist für den Juristen ein ungelöstes Problem. Seit alters gewohnt und darauf eingestellt, Streit zu entscheiden und dabei festzustellen, was Recht ist, macht ihm der Gedanke, auch das Recht selbst durch Entscheidung herzustellen, sichtlich zu schaffen. Der Abgrund von Beliebigkeit, der sich auftun könnte, wenn alles Recht nur kraft Entscheidung gälte, läßt ihn erschaudern. Und doch zeigt ein unbefangener Blick auf die faktische Funktionsweise moderner politischer Systeme, daß mindestens seit dem 19. Jahrhundert Rechtsetzung zum Gegenstand laufender Arbeit in einem organisierten Entscheidungsbetrieb geworden ist und alle Rechtsgebiete, Verfassungsrecht eingeschlossen, erfaßt hat. Es kann keine Rede mehr davon sein, daß es sich bei Rechtsänderungen nur um Einzeleingriffe oder um Ausnahmeregelungen kraft eines besonders

1 Vgl. zu diesem Abschnitt auch Niklas Luhmann: Gesellschaftliche und politische Bedingungen des Rechtsstaates. In: Studien über Recht und Verwaltung, Köln-Berlin-Bonn-München 1967, S. 81-102, und ders.: Positives Recht und Ideologie, Archiv für Rechts- und Sozialphilosophie 53 (1967), S. 531-571.

2 Diese Definition muß zur Vermeidung von Mißverständnissen sorgfältig gelesen werden. Sie enthält keine Einengung auf bestimmte *Arten* von Entscheidungen – etwa in dem Sinne, daß nur Gesetzgebungsakte positives Recht setzen könnten. Auch richterliche Urteile sind zum Beispiel Entscheidungen in diesem Sinne, sofern sie normierende Wirkungen ausüben (so auch Theodor Geiger: Vorstudien zu einer Soziologie des Rechts, Berlin-Neuwied 1964, S. 182 ff. über »judikatorische Option auf die Gewohnheitsregel«). Ferner ist über die Entscheidungs*motive* nichts gesagt. Solche Motive sind aber erforderlich und unterliegen sozialer Kontrolle. Positives Recht darf keineswegs als willkürliche Satzung verstanden werden. Rechtsetzung ist vielmehr wie alles Entscheiden z. B. von wertmäßigen Entscheidungsprämissen abhängig, die als gesellschaftlich vorgegeben vorausgesetzt werden. Die Besonderheit des positiven Rechts ist nur, daß auch diese Rechtsetzungsprämissen nur dann als geltendes Recht vorausgesetzt werden, wenn über sie entschieden worden ist. Positivierung des Rechts heißt mithin, daß alle gesellschaftlichen Wertungen, Normen und Verhaltenserwartungen durch Entscheidungsprozesse gefiltert werden müssen, bevor sie Rechtsgeltung erlangen können.

begründeten Staatshoheitsrechts, etwa des ius eminens, also um untypische Erscheinungen des Staatslebens handele, wie man bis ins 18. Jahrhundert hinein meinte; keine Rede auch davon, daß nur die unterste Stufe einer göttlich eingesetzten Hierarchie von Rechtsnormen auf diese Weise als lex positiva der Verfügung des Menschen überlassen wäre, der sich dabei an höheres Recht zu halten hätte. Sosehr diese beiden Denkfiguren die Einführung der Positivierung des Rechts in das abendländische Rechtsdenken erleichtert hatten – eine angemessene Theorie der heutigen Wirklichkeit bieten sie nicht.

Das gleiche gilt übrigens von dem Postulat absoluter, von der Bindung an Gesetze befreiter Macht des Fürsten. Bis in die Neuzeit hinein blieb »absolute Macht« beschränkt auf Möglichkeiten des Wegnehmens und Zwingens, des Konfiszierens und Rekrutierens, und sie war nahezu machtlos, wenn es um eine zweckmäßige Veränderung der gesellschaftlichen Wirklichkeit ging. Die Strukturen der Gesellschaft waren zu einfach, die Verhaltensweisen alternativenlos gebunden, das Kommunikationspotential der Entscheidungsinstanzen nach Input und Output zu gering, als daß man positives Recht als variables Instrument gesellschaftlicher Veränderung hätte einsetzen können[3]. Ungebundenheit des absoluten Herrschers heißt daher noch lange nicht, daß er Recht herstellen konnte[4].

Eher hatte schon der juristische Positivismus des späten 19. Jahrhunderts die Möglichkeit und den Mut, die Wirklichkeit zu sehen. Aber seine Auskunft, das Rechte gelte kraft Willensentscheidung der Staatsorgane, blieb naiv wie sein Willensbegriff. Ersetzt man jedoch den Willensbegriff durch den Systembegriff[5],

3 Vgl. dazu u. a. J. H. Driberg: The African Conception of Law, Journal of Comparative Legislation and International Law, 3. Series 16 (1934), S. 230–245; Joseph Schacht: The Origins of Muhammadan Jurisprudence, Oxford 1950; Fred W. Riggs: Thailand. The Modernization of a Bureaucratic Society, Honolulu 1966, insbes. S. 85 ff., 132 ff.

4 In der Tat haben sich denn auch Träger solcher Macht stets auf religiöse, mehr oder weniger traditionale Legitimation berufen müssen, so wie man heute nicht umhin kann, demokratisch zu sein. Dadurch waren alle Versuche, eine Autonomie der politischen Herrschaft auch im Bereich des Rechts anzustreben (einen Überblick darüber gibt Shmuel N. Eisenstadt: The Political Systems of Empires, New York-London 1963, S. 137 ff.), grundsätzlich begrenzt.

5 Vgl. dazu auch unten S. 154 Anm. 5.

gewinnt man einen theoretischen Bezugsrahmen, mit dessen Hilfe sich das Problem der Positivität des Rechts neu fassen läßt.

Ein Sozialsystem, vor allem das umfassende Sozialsystem der Gesellschaft, konstituiert Recht dadurch, daß es Verhaltenserwartungen verbindlich macht und ihre symbolisch-sinnhafte Interpretation als Struktur des Verhaltens verwendet. Die Funktion einer solchen Struktur liegt in der Reduktion der Komplexität der an sich möglichen Verhaltensvarianten der Individuen. Diese Funktion erfordert, daß das Recht in den Prozessen, die es strukturiert, nicht geändert werden kann, sondern als invariant vorausgesetzt werden muß, könnte doch sonst jeder Anhaltspunkt aufgelöst, jede Prämisse umgestoßen werden. Diese Unabänderlichkeit und Unverfügbarkeit sind von so zentraler Bedeutung, daß sie zunächst den Sinn des Rechts ausmachen. Neben der unerläßlichen Invarianz des Rechts zugleich dessen Variabilität vorzusehen, muß zunächst als offensichtlicher Widerspruch erscheinen, und ist in der Tat so schwierig, daß der Gedanke daran sich von selbst verbietet. Abänderbares Recht zu behaupten, scheint so unsinnig zu sein, wie mit flüssigen Steinen zu bauen. Das gibt es nicht[6].

Solange solche Invarianz als Kriterium des Rechts fungiert, lassen sich jedoch nur relativ wenige Verhaltenserwartungen juridifizieren; muß es sich doch um Erwartungen handeln, von denen sinnvoll behauptet werden kann, daß sie immer schon galten und immer gelten werden. In relativ statischen Gesellschaften kommt man damit aus. Eine ziemlich beständige Umwelt natürlicher, psychischer und sozialer Prozesse gibt solchen konkret und starr strukturierten Gesellschaften Überlebenschancen. Ihnen genügen apokryphe Rechtsänderungen, die im Wege der Begriffsarbeit, der Fälschung oder durch Neuentdeckung des eigentlichen alten Rechts vollzogen werden[7]. Steigt im Laufe der zivilisatori-

6 Vgl. z. B. R. Lingat: Evolution of the Conception of Law in Burma and Siam, The Journal of the Siam Society 38 (1950), S. 9–31.

7 Vgl. als ein Beispiel das Reformwerk Solons, und dazu Erik Wolf: Griechisches Rechtsdenken. Bd. 1, Frankfurt 1950, S. 189 ff. Für das Mittelalter die bekannte Darstellung bei Fritz Kern: Recht und Verfassung im Mittelalter. Neudruck Tübingen 1952, S. 38 ff.

schen Entwicklung die Komplexität und Variabilität der natürlichen, psychischen und sozialen Lebensbedingungen – ein Prozeß, in dem die zunehmende Komplexität der Gesellschaft selbst und ihres Rechts dominierend mitwirkende Ursache ist –, wird eine starre Rechtsstruktur zunehmend inadäquat. Es wächst das Bedürfnis, auch solchen Erwartungen die technisch so effektive Rechtsqualität zu verleihen, die ersichtlich neu sind und bei Bedarf geändert werden müssen. In zunächst bescheidenem, dann immer weiterem Ausmaß muß in der Gesellschaft Variabilität von Strukturen ermöglicht und institutionalisiert werden. Damit ändert sich der Sinn von Recht: Er wird gezwungen, Variabilität nicht mehr auszuschließen, sondern in sich aufzunehmen. Der Naturrechtsgedanke zieht sich aus dem normativen Bereich in die Wertsphäre zurück und wird dort ideologisch festgehalten als Symptom dafür, daß die höchsten Werte der Umstrukturierung der Normen und Rollen noch nicht folgen konnten.

Mit der vollen Positivierung des Rechts wird eine neuartige, komplexere, alternativenreichere Ebene des Funktionierens der Gesellschaft erreicht[8], die ihren eigenen Stabilitätsbedingungen folgt und dem alten Recht trotz aller Kontinuität von Normen und Denkfiguren im einzelnen unvergleichbar ist. Die neue Lage kann man, und das ist kein Zufall, mit denselben Systemkategorien begreifen, die uns zur Kennzeichnung des Verfahrens als System dienten.

Es steigt die *sachliche* und die *zeitliche Komplexität* des Rechts, die Zahl der juridifizierbaren Erwartungen und die Möglichkeiten und das Tempo ihrer Änderung. Natürlich gibt es praktische Grenzen dieser Komplexität, die davon abhängen, was die Entscheidungsprozesse zu erfassen und zu reduzieren vermögen. Im Prinzip aber ist jetzt jede beliebige Komplexität und Variabilität des Rechts denkbar. Das Recht soll jeder möglichen Welt

8 Vgl. hierzu die Interpretation der gesellschaftlichen Entwicklung als Ausbildung einer »greater generalized adaptive capacity« bei Talcott Parsons: Societies. Evolutionary and Comparative Perspectives, Englewood Cliffs N. J. 1966, S. 110, und den Begriff der »evolutionary universals« bei Talcott Parsons: Evolutionary Universals in Society, American Sociological Review 29 (1964), S. 339-357, mit denen sich auch die Positivierung des Rechts deuten ließe. Parsons selbst würde freilich die Entwicklungstendenzen des Rechts zum Teil anders beurteilen.

gewachsen sein. Es soll nicht als Struktur der Gesellschaft die Welt limitieren, die die Gesellschaft haben kann – und wenn, dann nur kraft revidierbarer Entscheidung. Wo immer Probleme neu entstehen, ob Fischkonservierungsmittel sich als schädlich oder Konjunkturen sich als stabilisierungsbedürftig herausstellen, muß dafür geeignetes Recht geschaffen werden können.

Erreichbar ist so hohe Komplexität nur durch richtig plazierte Verzichte. Manche Sinnbestandteile, die früher mit Recht verbunden waren (und im natürlichen Rechtserleben sicher auf lange Zeit noch mit dem Recht verbunden bleiben), müssen aufgegeben werden. Das geschieht einmal durch *Ausdifferenzierung* des Rechts. Schärfer als je zuvor wird das Recht von anderen sozialen Mechanismen getrennt, vor allem von denen, welche die Wahrheit von Sinn garantieren, und von der allgemeinen gesellschaftlichen Moral. Recht verliert seine Wahrheitsfähigkeit schon dadurch, daß die Wahrheit selbst im neuzeitlichen Denken spezifiziert wird auf intersubjektiv zwingende Gewißheit, also auf einen bestimmten Modus der Vorstellungsübertragung. Recht kann jetzt weder wahr noch unwahr sein, sondern nur gelten[9]. Seit dem 18. Jahrhundert wird man sich zunehmend auch darüber klar, daß zwischen Recht und Moral unterschieden werden muß. Die Unterscheidung wurde und wird zwar vorwiegend durch Hinweis auf den besonderen Sanktionsmechanismus des Rechts begründet; sie spiegelt aber zugleich den besonderen Entstehungsmodus des Rechts wider, daß nämlich Erwartungen, um Rechtsgeltung zu erlangen, durch einen Entscheidungsvorgang gefiltert und legalisiert werden müssen.

Grund solcher Ausdifferenzierungen ist das Bedürfnis nach *funktionaler Spezifikation und funktionaler Entlastung* des Rechts. Jene hohe Komplexität kann das Recht nur erreichen, wenn es von zahlreichen Nebenfunktionen, etwa denen eines Unterbaus der Religion oder denen individueller Gefühlsregulierung, entlastet und auf seine spezifische Funktion der Fest-

9 Wie unerläßlich dieser Trennstrich ist, zeigt schon ein Blick auf die hohe Widerlegbarkeit neuzeitlicher Wahrheiten. Kein Recht kann es sich leisten, sich in der Weise der wissenschaftlichen Widerlegung auszusetzen, wie wissenschaftliche Theorien es tun müssen, um *ihre* Funktion zu erfüllen.

legung zeitlich, sachlich und sozial generalisierter Erwartungsstrukturen zugeschnitten wird. Sobald dies geschieht, wird nämlich ersichtlich, daß eine solche zeitbeständige, situationsunabhängige, konsenssichere Verhaltensstruktur auch mit änderbarem Recht gewonnen werden kann. Zur Funktion einer solchen Struktur gehört, daß sie in den Prozessen, die sie strukturiert, nicht in Frage gestellt oder gar geändert werden kann; nicht aber, daß sie absolut konstant und schlechthin sakrosankt ist. Es schadet nichts, wenn zu anderer Zeit, von anderen Stellen in anderen Verfahren gesetzt bzw. geändert wird, was hier und jetzt als Prämisse fungiert. Es muß nur jeweils feststellbar sein, was gilt, und es muß vermieden werden, daß Entscheidungsprozesse an einer Stelle mit Komplexität überlastet werden. Dafür genügen organisatorische Differenzierungen.

Diese Verzichte auf diffuse Verquickung mit anderen Normen, anderen Mechanismen, anderen Funktionen ermöglichen den entscheidenden weiteren Verzicht: den auf Invarianz. Positives Recht kann nicht mehr als invariant behauptet werden und muß daher jene *Sicherheiten ersetzen*, die in der Invarianz und der sozialen Einbettung des alten Rechts lagen. Dieses Problem hängt mit dem der Komplexität eng zusammen; denn Sicherheit ist im Grunde Vertrauen in schon reduzierte Komplexität. Vorstellungen, die Invarianz bedeuten und damit Sicherheit verheißen – namentlich die, daß Rechtsnormen etwas Seiendes sind, daß sie wahr sind, daß sie kraft Stiftung in der Vergangenheit, kraft Weisung der Toten oder kraft unvordenklichen Alters gelten –, stellen den Menschen einer schon reduzierten Komplexität gegenüber und erfassen sein Verhältnis zur Welt unter diesem Aspekt. Ordnung wird dann als immer schon gegeben angenommen, als ein Charakter der Welt[10]. Die unheimliche Vielfalt anderer Möglichkeiten ist ohne menschliches Zutun schon eliminiert. Wahrheit spricht anderen Möglichkeiten Seinsqualität ab, und Vergangenheit kennt ebenfalls keinen Dispositionsspielraum mehr. Beide Begriffe symbolisieren schon reduzierte Komplexität. Ähnliches gilt für die spezifisch abendländische Vorstellung der Natur und damit für die Interpretation des Rechts als Natur-

10 Vgl. Lingat, a. a. O., für die Hindu-Interpretation.

recht[11]. Solche Vorstellungen können nicht einfach aufgegeben, sie müssen in ihrer Funktion erkannt und ersetzt werden.

Positiviert eine Gesellschaft ihr Recht, gibt sie in diesem Bereich die Unterstellung reduzierter Komplexität auf und muß die Reduktion der Komplexität durch ihr politisches System nun selbst leisten. Sie übernimmt die Verantwortung für ihre Struktur selbst. Sie muß sich dann der Vielzahl menschlicher Verhaltensmöglichkeiten stellen und entscheiden, was gelten soll. Vermeintlich externe, umweltverankerte Sicherheiten müssen durch interne, systemimmanente Sicherungen ersetzt werden. Die Gesellschaft muß mit ihrer Struktur hohe Risiken eingehen,

11 Für den Naturbegriff ist bezeichnend die Leugnung der mitwirkenden Kausalität des Systems, das sich der Natur gegenübersieht. Natur ist das aus sich heraus Gewachsene, immanent Wahre. Welt unter dem Aspekt von Natur zu begreifen ist mithin symptomatisch für relativ einfach organisierte psychische und soziale Systeme, die sich ihre Eigenkausalität noch nicht voll bewußt machen und sie daher auch nicht als korrigierendes Prinzip in ihren Umweltbeziehungen verwenden können. Andererseits kennzeichnet den abendländischen Naturbegriff, daß die Natur, analog zur Technik, als kausal strukturiert begriffen wird – wenngleich zunächst keineswegs im mechanischen oder gar funktionalistischen Sinne der neuzeitlichen Kausaltheorie (dazu vgl. Martin Heidegger: Vom Wesen und Begriff der ΦΥΣΙΣ. Aristoteles Physik B 1, Mailand–Varese 1960). Damit waren die Grundlagen gelegt für eine Integration von Natur und Technik, wie sie vollzogen werden konnte, nachdem die neuzeitlichen Naturwissenschaften einen Abstraktionsgrad erreicht hatten, der eine weitreichende Substitution von Ursachen ermöglichte. Im Vollzug dieser Integration verfestigt sich die Herrschaft des Menschen über die Natur in komplexen Systemen, so daß er sich schließlich seiner mitwirkenden Kausalität bewußt werden und unter Fortführung des Namens den Begriff der Natur aufgeben kann (vgl. etwa Werner Heisenberg: Das Naturbild der heutigen Physik, Hamburg 1956, S. 12).
Bedenkt man dies, dann erkennt man, daß der Kern des Naturrechtsgedankens weniger in der hierarchischen Höherwertigkeit des Naturrechts lag als vielmehr darin, daß die Ursachen des Rechts in eine Sphäre *außerhalb* der Gesellschaft projiziert wurden. Diese Trennung von kosmischer Naturordnung und historischer Gesellschaft, die einfacheren Gesellschaften fremd ist (siehe statt anderer Francisco Elias de Tejada: Bemerkungen über die Grundlagen des Banturechtes, Archiv für Rechts- und Sozialphilosophie 46 [1960], S. 503–535 [532]), ermöglichte bereits eine Entgegensetzung von Naturrecht und gesetztem Recht, und erst sekundär wurde diese Differenz dann hierarchisch begriffen. Auch das Naturrecht hatte aber seine Maßgeblichkeit durch seine ontische, alternativenlose Faktizität. – Damit stellt sich auch das Problem der Ablösung und Kompensation des Naturrechts anders. Höherwertige (wenn auch nicht absolut unveränderliche) Rechtsnormen lassen sich im positiven Recht ebenfalls installieren, zum Beispiel durch Differenzierung von Verfassungsrecht und einfachem Gesetzesrecht. Die Frage ist jedoch, wie jene Sicherheiten kompensiert werden können, die das Naturrecht durch die Annahme alternativenloser externer Verursachung geboten hatte.

Unsicherheiten tolerieren, Dissens zulassen und all dies selbst abarbeiten können. Sie muß Widersprüche und Konflikte, statt sie kategorisch abzuweisen, als Wertkonflikte, Programmkonflikte oder Rollenkonflikte übernehmen, regeln und entscheiden. Sie muß dem alten Nomos der Welt seine Problematik entreißen und sie in entscheidungsbedürftige und entscheidungsfähige Probleme umformulieren, Probleme also von außen nach innen verlagern, um Alternativen zu mobilisieren und gut integrierbare Lösungen finden zu können.

All das legt den Gedanken nahe, *den Verlust des Naturrechts durch Verfahrensrecht auszugleichen.* Sicher ist es denn auch kein Zufall, daß ein neuartiges Vertrauen in rechtlich geregelte Verfahren im gleichen Zeitraum zu erscheinen beginnt, in dem das Naturrecht in seiner letzten Erscheinungsform, dem Vernunftrecht, zusammenbricht, so als sollte dem zerfallenden Vertrauen in das Recht durch Prozeßgarantien ein neues Korsett eingezogen werden. Die klassische, wahrheitsorientierte Verfahrenstheorie entsprang denn auch dieser Lage. Sie verstand sich sozusagen als zweitbeste Lösung: Wenn Gerechtigkeit und Wahrheit nicht unmittelbar aus der Natur der Sache einleuchteten, muß man eben Wege ersinnen, ihnen so nahe wie möglich zu kommen. Wenn man sich nicht vorab auf bestimmte Problemlösungen einigen könne, dann wenigstens auf die Verfahren, mit denen jeweils auftauchende Probleme zur Entscheidung gebracht werden.

Dieser Gedanke ist indes viel zu einfach, als daß er weiterhin zu überzeugen vermöchte. So hohen Erwartungen kann eine einzelne Institution wie das rechtlich geregelte Verfahren kaum genügen. Das gesellschaftliche Risiko der Positivierung des Rechts ist viel zu groß, als daß es durch bestimmte Verfahrensweisen oder gar nur durch einzelne gegenwirkende Verfahrensnormen abgesichert werden könnte. Wir müssen versuchen, ein wirklichkeitsnäheres Bild der Bedeutung von Verfahren für die Positivierung des Rechts zu gewinnen.

Zunächst ist kaum anzunehmen, daß in einer komplexen, stark differenzierten Gesellschaft wie der heutigen ältere Institutionen und Mechanismen durch einen einzigen Nachfolger ersetzt werden können. Es kann denn auch nicht Sache von

Verfahrensregelungen allein sein, die Stabilität positivierter, auf Entscheidung gestellter Rechtsordnungen zu gewährleisten. Das geschieht nämlich weitgehend durch die außerordentlich hohe sachliche Komplexität des Rechts selbst, die sich als seine wichtigste, systemimmanente Sicherung erweist.

In einer positivierten Rechtsordnung kann zwar alles Recht durch Entscheidung geändert werden, aber nicht alles auf einmal. Angesichts der Masse und Interdependenz funktionierender Rechtsnormen hat jeder Eingriff durch eine Einzelentscheidung enge Grenzen. Nur wenige Alternativen stehen als sinnvoll offen, und jede Willkür rächt sich durch ihre Folgen[12]. Sobald größere Rechtsnormenkomplexe geändert werden sollen, schwellen die Anforderungen an den Entscheidungsprozeß derart an, daß sie kaum noch zu bewältigen sind und man, will man doch reformieren, Schritte ins Dunkel riskieren muß. Nirgends zeigt sich praktisch eine Möglichkeit zu rationaler Neugestaltung ab ovo. Zwar gibt es kein Vorrecht des alten Rechts mehr in dem Sinne, daß es allein kraft Alters neuem Recht gegenüber den Vorzug erhält oder gar Neuerungen ausschließt. Das heißt aber noch lange nicht, daß man Geschichte in ihrer Funktion, Komplexität zu absorbieren, missen kann[13]. An die Stelle jener vorrangigen Tradition tritt die Geschichte der im System getroffenen Entscheidungen, die man nicht mit einem Federstrich auslöschen und insgesamt ersetzen kann. Komplexe Systeme binden sich, wie wir es schon am Beispiel des Einzelverfahrens gesehen haben, durch Aufbau ihrer eigenen Geschichte.

12 Damit sind tiefgreifende Umgestaltungen des Rechts etwa als Folge politischer Umwälzungen natürlich nicht ausgeschlossen. Überhaupt kann kein Recht der Welt seine Erhaltung selbst garantieren und andere Entwicklungsmöglichkeiten ausschließen. Aber der rationale, planmäßige und folgensichere Eingriff in das Recht durch Entscheidung, also die technische Verwendung der Positivität des Rechts zur Erreichung bestimmter Ziele, hat bei dem gegenwärtigen Stand der Entscheidungstechnik enge Grenzen. Es ist bezeichnend genug, daß die nationalsozialistische Umfärbung des deutschen Rechts nicht primär über Gesetze geleitet wurde, sondern sich drastischer personalpolitischer Mittel bediente. Nur durch außerrechtliche Beeinflussung der richterlichen Entscheidungspraxis war zu erreichen, daß das gesamte Recht innerhalb kurzer Frist nach Maßgabe einer neuen »Gesinnung« uminterpretiert wurde. Vgl. hierzu Bernd Rüthers: Die unbegrenzte Auslegung. Zum Wandel der Privatrechtsordnung im Nationalsozialismus, Tübingen 1968.

13 Dazu als einer Grenze soziologisch rationalisierender Aufklärung auch Niklas Luhmann: Soziologische Aufklärung, Soziale Welt 18 (1967), S. 97–123 (118 ff.).

Damit ist nicht ausgeschlossen, daß in der Kontrastierung von Naturrecht und Verfahren etwas Richtiges gesehen ist und Verfahren im positiven Recht, das ja ganz und gar auf Entscheidungen beruht, besondere Bedeutung gewinnen; nur profiliert sich die Frage nach ihrer Funktion und den Grenzen ihrer Wirksamkeit schärfer. Durch die Positivierung des Rechts erhalten Entscheidungsverfahren neuartige Chancen, höhere und unbestimmtere Komplexität zu bearbeiten und die Abhängigkeit des Systems von seiner eigenen Entscheidungsgeschichte zu lockern. Sie können diese Chance nur wahrnehmen, wenn sie entsprechend strukturiert sind und Entsprechendes leisten. Bevor wir genauer untersuchen können, welche Anforderungen sich daraus für die dem Rechtsanwendungsprozeß vorgelagerten Verfahren der politischen Wahl und der Gesetzgebung herleiten, müssen wir uns ein deutlicheres Bild darüber verschaffen, welchen besonderen Problemen und Belastungen ein Handeln durch so hohe, unprogrammierte Komplexität ausgesetzt ist.

2. *Demokratisierung der Politik*

Der Effekt, den die Positivierung des Rechts, also die Variierbarkeit aller als Programm dienenden Entscheidungsprämissen, auf das politische System einer Gesellschaft haben muß, wird bei weitem noch nicht genügend bedacht. Die Komplexität nicht nur des Rechts, sondern auch des politischen Systems selbst steigt damit in einer Weise, die neuartige Formen der Stabilisierung erforderlich macht oder sich nicht halten läßt. In einem Maße, das in älteren Gesellschaften undenkbar und untragbar gewesen wäre, werden Alternativen sichtbar und entscheidbar. Das bedeutet aber zugleich, daß politische Unterstützung nicht mehr vorausgesetzt werden kann, sondern erteilt werden muß. Invariant-legitimierte Institutionen wie Krone und Altar sind in sich selbst nicht komplex und nicht mobil genug, um die neuen Möglichkeiten überzeugend ergreifen und ordnen zu können; sie versagen als Garanten legitimer Macht[1]. Sie werden dadurch ersetzt, daß politische Unterstützung zum permanenten Problem gemacht wird, das durch Organisation und laufende Arbeit gelöst werden muß. Die Mobilisierung der Entscheidungsprämissen und die Mobilisierung der Bedingungen politischer Unterstützung bedingen sich wechselseitig und führen zusammen jene strukturelle Unbestimmtheit des politischen Systems herbei, die für Systeme mit hoher Eigenkomplexität typisch und notwendig ist. Die Variationschancen, die das Recht eröffnet, sind mit den Bedingungen des Fluktuierens politischer Unterstützung nicht invariant und automatisch, zum Beispiel durch »Wahrheiten«, verknüpft; beide Bereiche haben ihre Eigendynamik und müssen hinreichend offen und unbestimmt bleiben, um koordinierbar zu sein. Die daraus resultierenden Unsicherheiten sind nicht fatale Begleiterscheinungen politischen Lebens schlechthin; sie sind strukturell erzeugt, um die Anpassung des Systems an seine ebenfalls hochkomplexe, rasch wechselnde Umwelt zu gewährleisten.

1 Dazu vortrefflich Fred W. Riggs: Thailand. The Modernization of a Bureaucratic Polity, Honolulu 1966, S. 91 ff.

Bei so hoher Systemkomplexität muß die alte Vorstellung einer hierarchischen Ausübung hoheitlicher Gewalt, unter der das politische System zunächst aus der Gesellschaft ausdifferenziert und verselbständigt worden war, als Systemmodell aufgegeben werden; sie wird auf eine technisch-organisatorische Funktion in der Verwaltung zurückgeschnitten. Charakteristisch für eine Hierarchie ist nämlich, daß sie in eine Spitze ausmündet und durch sie zusammengehalten wird. Dient das Hierarchiemodell als Systemstruktur, so bedeutet dies, daß die Spitze das Ganze symbolisiert. Sie ist die Darstellung der Legitimität. Damit wird das Ganze durch eine Rolle, also auf *gefährlich konkreter* Ebene dargestellt und in dieser Rolle angreifbar. Solange keine anderen Alternativen vorstellbar sind, als diese Rolle neu zu besetzen, ist das unbedenklich. Steigt jedoch die Komplexität und steigen damit die Variationsmöglichkeiten und die inneren Risiken des politischen Systems in der beschriebenen Weise, müssen abstraktere Formen der Symbolisierung des Systems gesucht und gefunden werden. Die Identität des Systems wird in Normen, wenn nicht gar in Werten oder Ideologien verankert; die operational-entscheidungstechnische und die symbolisch-sinnkonstituierende Ebene werden schärfer getrennt und für sich (wenn auch nicht ohne Bezug aufeinander) stabilisiert. Die Überbrückung dieser Differenz wird zu einem permanenten Problem, das in der Form von Verfahren, das heißt durch Darstellung des Entscheidungsprozesses als technische Operation *und* als Symbol des Ganzen, gelöst werden kann[2]. Der Gedanke des rechtlich geordneten Verfahrens ersetzt, wird diese Lösung gewählt, nicht nur das Naturrecht, sondern auch die Hierarchie als statische Primärstruktur des politischen Systems[3].

Diese geschichtlich neue Lage eines politischen Systems von so

2 Eine andere, funktional äquivalente Lösung dieses Problems wäre die laufende Koordinierung von Ideologie und Entscheidungspraxis durch eine Partei, die erfolgreich ein Monopol auf Politik behauptet. Zum Vergleich beider Lösungen einige weitere Gesichtspunkte bei Niklas Luhmann: Positives Recht und Ideologie, Archiv für Rechts- und Sozialphilosophie 53 (1967), S. 531–571.

3 In der neueren Theorie des politischen Systems wird dieser Wandel durch kybernetisch inspirierte Kreislaufmodelle zum Ausdruck gebracht. Siehe als ausführlichste Darstellung David Easton: A Systems Analysis of Political Life, New York–London–Sydney 1965.

hoher Komplexität ist durch die im 18. und 19. Jahrhundert entwickelten Theorien demokratischer Verfassung unzulänglich, wenn nicht irreführend interpretiert worden. Verständlicherweise hielt man sich zunächst an die herkömmliche Staatsformenlehre und begriff die geforderte bzw. eingetretene Neuerung als Änderung der Staatsform, als Übergang der Herrschaft auf das Volk. Infolgedessen trat die Frage, wie das Volk als Mehrheit oder durch Repräsentanten oder durch einen mit ihm identischen Führer die Herrschaft ausüben könne und welche Gefahren damit verbunden seien, in den Blickpunkt des staatstheoretischen Interesses. Je nachdem, ob die Bedingungen oder die Gefahren effektiver Volksherrschaft in dem einen oder dem anderen Sinne als Hauptproblem gesehen wurden, finden sich mehr demokratische oder mehr liberale Varianten, deren Unterschiede im einzelnen hier nicht erörtert werden können[4]. Gemeinsam verfehlen sie das eigentliche Problem dadurch, daß sie Herrschaft oder Macht als eine übertragbare Konstante behandeln, während in Wahrheit das Problem in einer beträchtlichen Steigerung der Komplexität der Macht liegt, die wegen ihres Umfangs neue Organisationsformen und Verhaltensweisen erfordert. Die klassischen Theorien der Demokratie haben eine wichtige Überleitungsfunktion erfüllt, und das erklärt auch, weshalb sie sich an der traditionellen Staatsformenlehre orientieren und auf änderbaren »Besitz« der Macht abstellen mußten. Mit ihrer historischen Mission sind sie jedoch selbst überholt und am Ende. In ihrer Blickbahn läßt sich die politische Wirklichkeit, die sie herbeizuführen halfen, nicht angemessen begreifen.

So lassen sich denn auch die Verfahren der politischen Wahl und der Gesetzgebung zwar als Formen der Bildung und Durchsetzung des »Volkswillens« bezeichnen und politisch legitimieren, aber damit ist noch keine Erkenntnis gewonnen. Die Vorstellung eines Willens, der gebildet und durchgesetzt werden müßte, ist der Einzelhandlung abgelesen und läßt sich auf Systeme von sehr

4 Als eine ausgezeichnete kritische Erörterung einiger Prämissen dieser klassischen Theorien siehe Robert A. Dahl: A Preface to Democratic Theory, Chicago 1956. Vgl. dazu ferner Elias Berg: Democracy and the Majority Principle. A Study in Twelve Contemporary Political Theories, Kopenhagen usw. 1965.

hoher Komplexität nicht ohne Umdefinition übertragen[5]. Das Grundproblem ist, wie so hohe Komplexität politisch behandelt und auf entscheidbaren Sinn gebracht und doch als bleibendes Strukturmoment erhalten werden kann[6]. Die Verfahren der Bildung und Durchsetzung des »Volkswillens« müssen als Beitrag zur Lösung dieses Problems analysiert werden.

Soll politische Komplexität in dem beschriebenen Sinne erhalten und bearbeitet werden, müssen bestimmte Vorbedingungen erfüllt sein, die sich in allgemeinen systemtheoretischen Begriffen beschreiben lassen. Es müssen spezifisch politische Prozesse zu einem Teilsystem eigener Art ausdifferenziert werden, wie wir es etwa in der Form von Parteipolitik kennen. Diese Prozesse müssen auf ein relativ abstraktes Bezugsproblem angesetzt werden, das zur Erzeugung von Alternativen anregt, und sie müssen in sich selbst funktional differenziert und spezifiziert werden. Zu all diesen Erfordernissen tragen politische Verfahren bei. Ihre Funktion, unprogrammierte politische Komplexität zu erhalten und zu reduzieren, erweist sich, wenn man ihren Systemkontext mit in Betracht zieht, als ein Bündel verschiedenartiger Leistungen, die in der Einheit einer Institution wie politische Wahl oder parlamentarische Gesetzgebung zusammengefaßt und integriert werden. Institutionen, die eine solche multifunktionale Struktur garantieren, rücken dadurch ins Zentrum eines politischen Systems, das hohe Komplexität prästieren muß. Sie lassen sich unter dem Blickpunkt einer spezifischen Funktion schwerlich ersetzen, zum Beispiel nicht durch einen anderen Rekrutierungsmodus oder eine andere Verteilung von Kompetenzen ablösen. Ihre Beseitigung würde eine Neustabilisierung des gesamten Systems erfordern. In diesem Sinne zählen sie zur Verfassung.

5 Versucht man eine solche Umdefinition, dann erscheint als Wesen des Willens die Bevorzugung interner gegenüber externer Information, was eine Ausdifferenzierung des Systems, eine Abstraktion seiner Entscheidungsgrundlagen und eine interne Differenzierung seiner Prozesse voraussetzt. Vgl. dazu Karl W. Deutsch: The Nerves of Government: Models of Political Communication and Control, New York–London 1963, insbes. S. 105 ff. Diese Uminterpretation führt mithin auf Kategorien, mit denen wir im folgenden die politischen Verfahren interpretieren werden, aber sie läßt sich nicht mehr auf »das Volk«, sondern nur noch auf das politische System als Träger von Willen beziehen.

6 Ein entsprechendes Konzept der Demokratie habe ich skizziert in Niklas Luhmann: Komplexität und Demokratie. Politische Vierteljahresschrift

3. Politische Wahl[1]

Dem äußeren Ablauf nach geht es bei der politischen Wahl um einen Vorgang der Rekrutierung für öffentliche Ämter, vor allem um die Besetzung des Parlaments. Dieser Vorgang läuft nach bestimmten sachnotwendigen Bedingungen ab. Er erfordert zum Beispiel Registrierung der Wähler, Klärung und Bekanntgabe der Kandidaturen, Festlegung eines Wahltermins, Abgabe und Einsammlung der Stimmen, Auszählen des Ergebnisses, Benachrichtigung der Gewählten. Andere Modalitäten wie Begrenzung der Zulassung von Wählern oder Kandidaten, Strukturierung der Alternativen (Problem der »Listen«), Öffentlichkeit oder Geheimhaltung der Stimmabgabe oder Festlegung des Auszählungssystems ergeben sich nicht unmittelbar aus der Rekrutierungsaufgabe selbst, sondern scheinen eher ihrer Koordination mit anderen Systembedürfnissen zu dienen. Offensichtlich handelt es sich um ein rechtlich geregeltes Verfahren im Sinne unserer allgemeinen Überlegungen zur Verfahrenstheorie (Teil 1, Kap. 3). Besondere Rollen wie die des Wählers, des Kandidaten, des Wahlleiters und seiner Hilfskräfte werden allgemein geschaffen, in ihren Verhaltensmöglichkeiten durch Rechtsvorschriften eingeengt und dann von Fall zu Fall durch Besetzung konkret in Aktion gesetzt. Die Ungewißheit des Ausgangs der Wahl dient als wesentliches Motiv kommunikativer Beteiligung und Engagierung[2]. Typisch ist ferner der Zug zur Entscheidung und die höchst künstliche Neutralisierung zahlreicher Verfahrensaspekte durch die Entscheidung: Die Kompetenz, die mit dem zu besetzenden Amt verbunden ist, wird eindeutig ganz übertragen oder nicht übertragen, unabhängig davon, wie hoch der Kandidat die Wahl gewonnen oder verloren hat, wie sehr er sich Mühe gegeben hatte und wie

1 Siehe zum gleichen Thema unter dem Aspekt grundrechtlicher Garantie des Wahlrechts Niklas Luhmann: Grundrechte als Institution. Ein Beitrag zur politischen Soziologie, Berlin 1965, S. 136 ff.

2 Wo diese Ungewißheit fehlt, kann man strenggenommen nicht von »Wahlen« sprechen und jedenfalls nicht von einem Verfahren im Sinne unserer Theorie, denn dazu ist wesentlich, daß die Entscheidungssituation offengehalten wird.

einflußreich seine Förderer sind[3]. Auch der Wähler hat keine Möglichkeit, die Wirksamkeit seiner Stimme durch besonderen Einsatz oder durch Wiederholung zu verstärken – Möglichkeiten, die in anderen Bereichen politischer Tätigkeit durchaus offenstehen. Warum ist dies alles so und nicht anders? Und was daran ist Bedingung einer »Legitimation durch Verfahren«?

Man kann sich die Antwort auf diese Fragen durch Wertsetzungen vereinfachen, etwa durch die Thesen, daß nur eine Wahl, die bestimmte Prinzipien beachte, »demokratisch« sei und daß nur eine demokratische Wahl Herrschaft legitimieren könne. Auf dieser gedanklichen Ebene lassen sich offizielle Verlautbarungen zu schöner Einmütigkeit koordinieren. Im übrigen lassen aber auch die klassischen Theorien der Demokratie mit ihren allzu einfachen Prämissen kaum eine andere Form, wenngleich wertmäßig entgegengesetzte Arten, der Beantwortung zu. Das Unbefriedigende solcher Auskünfte liegt jedoch auf der Hand. Sie vermitteln keinen Einblick in andere funktional äquivalente Möglichkeiten, ermöglichen keinen Vergleich von Systemen und neigen deshalb dazu, Unterschiede in die kategorische Form antithetischer Wertsetzungen zu kleiden. Der wertfreie Begriff der Legitimität, an dem wir unsere Untersuchungen orientieren, läßt solche Auswege nicht mehr zu. Dafür bietet die soziologische Systemtheorie neue analytische Hilfsmittel an.

In der distanzierten, weitfassenden Perspektive der Systemtheorie erscheint bereits als bemerkenswert, daß Rekrutierung überhaupt zum Problem und zum Gegenstand besonderer Verfahren wird. Einfache Gesellschaften vergeben politische Rollen und Entscheidungsrechte, falls sie sie überhaupt als solche vorsehen, zumeist nach askriptiven Kriterien, das heißt in fester Anknüpfung an schon vorhandene andere Rollen[4]. Es wird dadurch automatisch gesichert, daß die Ältesten, die jeweiligen Häuptlinge einer bestimmten Stammeslinie, die Erstgeborenen

3 Zu diesem selten besonders betonten, aber sehr wesentlichen Eindeutigkeitsprinzip vgl. Talcott Parsons: The Political Aspect of Social Structure and Process. In: David Easton (Hrsg.): Varieties of Political Theory, Englewood Cliffs N. J. 1966, S. 71–112 (84).

4 Die besondere Bedeutung dieser Rekrutierungsweise für den Zusammenhalt sozialer Systeme hat Siegfried F. Nadel: The Theory of Social Structure, London 1957, S. 77 ff., einsichtig gemacht.

einer bestimmten Familie, die Grundbesitzer, Hauseigentümer, Gildenmeister oder wer immer die politisch-administrativen Funktionen wahrnehmen. Solche Rollenzusammenfassungen verraten einen sehr geringen Grad an Ausdifferenzierung des politischen Systems. Dessen Stabilität wird gerade durch Einbettung in die Gesellschaft erreicht, nämlich im Wege der Unterstützung durch und der Bindung an die anderen gesellschaftlichen Rollen der Entscheidungsträger. Die Herrschaft beruht dann auf der *Unterstützung durch die eigenen anderen Rollen der Herrscher* in statusmäßigen, religiösen, wirtschaftlichen, militärischen, familiären Aktionszusammenhängen. Und entsprechend wird die soziale Kontrolle der Herrschaft durch die *Rücksicht auf diese eigenen anderen Rollen der Herrscher* vermittelt. Der Herrscher immobilisiert sich auch politisch dadurch, daß wirtschaftliche, militärische, religiöse, verwandtschaftliche Rücksichten ihm Grenzen ziehen. Dafür ist er von der »Anerkennung« seiner Untergebenen unabhängig in dem Maße, als der eigene Rollenkontext ihn hält. Es braucht keine Verfahren, die diese Zustimmung sicherstellen sollen[5].

Die gesellschaftliche Entwicklung verläuft im großen und ganzen entsprechend der zunehmenden Ausdifferenzierung eines spezifisch politischen Teilsystems von askriptiver zu eignungs- oder leistungsorientierter Rekrutierung[6]. In dem Maße, als der invariante, in der Person verknüpfte Rollenzusammenhang sich

5 Die »Verfahren« der Nachfolgerbestimmung in einfachen Gesellschaften, die keine feste Designation kennen, dienen mehr der Überwindung einer momentanen, »zufällig« auftretenden Unsicherheit bei Ausfall des bisherigen Herrschers, als der systematischen politischen Konsenssicherung. Das zeigt sich schon an der häufig anzutreffenden Geheimhaltung des Todesfalls. Im übrigen sind diese Verfahren durchweg schlecht funktionierende, nicht adäquate Problemlösungen. Siehe für Beispiele etwa Aidan W. Southall: Alur Society. A Study in Processes and Types of Domination, Cambridge England o. J. (1953), S. 85 ff., 358 ff.; I. Schapera: Government and Politics in Tribal Societies, London 1956, S. 50 ff., 58, 104 f., 209; Fred W. Riggs: Thailand. The Modernization of a Bureaucratic Polity, Honolulu 1966, S. 42 ff.; Jack Goody (Hrsg.): Succession to High Office, Cambridge England 1966.

6 So speziell für politisch-administrative Rollen auch David Easton: Political Anthropology. In: Bernard J. Siegel (Hrsg.): Biennial Review of Anthropology 1959, Stanford Cal., 1959, S. 210–262 (244 f.); Marion J. Levy Jr.: Modernization and the Structure of Societies. A Setting for International Affairs, Princeton 1966, Bd. II, S. 440 ff.; Reinhard Bendix: Nation-Building and Citizenship. Studies of our Changing Social Order, New York–London–Sydney 1964, S. 115 f.

dadurch lockert, verliert die Gesellschaft die darin begründete Sicherheit. Sie gewinnt Mobilität, nämlich Alternativen für die Rollenbesetzung, muß aber ihr Rollengefüge neu stabilisieren. Der durch die Person vermittelte Rollenzusammenhang – ob ein Politiker, Minister oder Beamter auch reich, einer Kirche verbunden, verheiratet, Angehöriger einer Korporation, Kriegsveteran usw. ist – wird zur individuell-zufälligen Konstellation, die man beeinflussen, auf die man sich aber nicht mehr verlassen kann[7]. Unterstützung und soziale Kontrolle können jetzt nicht mehr durch *eigene* andere Rollen, sie müssen durch gegenüberstehende, komplementäre Rollen *anderer* vermittelt werden. Das hat den wesentlichen Vorteil, daß der unterstützende und kontrollierende Rollenzusammenhang nicht mehr auf diffuser Verquickung verschiedener Rollenbereiche beruhen muß, sondern *funktional spezifizierbar* ist. Zugleich steigt das Potential für den Ausdruck von Konflikten in der Sozialordnung mittels gegenüberstehender Rollen, die für Unterstützung und Kontrolle einen modus vivendi finden müssen. Erst unter diesen Voraussetzungen hat es Sinn, dem politischen Herrscher spezifisch politische Publikumsrollen, etwa die des Wählers, gegenüberzustellen.

Nur wenn man diese systemstrukturell begründeten Zusammenhänge überblickt, erkennt man, wie stark im sozialen System der Gesellschaft die erreichbare Komplexität, die vorstellbaren Alternativen, die Mobilität der Rollenbeziehungen, die Individualisierung der Position des einzelnen, die funktionale Spezifizierbarkeit der Rollensysteme, die strukturell bedingten Unsicherheiten und das Potential für Darstellung und kampfloses Abarbeiten von Konflikten miteinander variieren. In einer Gesellschaft, die sich in diesem Sinne zu höherer Komplexität entwickelt, ersetzen dynamische Rekrutierungsverfahren die alten statischen Rollenverbindungen.

Daraus ergibt sich, und wir können am Beispiel des Wahlverfahrens studieren, was sie leisten müssen: Sie müssen von anderen Rollenzusammenhängen abtrennbar und funktional spe-

7 Vgl. hierzu kontrastierend Meyer Fortes: The Structure of Unilineal Descent Groups, American Anthropologist 55 (1953), S. 17–41 (36); Nadel, a. a. O., S. 63 ff.

zifizierbar sein; sie müssen Ungewißheit und Alternativen erzeugen können nach Maßgabe der benötigten Komplexität; und sie müssen ein Regulativ für Unterstützung und Kontrolle enthalten, das diese Probleme entscheidbar werden läßt. Dies sind Bedingungen, die nach unserer allgemeinen theoretischen Konzeption vom Systemtyp »Verfahren« erfüllt werden können; und in der Tat läßt sich zeigen, daß das Verfahren der politischen Wahl diesen funktionalen Erfordernissen entsprechend institutionalisiert ist[8].

Die Rollentrennung und die Ausdifferenzierung des Wahlverfahrens und damit, an einer wichtigen Systemgrenze, des politischen Systems werden vor allem durch die drei Prinzipien gesichert, nach denen freie politische Wahlen heute organisiert sind, nämlich (1) durch die *Allgemeinheit* des Zugangs zur Rolle des Wählers für die gesamte Bevölkerung (mit Ausnahme funktional begründbarer Einschränkungen für Unmündige, Entmündigte, Verbrecher), (2) durch die *Gleichheit* des Stimmgewichts und (3) durch die *Geheimhaltung* der Stimmabgabe. All diesen Prinzipien liegt die Abstraktion und Individualisierung einer Rolle des Wählers im politischen System zugrunde, also ihre Ablösung von anderen gesellschaftlichen Rollen und Bindungen[9]. Der sie tragende Gleichheitsgedanke ist mithin kein Ausdruck eines realen Sachverhaltes der »Natur« (alle Menschen *sind* gleich) noch Ausdruck eines aufgegebenen, zu verwirklichenden Wertes (alle Menschen *sollen* gleich behandelt werden), sondern ein Prinzip der Indifferenz und der Spezifikation von Gründen:

8 Daß man auch in modernen Demokratien mit politischer Wahl mit einfachen, Rollen persönlich kombinierenden Kleinsystemen älteren Typs auf lokaler Ebene noch rechnen muß, zeigt James D. Barber: The Lawmakers. Recruitment and Adaption to Legislative Life, New Haven–London 1965, S. 116 ff. Ihnen fällt es infolge rollenverschmelzender personaler Bindungen im Wahlgebiet schwer, die Rekrutierung der gesetzgebenden Versammlung im Wege eines Wahlkampfes durchzuführen. Ihre Abgeordneten werden auf Grund unpolitischer Rollenbindungen »eingezogen« und erscheinen als »Reluctants« im Parlament. Vgl. auch Luhmann: Grundrechte als Institution, a. a. O., S. 159, Anm. 51.

9 Diese Interpretation der Prinzipien freier politischer Wahl findet sich bei Stein Rokkan: Mass Suffrage, Secret Voting and Political Participation, Europäisches Archiv für Soziologie 2 (1961), S. 132–152. Vgl. auch ders.: The Comparative Study of Political Participation. Notes Toward a Perspective on Current Research. In: Austin Ranney (Hrsg.): Essays on the Behavioral Study of Politics, Urbana Ill. 1962, S. 47–90 (66 ff.).

Alle Unterschiede dürfen bzw. sollen ignoriert werden außer solchen, die sich in einem funktionsspezifischen Zusammenhang als sinnvoll begründen lassen[10]. Der Zugang zum politischen Handeln in der Rolle des Wählers und deren Effekt sind dadurch von anderen gesellschaftlichen Rollen unabhängig gestellt und die Art der Entscheidung als Wähler braucht in anderen gesellschaftlichen Zusammenhängen nicht verantwortet zu werden, da sie den Schutz des Geheimnisses genießt[11]. Der politische Entscheidungskontext erreicht auf diese Weise eine gewisse Autonomie und Indifferenz gegenüber anderen Bereichen der Gesellschaft.

Das bedeutet nicht Isolierung der Politik auf sich selbst, nicht Errichtung einer neuen, willkürlichen Entscheidungsmacht, sondern nur eine gewisse unabhängige Variabilität der Politik im Verhältnis zu anderen Bereichen der Gesellschaft. Änderungen in einem Bereich legen dann nicht ohne weiteres auch den anderen fest; Ereignisse in der Wirtschaft, in der Wissenschaft, im Familienleben haben nicht eo ipso bestimmte politische Konsequenzen[12]; sie bilden allenfalls Probleme und Motive in der Politik, über die nach deren eigenen Kriterien entschieden wer-

10 Zu dieser Interpretation des Gleichheitssatzes näher Luhmann: Grundrechte als Institution, a. a. O., S. 162 ff.

11 Daß der Schutz des Wahlgeheimnisses zunächst und auch heute in manchen Entwicklungsländern nicht in diesem Sinne funktioniert, lehrt, daß auch diese Institution einen besonderen Entwicklungsstand der Gesellschaft und die Fähigkeit, sie zu benutzen, voraussetzt. Wo es daran fehlt, etwa im agrarischen Preußen des 19. (dort waren die Landtagswahlen bis 1919 öffentlich) oder im Südamerika des 20. Jahrhunderts, kann der Großgrundbesitz auf die konservativen Stimmen seiner Landarbeiter so sicher zählen, daß er eine Ausdehnung des Wahlrechts zu befürworten vermag. Dieses Beispiel lehrt im übrigen, daß die drei Prinzipien nur geschlossen funktionieren können; der Ausfall eines von ihnen korrumpiert auch die anderen.

12 So hat zum Beispiel die empirische Wahlforschung nicht einmal zwischen wirtschaftlichen Ereignissen und politischem Verhalten des Wählers deutliche Korrelationen ermitteln können, etwa in dem Sinne, daß, wie man vermuten könnte, bei Wirtschaftskrisen politische Aktivität und Interesse des Wählers zunähmen. Vgl. dazu Robert E. Lane: Political Life. Why People Get Involved in Politics, Glencoe Ill. 1959, S. 329 f. Andererseits gibt es durchaus Einzelbelege dafür, daß wirtschaftliche Unsicherheit Tendenzen zu politischer Radikalisierung, zumindest in Form latenter Bereitschaften, begünstigen kann. Siehe z. B. Martin Trow: Small Businessmen. Political Tolerance and Support for McCarthy, The American Journal of Sociology 64 (1958), S. 270–281; Maurice Zeitlin: Economic Insecurity and the Political Attitudes of Cuban Workers, American Sociological Review 31 (1966), S. 35–51.

den kann. Die Kommunikation reißt also nicht ab, sondern muß gerade intensiviert werden. Mit der Unabhängigkeit der Politik wächst auch ihre Abhängigkeit von der Gesellschaft – ein in den Diskussionen über die »Trennung von Staat und Gesellschaft« selten verstandenes Phänomen –, weil die Zahl der Alternativen zunimmt, über die mittels Einflußnahme entschieden werden muß.

Daher ist es eine zweite wesentliche Funktion des Wahlverfahrens, Alternativen zu formieren und offenzuhalten. Wahl als Verfahren zu institutionalisieren, wird in dem Maße sinnvoll, als es gelingt, in diesem Verfahren Gegensätze abzubilden und Konflikte zum Austrag zu bringen. Nur so können durch Systembildung neue Motivquellen erschlossen und generalisiert werden, während die konfliktslosen Einheits-»Wahlen« darauf angewiesen sind, daß die Motivation zur Teilnahme an einem Bekenntniszeremoniell schon vorher sichergestellt ist. Soll diese Offenheit gegensätzlicher Alternativen bis zum Ausgang der jeweiligen Wahl erhalten bleiben, müssen dem Wähler in den Kandidaten unterschiedliche Prämissen künftiger Entscheidungen präsentiert werden – sei es, daß die Kandidaten als individuelle Personen dem Wähler ein eigenes Profil zeigen und durchzusetzen in Aussicht stellen; sei es, daß sie sich mit verschiedenartigen Programmen identifizieren; sei es, daß sie verschiedenen Organisationen angehören, die sich voneinander abheben. Schließlich gehört in dieses Muster, daß jeder Wahlsieg nur vorläufige Bedeutung hat, daß Wahlen periodisch wiederholt werden, so daß die Unterliegenden ihre Hoffnung nicht begraben, sondern nur aufschieben müssen. Sie bleiben als Gegner erhalten.

Herstellung und Erhaltung unentschiedener, widerspruchsreicher Komplexität ist eine äußerst schwierige soziale Leistung, da soziale Systeme ebenso wie psychische Systeme normalerweise zum sofortigen Abbau aller Unsicherheiten tendieren und die langfristigen Vorteile hoher Komplexität nicht sehen. Man darf deshalb nicht die Illusion hegen, daß dieses Problem durch die Zulassung mehrerer Parteien und konkurrierender Listen allein gelöst werden könnte. Gerade Konkurrenz um dasselbe – nämlich um Zugang zu bestimmten Entscheidungskompetenzen – führt zu einer Angleichung und nicht zu einer Differenzierung der Strategien und Programmangebote. Auch in Mehrparteiensystemen findet man deshalb nicht selten, daß der Wahlmechanismus keinerlei Konflikte absorbiert und der Wahlausgang nahezu folgenlos bleibt, weil weder Personen, noch Programme, noch Parteien sich zu differenzieren vermögen. Dem Verfahren gelingt es dann zwar, Ungewißheit zu erzeugen, aber die Ungewißheit bleibt vordergründig wie die künstlich organisierte Dramatik eines sportlichen Ereignisses. Mindestens in einer Hinsicht mißlingt dann auch die Ausdifferenzierung des politischen Systems, nämlich durch Verquickung von Politik und Unterhaltung.

Jeder Versuch, durch den Wahlmechanismus allein die Komplexität des politischen Systems zu garantieren und in der Wahl selbst zur Entscheidung zu bringen, führt in ein unausweichliches Dilemma:

Einerseits muß vermieden werden, daß kompakte Konfliktsfronten, die in der Gesellschaft durchgehend dominieren, einfach in das politische System hinein verlängert werden. Wenn Katholiken und Protestanten, Arbeiter und Kapitalisten, Schwarze und Weiße schon in allen Rollen gegeneinanderstehen[13], kann ihrem Konflikt nicht auch noch politisch Ausdruck gegeben werden. Das würde den politisch manipulierbaren Konflikt überschärfen und die gesellschaftlichen Gegensätze so versteifen, daß die Bürgerkriegsgefahr akut wird. Deshalb sind gesellschaftlich vielfältig gebrochene Konfliktsfronten Voraussetzung für eine unschädliche Politisierung gesellschaftlicher Konflikte. Nur wenn die Gesellschaft schon hinreichend komplex ist, kann ihr politisches System eigene Komplexität gewinnen.

Andererseits sind unter eben dieser Voraussetzung die gesellschaftlichen Konfliktsthemen so zahlreich und die Bedingungen für politische Unterstützung so fluktuierend, daß die Interessen-

13 Diese Lage wird mit einem aus der niederländischen Soziologie stammenden Ausdruck oft »Versäulung« der Gesellschaft genannt. Vgl. Georg Geismann: Politische Struktur und Regierungssystem in den Niederlanden, Frankfurt/Main–Bonn 1964, S. 85 ff., auf Grund von J. F. Kruijt: Verzuiling, Zaandijk 1959. Zum Problem selbst siehe auch Seymour M. Lipset: Soziologie der Demokratie, dt. Übers., Neuwied–Berlin 1962, S. 18 f., 77 ff. Einen ähnlichen Sachverhalt umschreibt der Begriff »isolative political culture« bei Gabriel Almond/Sidney Verba: The Civic Culture. Political Attitudes and Democracy in Five Nations, Princeton N. J. 1963.

konstellationen in den Wahlen nicht mehr zum Ausdruck gebracht werden können. Es muß typisch, nicht nur zufällig, damit gerechnet werden, daß entgegengesetzte Interessen den gleichen Kandidaten stützen und gleiche Interessen entgegengesetzte Kandidaten. Die wirklich motivierenden Interessen lassen sich nicht mehr auf eine oder einige wenige programmatische Alternativen zuspitzen, sondern werden in den Parteien durch interne Prozesse der Vorselektion und Entschärfung amalgamiert und nur noch in Form eines idealen, jedem gefälligen Programms vor den Wähler gebracht. Das Verfahren der politischen Wahl eignet sich demnach kaum dazu, wesentliche gesellschaftliche Konflikte durch »das Volk selbst« entscheiden zu lassen[14]. Aber es eignet sich dazu, diese Konflikte in das politische System hinein- statt aus ihm herauszuleiten. Es muß als erste Stufe eines gestaffelten Prozesses der Absorption von Konflikten begriffen werden.

Denn wo nur Wahlgewinne zu legitimer Macht führen und Wahlverluste Macht kosten, müssen die Parteien sich den offenen, auf Entscheidung drängenden gesellschaftlichen Konflikten stellen. Sie müssen, wenn nicht in, so vor oder nach der Wahl, Wege suchen, divergierende Forderungen miteinander zu versöhnen, nacheinander zu befriedigen, umzuformen oder ins politisch Irrelevante abzuleiten – sei es durch parteiinterne Selektions- und Ausgleichsprozesse, sei es durch zwischenparteiliche Koalitionsverhandlungen. Auch für solche Arbeit an Konflikten ist die durch das Wahlverfahren erzeugte Ungewißheit wesentlicher, unwegdenkbarer Antriebsfaktor (wenngleich die Arbeit selbst natürlich nicht »im Verfahren« stattfindet). Für sie dient nämlich die ungewisse Erhaltung und Mehrung von Wählerstimmen als oberstes Ziel und letztes Entscheidungskriterium[15]. Dieses Ziel fungiert gleichsam als handlich-operationale Ersatzformel für die volle politische Komplexität, die nicht direkt zu fassen und abzuarbeiten ist. In dieser sekundären, abgeleiteten Fassung können politische Probleme trotz hoher Komplexität

14 Das ist im übrigen einer der Gründe, aus denen es keine Herrschaft der Majorität geben kann, sondern nur, wie Dahl, a. a. O., S. 132, treffend formuliert, Herrschaft von Minoritäten.

15 Die bekannteste Ausarbeitung dieses Entscheidungsprinzips ist Anthony Downs: An Economic Theory of Democracy, New York 1957.

taktisch-rational bearbeitet und in Entscheidungen umgesetzt werden. Das Wahlverfahren regelt diese Arbeit nicht, aber es institutionalisiert ihre Ziele einschließlich gewisser Nebenbedingungen[16]. Eine Folgerung aus dieser Analyse wäre die Forderung nach höherer Publizität und Zugänglichkeit parteiinterner Konflikte und Entscheidungsprozesse.

Die Stellung der politischen Wahl außerhalb des eigentlichen Managens der Interessen deutet auf eine funktionale Innendifferenzierung des politischen Systems hin, die durch das Wahlverfahren miterzeugt wird. Damit kommen wir nach Erörterung der Ausdifferenzierung und der eigenen Komplexität des Wahlverfahrens zu einem dritten Strukturmerkmal: daß Systeme bei starker Ausdifferenzierung und hoher Eigenkomplexität sich auch intern differenzieren und für spezifische Funktionen wie Rekrutierung und Unterstützung spezifische Institutionen bereitstellen müssen. Durch die Institution der politischen Wahl werden die Prozesse der Rekrutierung und der Gewährung bzw. Versagung politischer Unterstützung einerseits von denen der Interessendarstellung und der Anmeldung von Forderungen andererseits getrennt – eine Einrichtung, die entscheidend zur Bildung autonomer legitimer Macht im politischen System beiträgt[17]. Diese Absonderung der politischen Wahl von der unmittelbaren Interessendurchsetzung absorbiert Konflikte dadurch, daß in der Wahl zunächst nur Stellen und Kompetenzen, nicht aber zugleich auch Bedarfsbefriedigungen verteilt werden.

Die politische Wahl eignet sich nicht für den Ausdruck kon-

16 Zu beachten ist, daß dazu eine Umkehrung der normal geltenden Wertbeziehungen erforderlich ist, da die Parteien der allgemeinen gesellschaftlichen Wertung entgegen nicht Wählerstimmen um bestimmter Programme willen suchen, sondern die Programme um des Wahlgewinns willen auswählen. Solch eine Pervertierung der allgemeinen Moral setzt ihrerseits ein hohes Maß an Ausdifferenzierung des politischen Systems auf normativer und rollenmäßiger Ebene voraus, denn anders könnte die Politik den schlechten Ruf, den solches Abweichen ihr einträgt, nicht ertragen.

17 Möglichkeiten einer Ausarbeitung dieses Gedankens haben sich vor allem bei der Anwendung des Input/Output-Modells auf politische Systeme ergeben. Zur Trennung von »supports« und »demands« als verschiedener »input functions« vgl. namentlich David Easton: A Systems Analysis of Political Life, New York–London–Sydney 1965, S. 37 ff., und jetzt auch Gabriel Almond: A Developmental Approach to Political Systems, World Politics 17 (1965), S. 183–214.

kreter Interessen, sowenig wie für die Entscheidung konkreter Konflikte. Der in ihr zugelassene Kommunikationsakt ist beschränkt auf die Abgabe der Stimme für einen Kandidaten bzw. eine Liste, also auf das Mitbewirken einer Rollenbesetzung und auf den Ausdruck politischer Unterstützung in hochgeneralisierter Form. Die Motive für diese Entscheidung können durchaus dem Interessenbereich entnommen werden. Die Kommunikation zwischen Interessensphäre und politischer Unterstützung ist also keineswegs unterbunden. Sie wird sogar angeregt, aber sie durchläuft eine Reihe von Filtern mit dem Ergebnis, daß nur eine sehr abstrakte Kommunikation zustande kommt und die Gewählten nicht mehr an spezifische Interessen gebunden sind[18]. Wohlgemerkt fehlt nicht nur die rechtliche Bindung an ein »imperatives Mandat«, das eine korporative Organisation der Wählerschaft voraussetzen würde[19], sondern auch die Erkennbarkeit der konstituierenden Interessen. Entsprechend ungewiß ist die Kalkulation der Wiederwahlchancen. Der Politiker wird so in die Entscheidungsfreiheit gezwungen. Die Unbestimmtheit seiner Entscheidungssituation wird zur Erhaltung der Komplexität des politischen Systems im Wahlverfahren strukturell erzeugt und muß dann in anderen Rollenbeziehungen und Kommunikationskanälen kleingearbeitet werden. Sie verweist den Gewählten auf Kontakte mit den Sprechern wichtiger, stimmreicher Interessen und auf Beachtung von »Symptomen« des mutmaßlichen Wählerwillens wie etwa Nachwahlen, Lokalwahlen, Presseäußerungen, Meinungserhebungen. All das sind Orientierungshilfen, die zwar Struktur geben, aber die Last der Entscheidung nicht aufheben, sondern nur ins Tragbare abmildern. Ein konkreter Tausch von Interessenförderung gegen politische Unterstützung

18 Zu diesem »funnel of causality« vgl. Angus Campbell/Philip E. Converse/Warren E. Miller/Donald E. Stokes: The American Voter, New York 1960, S. 24 ff., und die Interpretation als Generalisierung politischer Unterstützung bei Talcott Parsons: »Voting« and the Equilibrium of the American Political System. In: Eugene Burdick/Arthur J. Brodbeck (Hrsg.): American Voting Behavior, Glencoe Ill. 1959, S. 80–120.

19 Daß selbst dann ein imperatives Mandat problematisch, weil mit der notwendigen Generalisierung politischer Unterstützung unvereinbar, ist, zeigt einleuchtend Christoph Müller: Das imperative und das freie Mandat. Überlegungen zur Lehre von der Repräsentation des Volkes, Leiden 1966.

in der Wahl ist unter diesen Umständen nicht möglich, zumindest sehr erschwert[20].

Eine solche strukturelle Trennung des Unterstützens und Forderns durch Aufteilung auf verschiedene Rollen und Kommunikationswege führt mithin dazu, daß eine unmittelbare, wechselseitig immobilisierende Bindung unterstützender und befriedigender Handlungen vermieden und ein relativ autonomer Entscheidungsbereich geschaffen wird durch ein stark generalisiertes Tauschverhältnis, nämlich durch global gewährte Unterstützung gegen Befriedigung im großen und ganzen[21]. Aus der Sicht des Publikums erscheint diese Rollendifferenzierung als Doppelung der Kontaktbahnen zur Politik. Dem einzelnen werden zwei Wege offen gehalten: Auf dem einen, dem des Wählers, hat er garantierten, wenn auch minimalen und nicht ausbaufähigen Einfluß auf die Politik, ohne jedoch seine spezifischen Interessen ausreichend fördern zu können. Auf dem anderen, über persönliche Kontakte und Interventionen, Leserbriefe oder sonstige Publikationen, Petitionen, Interessenverbände, Demonstrationen usw. kann er seine Interessen darstellen und durch Aufwendung von Zeit und Kosten verstärkt fördern, aber er muß die Entscheidung anderen überlassen. Beides sind Einflußarten, die sich noch von der Rolle des Entscheidungsempfängers unterscheiden. Diese Aufgliederung sticht auffällig ab von der alten

20 Das zeigt sich zum Beispiel daran, daß die Interessenverbände kaum in der Lage sind, ihre Forderungen effektiv durch Wählerverhalten zu sanktionieren. »When pressure group spokesmen threaten reprisal at the polls, as one unwisely does now and then, they are usually pointing an unloaded gun at the legislator«, bemerkt V. O. Key Jr.: Public Opinion and American Democracy, New York 1961, S. 522. Zum gleichen Thema siehe auch Lester W. Milbrath: Lobbying as a Communication Process, Public Opinion Quarterly 24 (1960), S. 32–53. Vgl. auch ders.: The Washington Lobbyist, Chicago 1963, und ferner Raymond A. Bauer/Ithiel de Sola Pool/Lewis Anthony Dexter: American Business and Public Policy. The Politics of Foreign Trade, New York 1963, S. 433 ff.

21 Daß in einem so konstituierten politischen Entscheidungskontext dann zur Reduktion der verbleibenden Komplexität sehr handfeste Abmachungen getroffen werden, besonders in Fällen, in denen die Wahl allein nicht ausreichende politische Unterstützung beschafft, steht auf einem anderen Blatt. Solche Geschäfte müssen jedoch in Relation zum Wahlmechanismus gesehen werden. Die Flexibilität des politischen Systems kann nur gewahrt werden, wenn der Wahlmechanismus eine normalerweise ausreichende politische Unterstützung gewährt und nicht darüber hinaus noch für jede Entscheidung die Zustimmung der Militärs, der Kirche, der Großindustrie usw. eingeholt werden muß.

hierarchischen und funktionaldiffusen Einheitsbeziehung zwischen Obrigkeit und Untertan. Worin liegt da der Fortschritt und was ist damit für die Legitimität staatlichen Entscheidens gewonnen?

Drei Stadien der Behandlung dieses Problems lassen sich unterscheiden: Die naturrechtlichen Staatstheorien, die noch jene undifferenzierte Beziehung von Obrigkeit und Untertan und deshalb eine undifferenzierte Einheit der Themen vor Augen hatten, konnten sich wahre Rechtsgesetze nur kraft Zustimmung aller Betroffenen vorstellen[22] (und waren dann genötigt, die Zustimmung der Nichtzustimmenden zu fingieren)[23]. Demgegenüber ist die heute in der demokratischen Politik vorherrschende Erwartung eines Tausches von Anerkennung gegen Einfluß realistischer, aber eben deshalb auch empirisch zu widerlegen. Schon bei der Behandlung von Einzelverfahren der Rechtsanwendung hatten wir Zweifel bekommen, wieweit solche Hoffnungen auf Partizipation gerechtfertigt sind. Erst recht gilt das hier. Die These verkennt das Wesentliche: die Komplexität der Vermittlung zwischen dem konzedierten Einfluß und der zu akzeptierenden Entscheidung. Diese Vermittlung ist so umweghaft und so uneinsehbar, daß ein Zusammenhang emotional nicht herstellbar und rational nicht kalkulierbar ist. Warum sollte ein vernünftiger Mensch deswegen seinen Wagen zum TÜV fahren, deswegen auf einen geplanten Hausbau verzichten, deswegen sich impfen lassen, Steuern zahlen usw., weil er hin und wieder einen Stimmzettel ankreuzen darf?

Legitimität kann nicht mehr als ein konsentiertes Rechtsverhältnis, aber auch nicht als Sache individueller Nutzenkalkulation angesehen werden; und selbst eine Auffassung, die auf individuelles Wertgefühl oder auf persönlich »internalisierte« soziale Überzeugungen abstellte, träfe nicht das Wesentliche[24]. Psychische Mechanismen dieser Art werden bei sehr hoher Komplexität und

22 Siehe statt anderer Immanuel Kant: Metaphysik der Sitten. T. 1: Metaphysische Anfangsgründe der Rechtslehre, § 46 (zit. nach der Ausgabe der Philosophischen Bibliothek, Leipzig 1870, S. 152 ff.).

23 »L'absurdité de la conséquence«, kommentiert Guizot: Histoire des origines du gouvernement représentatif en Europe, Bd. 1, Brüssel 1851, S. 80, »n'a pas toujours fait abandonner le principe, mais elle l'a toujours fait violer.«

24 Vgl. dazu bereits oben S. 117 ff.

Variabilität der Sozialordnung unzuverlässig. Eine soziologische Theorie der Legitimierung durch politische Wahl wird viel stärker als die bisherige empirische Wahlforschung Systemstrukturen für ausschlaggebend halten und Legitimität dem sozialen System, nicht der individuellen Erlebnisverarbeitung zurechnen[25].

Auffälligstes Merkmal dieser durch das Wahlverfahren mitkonstituierten Ordnung des politischen Verhaltens ist ihre starke Rollendifferenzierung, und wichtigster Effekt dieser Differenzierung ist die *psychische Vermittlung* der Entscheidung des Wählers[26]. Dadurch wird eine Situation geschaffen, die den Einfluß gesellschaftlicher Strukturen auf das politische System neutralisiert, zumindest zersplittert. Daß Erfahrungen des einzelnen mit dem politischen System oder in anderen Rollenbereichen der Gesellschaft in das politische System zurückfließen, indem sie die Entscheidungen vieler einzelner Wähler motivieren, ist damit nicht ausgeschlossen; aber jeder einzelne wird durch eine Vielzahl von Rollen, die ihm politisch auswertbare Erfahrungen zuspielen, gleichsam überdeterminiert und dadurch frei zu wählen. Ob er als Katholik oder als Bergarbeiter wählt oder seiner Verärgerung über bestimmte Entscheidungen der an der Macht befindlichen Gruppe Ausdruck gibt und ob er dabei mehr auf außenpolitische Blamagen oder auf wirtschaftspolitische Fehlschläge reagiert, ob er in seinen politischen Präferenzen eine Familientradition fortführt oder in Auflehnung gegen sie handelt oder durch entsprechende Wahlpropaganda beeindruckt ist oder seinen am Stammtisch gewonnenen »Standpunkt« in die Tat

25 Die reich fließende sozialpsychologische Forschung über Wählerverhalten hat soziale Strukturen wie Unterschiede des sozialen Status, der Erziehung, des Berufs, der Rasse, der wirtschaftlichen Lage natürlich nicht übersehen, aber sie hat sie nicht als Systemstrukturen betrachtet. Ihr Blickpunkt ist durch die Frage nach den determinierenden Faktoren eines einfach strukturierten (und darum forschungsgünstigen) individuellen Entscheidungsverhaltens festgelegt mit dem praktischen Ziel, Entscheidungen des Wählers vorhersagen zu können. Als immer noch beste Darstellung siehe Robert E. Lane: Political Life. Why People Get Involved in Politics, Glencoe Ill. 1959, und als neueren Überblick sowie für weitere Literaturhinweise: Nils Diederich: Empirische Wahlforschung. Konzeptionen und Methoden im internationalen Vergleich, Köln 1965.

26 Dieses Phänomen wird übrigens gerade durch die in der vorigen Anmerkung erwähnte Wahlforschung bestätigt, obwohl deren Hauptinteresse ganz entgegengesetzt auf Entdeckung sozialer Abhängigkeiten gerichtet ist.

umsetzt – das steht ihm frei. Es gibt mehr Gründe als Entscheidungsmöglichkeiten, so daß ein Filterprozeß unvermeidlich wird. Darin liegt der Anteil des Wählers an der Reduktion politischer Komplexität. Für das politische System liegt in dieser Überdetermination eine gewisse Zufälligkeit.

Ebenso wichtig ist, daß diese Reduktionsleistung in einer spezifischen *Rolle* erfolgt, deren Ausführung *für das Leben im übrigen so gut wie folgenlos ist*[27]. Diese Folgenlosigkeit ist Voraussetzung dafür, daß das Handeln der Beteiligten *trotz hoher Komplexität und Unübersichtlichkeit der Entscheidungssituationen* auf eine Rolle gebracht und nicht etwa nur, wie im Falle der Gesetzgebung, über abstrakte Werte und symbolische Identifikationen mit dem Verfahren integriert werden kann. Das Handeln als Wähler braucht deshalb nicht verantwortet zu werden. Es erlaubt keine Rückschlüsse darüber, wer der Wähler sonst ist – ob ein guter Vater und Ehemann, ein versierter Geschäftsmann, ein rücksichtsvoller Nachbar, ein unterhaltsamer Gast. Das Handeln in der Wahl kann, wenn dies so ist, in anderen Rollenzusammenhängen auch nicht mehr Gegenstand ernsthafter Konflikte sein. Es wird auch insofern freigestellt[28]. Um so mehr kann es nun

27 Mit dieser Feststellung unterscheidet sich die hier vorgetragene Konzeption wesentlich vor der bekannten, etwa von Tocqueville prominent vertretenen Auffassung, daß im modernen Staatswesen der einzelne als konkretes Individuum der zunehmend zentralisierten Staatsgewalt unmittelbar gegenübertrete. Das gerade ist, wenn man auf die Rollenstrukturen achtet, nicht der Fall. Vielmehr liegt nur eine neue Art der Vermittlung vor: die Vermittlung durch eine Mehrzahl von eigenen Rollen als Wähler, Steuerzahler, Zeitungsleser, Interessent, Kläger usw., mit denen man dem politischen System angehört nach Maßgabe der system- und verfahrensmäßigen Differenzierung dieses Systems. Nicht die konkrete Individualität, sondern gerade umgekehrt die Aufteilbarkeit des Handelns des einzelnen auf sehr verschiedene Rollen unter sehr geringen Konsistenzanforderungen führt zur Mobilisierung des politischen Systems. Die individuelle Persönlichkeit hat daher auch nicht als Prinzip der Konsistenz des eigenen Handelns eine Funktion (so wie zum Beispiel in der Familie), sondern nur als individuell-verschiedener Mechanismus der Erlebnisverarbeitung, der die Einwirkung anderer gesellschaftlicher Systeme auf das politische System auf mannigfache Weise bricht.

28 Vgl. hierzu Erwin K. Scheuch: Die Sichtbarkeit politischer Einstellungen im alltäglichen Verhalten. In: Erwin K. Scheuch/Rudolf Wildenmann (Hrsg.): Zur Soziologie der Wahl, Sonderheft 9 der Kölner Zeitschrift für Soziologie und Sozialpsychologie, Köln–Opladen 1965, S. 169–214. Scheuch selbst erklärt die geringe Sichtbarkeit politischer Einstellungen im täglichen Leben als Folge einer allgemeinen Verhaltensstrategie bei Konsensunsicherheit, die in scheinbarem Konsens eine Art modus vivendi sucht; es sei dies keine Folge der funktionalen Ver-

Gegenstand immanenter Beeinflussung im politischen Leben selbst werden.

Auf diese Weise wird die periodisch wiederholte Wahl zu einem Verfahren, in dem das politische System *sich an seiner eigenen Geschichte orientieren kann.* Es kann lernen, auf sich selbst und seine Wirkungen in der Gesellschaft zu reagieren. Gerade die überkomplexe, undurchsichtige Situation der Wahl legt es dem Wähler nahe, seinen Strukturbedarf durch Geschichte (und nicht etwa durch Planung) zu befriedigen, also die im System selbst geschaffene Geschichte zur Reduktion der Komplexität zu benutzen. Der Wähler reagiert, da er nicht weiß, wie die zu Wählenden handeln werden, darauf, wie früher Gewählte gehandelt haben. Die Wahl wird dann zu einem Mechanismus, durch den das politische System sich selbst sanktioniert und politisch-administratives Entscheiden der Vergangenheit entweder bestätigt oder verwirft.

Gleichwohl bleibt das Wählerverhalten, da die Geschichte die Zukunft nicht determiniert, beeinflußbar. Die Zufälligkeit der Wählerentscheidung kann auch durch Aktivität der Politiker reduziert werden, die in ihren Einflußversuchen Kritik und Versprechungen, Geschichtsorientierung und Planung verbinden. Beeinflußbare, reduktionsbedürftige Zufälligkeit in diesem Sinne dürfte ein Strukturmoment sein, das für die Erhaltung hoher Komplexität und Autonomie des politischen Systems große Bedeutung besitzt. Daß damit Risiken übernommen werden müssen, die denen der Positivierung des Rechts nicht nachstehen, liegt auf der Hand[29]. Diese Risiken sind im Grunde Gefahren des Verlustes an Komplexität, der Rückkehr zu drastisch vereinfachenden Formen der Erlebnisverarbeitung und des Verhaltens, zu kategorisch-exklusiven Klassifikationen und letztlich zu offenem Kampf. Ihnen kann vor allem durch Verteilung der Kom-

selbständigung des politischen Systems. Wie könnte man aber im täglichen Leben politische Einstellungen ignorieren oder tolerieren, wenn das politische System nicht ausdifferenziert wäre? Scheinkonsens bildet einen modus vivendi nur, wenn und solange er nicht auf die Probe gestellt werden muß.

29 Vgl. dazu Neil J. Smelser: Theory of Collective Behavior, New York 1963, S. 180 ff., über die strukturellen Vorbedingungen politischer »crazes«, und speziell für Entwicklungsländer Samuel P. Huntington: Political Development and Political Decay, World Politics 17 (1965), S. 386–430.

plexität im System entgegengewirkt werden. Das geschieht, indem Entscheidungssituationen rollenmäßig differenziert, durch unterschiedliche Ziele, unterschiedliche Prämissen und offene Möglichkeiten strukturiert und dadurch verbunden werden, daß für alle die Fortsetzung des Systems Entscheidungsbedingung bleibt.

Sieht man die Rolle des Wählers im Verfahren der politischen Wahl als Bestandteil einer so differenzierten Struktur, wird offensichtlich, daß sie nicht allein Quelle der Legitimität sein kann. Eine Umstrukturierung von Erwartungen, und das ist unser Begriff von Legitimität, kann nicht allein dadurch zustande kommen, daß der Enttäuschte als Wähler am System beteiligt wird. Und doch schafft das Verfahren der Wahl gewisse Voraussetzungen und Teilleistungen für den Prozeß der Selbstlegitimation des politischen Systems, den wir untersuchen. Solche Beiträge lassen sich – mit all den Unsicherheiten, die im gegenwärtigen Stand der empirischen Forschung begründet sind – vor allem in zwei Richtungen vermuten:

Die politische Wahl bietet eine Gelegenheit für den Ausdruck von Unzufriedenheit ohne Strukturgefährdung, also für expressives Handeln, das entlastend wirkt. Sie gehört insofern zu den Mechanismen der Absorption von Protesten, ähnlich wie die Gerichtsverfahren diese Funktion miterfüllen[30]. Die expressive Funktion des Wählerverhaltens für den einzelnen hängt nicht davon ab, daß der, den man aus Protest wählt, wirklich ins Amt kommt und Entscheidungen beeinflussen kann. Schon die Abreaktion kann befriedigen, und im übrigen haben bereits die Stimmzahlen Ausdruckswert und finden als »Symptom« für Veränderungen des Wählerwillens im politischen System Beachtung[31].

Neben dieser Enttäuschungen ausbalancierenden Funktion er-

30 Vgl. oben S. 116 f.

31 Ein gutes Beispiel dafür ist die empfindliche Reaktion auf die Wahlerfolge neunationaler Parteien in der Bundesrepublik. Für aussichtslose, zum Beispiel radikale Parteien zu stimmen kann im übrigen auch eine nicht nur expressive, sondern durchaus rationale Mitteilung an das politische System sein, etwa im Sinne einer Warnung, daß nicht genug Alternativen erzeugt werden. So zu stimmen, fällt gerade dann leicht, wenn man sicher sein kann, daß die gewählte Partei *nicht* an die Macht kommt. Vgl. zu diesem Thema auch Lane, a. a. O. (1959), S. 309.

möglicht das Wahlverfahren durch seine den einzelnen isolierende Trennfunktion eine Art negatives Vertrauen: Jeder kann damit rechnen, daß die anderen als Wähler in der gleichen Lage sind wie er, wenn sie auch andere Orientierungshilfen und andere psychische Mechanismen verwenden als er, um zu einer Entscheidung zu kommen; sie sind jedenfalls nicht durch ihre anderen Rollen begünstigt. Der Wahlmechanismus vermittelt als solcher keine sozialen Ungleichheiten in das politische System[32]. Er bewirkt natürlich keine Demokratie im Sinne eines gleichen Herrschaftsanteils aller, aber er gibt dem Gleichheitsprinzip einen prominenten Platz an der Basis des Prozesses politischer Rekrutierung. Das führt dazu, daß alle Ungleichheiten sekundär in das System hineinkommen, daß sie nicht in strukturellen Verflechtungen mit der Gesellschaft verankert sind, sondern auf Informations- und Entscheidungsprozessen beruhen, die rechenschaftspflichtig gemacht, kontrolliert und geändert werden können.

Ein so rekrutiertes System hat die Möglichkeit, auch in den sachlichen Entscheidungsverfahren der Rechtsetzung und der Rechtsanwendung das Gleichheitsprinzip anzuwenden, das heißt eine Begründung aller Ungleichheiten zu verlangen. Es kann dann »ohne Ansehen der Person«, das heißt ohne Rücksicht auf persönliche Beziehungen oder eigene andere Rollen des Entscheidenden, nach universellen, funktional spezifisch ausgewählten Kriterien entscheiden[33]. Daß dies effektiv geschieht, kann durch

32 Daß statushöhere, besser erzogene, vermögendere, in der Stadt wohnende Gesellschaftsschichten durchweg eine höhere Wahlbeteiligungsquote aufweisen, dürfte kein wesentlicher Orientierungsfaktor in der Politik sein und im übrigen jenes negative Vertrauen nicht behindern, da ja jeder zur Wahl gehen kann, wenn er Mißtrauen faßt.

33 Übrigens gilt auch die umgekehrte Beziehung, und geschichtlich gesehen ist sie vermutlich die wirksamere gewesen: Nur wenn das politische System ein rein sachliches Entscheiden nach universell angewandten Kriterien garantieren kann, können die gesellschaftlich herrschenden Kreise auf Besetzung der wichtigsten Positionen mit ihren Vettern verzichten, den Rekrutierungsprozeß der Wahl bzw. der bürokratisch-fachlichen Personalauslese überlassen und lediglich von gegenüberstehenden Rollen aus Einfluß üben. Insofern ist die begriffliche und entscheidungstechnische Entwicklung des abendländischen Rechts eine wesentliche Vorbedingung der modernen Demokratie gewesen. Ob der Einfluß aus unpolitischen Statuspositionen damit zunimmt oder abnimmt, ist eine schwer zu entscheidende Frage. Die Veränderung liegt darin, daß er jetzt über Kommunikationen geleitet, also expliziert werden muß, während er vordem aus der Bewußtseinslage der Entscheidenden heraus sich von selbst verstand.

Wahlen allein natürlich nicht sichergestellt werden. Neben den Umweltvoraussetzungen, die erfüllt sein müssen, sollen Wahlen nicht zur Farce werden, müssen im politischen System die Verfahren der Ausarbeitung von Entscheidungsprogrammen die Möglichkeiten aufgreifen und verwirklichen, die durch das Verfahren der politischen Wahl geboten werden. Denn allein die Form der Rekrutierung des entscheidenden Organs bietet noch keine Gewähr für die enttäuschungsfeste Legitimität seiner Entscheidungen selbst.

Die Funktion des Verfahrens der politischen Wahl (im Unterschied zu anderen Formen der Rekrutierung) liegt nach alldem nicht genau in der Richtung der offiziellen Zielangabe, die besten Repräsentanten des Volkes für politische Ämter auszulesen. Die Wahl leistet an kritischer Stelle einen Beitrag zur Ausdifferenzierung des politischen Systems. Sie beschafft dem politischen System hohe Komplexität und strukturelle Unbestimmtheit, vor allem eine gewisse Unberechenbarkeit der Entscheidungslagen als Anreiz für die systeminterne Konstruktion und Eliminierung von Alternativen. Das politische System kann sich so zahlreichen und rasch fluktuierenden Bedürfnissen der Gesellschaft besser anpassen. Die Wahl zwingt außerdem den einzelnen, eine Vielzahl möglicher Entscheidungsmotive selbst zu eliminieren (oder in anderen Rollen als bloßes Interesse zu spezifizieren), und entlastet damit das politische System von direkter Bindung an andere gesellschaftliche Rollen. Sie dient schließlich der Absorption von Protesten. Eine ungewöhnlich hohe operative Autonomie des politischen Systems ist die Folge. Daß dessen Entscheidungen durchgehend Zustimmung finden, kann durch Veranstaltung von Wahlen allein kaum gewährleistet werden, aber ein durch Wahlen gebildetes politisches System kann so viel Alternativen erlangen, daß es sich in seinen selektiven Entscheidungsverfahren selbst legitimieren kann.

4. Gesetzgebung

Daß das parlamentarische Verfahren sich zur Ausarbeitung von Gesetzen nicht eignet, wußte bereits der praktisch erfahrene jüngere Mill[1]. Daß mit der öffentlichen, Wahrheit suchenden Diskussion »Geist« und »Substanz« aus dieser Institution gewichen seien, hat Carl Schmitt plausibel zu machen versucht[2]. Keines der hier behandelten Verfahren hat so scharfe Kritik über sich ergehen lassen müssen wie die parlamentarische Gesetzgebung. Beobachter dieses Verfahrens sind sich im allgemeinen darüber einig, daß die eigentlichen Entscheidungen nicht im parlamentarischen Verfahren fallen, sondern durch Abmachungen zwischen politisch relevanten Kräften außerhalb des förmlichen Verfahrens zustande kommen. Das Verfahren ist also nicht der eigentliche Entscheidungsprozeß. Aber ist das ein Einwand gegen das Verfahren?

Es hat den Anschein, daß die Kritik des Parlamentarismus von einer falschen Erwartung, von einer Gleichsetzung von Entscheidungsprozeß und Verfahren ausgegangen ist. Wie wir im nächsten Teil bei der Behandlung des Verwaltungsverfahrens noch eingehender begründen werden, ist diese Gleichsetzung ohnehin verfehlt. Wir hatten schon gesehen, daß ein Verfahren nicht als Ritual, nicht als festgelegte Folge bestimmter Schritte begriffen werden kann. Die moderne Entscheidungstheorie macht es vollends unmöglich, Verfahren und Entscheidungsprozeß zu identifizieren. Das Verfahren müßte sonst einem Computerprogramm gleichen, die Zeitfolge der Entscheidungsschritte in einem festen Bedingungsverhältnis regeln; das aber hieße die Trennung von

1 Vgl. John St. Mill: Representative Government, ch. v (zit. nach der Ausgabe der Everyman's Library, London–New York 1953, S. 235 ff.). Das Thema hört indes nicht auf, die Gemüter zu erregen. So als Beispiel aus einer jüngeren Generation Walter Euchner: Zur Lage des Parlamentarismus, und Hans Joachim Blanck/Joachim Hirsch: Zum Verhältnis von Verwaltung und Gesetzgebungsprozeß, beides in: Gert Schäfer/Carl Nedelmann: Der CDU-Staat. Studien zur Verfassungswirklichkeit der Bundesrepublik, München 1967, S. 63–79 und 80–99.

2 Vgl. Carl Schmitt: Die geistesgeschichtliche Lage des heutigen Parlamentarismus, 3. Aufl., Berlin 1961.

materiellem Recht und Verfahrensrecht aufheben. Selbst die Prozeßordnungen der Gerichte regeln nicht den selektiven Prozeß des Erzeugens und Ausscheidens anderer Möglichkeiten, nicht die eigentliche Herstellung der Entscheidung, sondern allenfalls die Darstellung der Herstellung der Entscheidung[3]. Erst wenn man diese Verquickung auflöst und den Selektionsprozeß der Informationsverarbeitung begrifflich von dem Sozialsystem des Verfahrens trennt, kann man präzise nach der Funktion des Verfahrens fragen und untersuchen, wieweit Verfahrenssysteme den Entscheidungsprozeß beeinflussen.

Um ein klares Bild zu gewinnen, muß man außerdem verschiedene Systemreferenzen auseinanderhalten: Das Verfahren der Gesetzgebung ist nicht identisch mit dem Entscheidungsorgan, dem auf Zeit gewählten Parlament. Es ist ebensowenig eine einzelne Sitzung und erst recht nicht der Komplex von Normen (Verfassung, Gesetzen, Geschäftsordnungen), die das Verfahren regeln. Das Verfahren ist vielmehr, unserem allgemeinen Modell entsprechend, das besondere System des Verhaltens, das mit einem bestimmten Einzelvorgang der Gesetzgebung befaßt ist und das Ziel verfolgt, ein Gesetz auszuarbeiten und in Kraft zu setzen. Das Verfahrensrecht regelt viele Verfahren, das Entscheidungsorgan behandelt viele Verfahren, und selbst in einer einzelnen Sitzung werden zumeist mehrere Verfahren nacheinander behandelt. In solchen Rahmensystemen ist denn auch sehr deutlich eine Vielfalt von Verfahren zu beobachten, die nacheinander die Aufmerksamkeit in Anspruch nehmen. Es wechselt dann jeweils das engere Bezugssystem des Verhaltens, das Thema ändert sich, es werden neue Akten auf die Tische gelegt, andere Personen werden zu prominenten Sprechern oder gewinnen Hintergrundrelevanz, Gegner und Förderer formieren sich neu, eine andere Vorgeschichte wird relevant, und die Rhetorik muß auf ein anderes Publikum umgestellt werden. Jedes Gesetzgebungsverfahren ist ein System für sich.

Die Differenz von beständig arbeitendem Gesamtsystem und

3 Darüber muß besonders dann Klarheit herrschen, wenn man an eine Automatisierung des Prozesses der Rechtsfindung denkt. Vgl. dazu auch Niklas Luhmann: Recht und Automation in der öffentlichen Verwaltung. Eine verwaltungswissenschaftliche Untersuchung, Berlin 1965, S. 49 ff.

einzelnen Verfahrenssystemen ist eine wichtige Voraussetzung dafür, daß Konflikt regulierbar wird. Auf diese Weise läßt sich gewährleisten, daß eine übergreifende Orientierung das Bewußtsein ständig begleitet und daß die Erhaltung dieses Gesamtsystems stets wichtiger bleibt als die Erledigung jeder einzelnen Auseinandersetzung. Diese Orientierung am umfassenden System gewinnt praktische Realität vor allem in der formalen Entscheidungsregel des Gesetzgebungsverfahrens: im *Mehrheitsprinzip*. Dessen Funktion bedarf daher zunächst der Klärung.

Die klassische Politologie stellt das Mehrheitsprinzip gern als eine Notlösung dar und begründet es damit, daß für einstimmiges Entscheiden leider kein ausreichender Konsens zu beschaffen sei[4]. Eine solche Charakterisierung von unerreichbaren Idealen her vermittelt aber wenig Aufschluß über den eigentlichen Sinn dieses Prinzips und die strukturellen Funktionsbedingungen, unter denen es operieren kann. Die positive Funktion des Mehrheitsprinzips liegt in einer Transformation politischer Macht. Ist das Mehrheitsprinzip als Entscheidungsregel institutionalisiert, muß alle politische Macht, bevor sie legitim entscheidungswirksam wird, sich dem Prinzip der *Machtsummenkonstanz* fügen[5]. Damit ist vorgegeben, daß nicht die Machtmenge, sondern nur die Machtverteilung im System geändert werden kann (hier: daß nicht die Zahl der Stimmen, sondern nur die Verteilung der Stimmen sich von Wahl zu Wahl bzw. von Gesetzgebungsverfahren zu Gesetzgebungsverfahren ändern kann)[6]. Diese Regel

4 Siehe statt anderer Robert A. Dahl: A Preface to Democratic Theory, Chicago 1956; Elias Berg: Democracy and the Majority Principle. A Study in Twelve Contemporary Political Theories, Kopenhagen 1965.

5 Die klassische Politologie hatte dieses Prinzip implizite für ein Wesensmerkmal von Macht überhaupt gehalten und nicht als ein sehr voraussetzungsreiches Sondermodell. Vgl. Niklas Luhmann: Klassische Theorie der Macht. Kritik ihrer Prämissen, Zeitschrift für Politik (im Druck). Schon aus diesem Grunde konnte sie kein angemessenes Verständnis für das Mehrheitsprinzip aufbringen.

6 Zur Möglichkeit spieltheoretischer Analyse entscheidender Systeme mit Hilfe dieser Prämisse vgl. L. S. Shapley/Martin Shubik: A Method for Evaluating the Distribution of Power in a Committee System, The American Political Science Review 48 (1954), S. 782–792; William H. Riker: A Test of the Adequacy of the Power Index, Behavioral Science 4 (1959), S. 120–131; ders.: The Theory of Political Coalitions, New Haven–London 1962. Ein sehr viel komplexeres Bild vermittelt James D. Barber: Power in Committees. An Experiment in the Governmental Process, Chicago 1966.

leistet eine künstliche Vereinfachung der Machtkalkulation, die unter sehr komplexen Verhältnissen (insbesondere solcher mit einer Vielzahl von Machtquellen) zur wesentlichen Grundlage rationalen Handelns wird. Der Konflikt wird durch eine solche Systemstruktur auf Dauer gestellt. Jeder Machtverlust (Stimmenverlust) führt eo ipso zum entsprechenden Machtzuwachs beim Gegner und umgekehrt. Außerdem sind die Machtrelationen eindeutig quantifiziert und dadurch übersehbar. Man kann daher das Ergebnis einer kontroversen Auseinandersetzung im voraus kennen und einkalkulieren. Es gibt kaum Ungewißheit des Kampfausganges, und das ermöglicht ein rationales Nachgeben in Vorverhandlungen – insbesondere ein Nachgeben durch Vertreter, das den Vertretenen gegenüber begründet werden kann. Die damit erreichbare Kalkulationshilfe bezieht sich allerdings lediglich auf die Machtlage als solche und auf Rückwirkungen von Ereignissen auf eine Veränderung der Machtlage, nicht auch auf die sachliche Thematik der jeweiligen Entscheidung, und sie trägt deshalb zur Rationalisierung des Entscheidungsprozesses, also auch zum einzelnen Gesetzgebungsverfahren, wenig bei.

Über die systemstrukturellen Prämissen einer solchen Bindung von Macht an Summenkonstanz wissen wir theoretisch wie empirisch so gut wie nichts. So viel ist zwar sicher, daß sie sich nicht aus dem Wesen der Macht heraus von selbst versteht, sondern erst künstlich geschaffen werden muß. Die Grundlage dafür bietet das Verfahren der politischen Wahl. Nur dadurch, daß die Wahl auf die Rekrutierung einer fest definierten (und nicht etwa vom politischen Eifer, der Intensität der Bemühung oder unpolitischen Mitteln abhängigen) Zahl von Stellen bezogen wird, kann formale politische Macht unter das Mehrheitsprinzip gebeugt werden. Nur weil die Stimmabgabe bei der Wahl in ihrem Effekt unter eine eindeutige Entweder/Oder-Bedingung gestellt ist – entweder kommt der Kandidat ins Amt oder nicht –, kann der politische Machtkampf durch Abstimmungen formalisiert werden. Die Frage bleibt indes, unter welchen Umständen diese Transformation reale politische Macht erfaßt oder neu bildet und wie repräsentativ infolgedessen jene auf Abstimmung hin rationalisierten parlamentarischen Verfahren sein können. Die Analyse des Ausdifferenzierungsmechanismus der politischen Wahl stimmt zumindest gegenüber der klassischen Repräsentationsidee skeptisch. Die Wirklichkeit scheint eher auf die Erzeugung eines Modells für Verfahrenssysteme hinauszulaufen, das gegenüber den gesellschaftlichen Konflikten, die es lösen soll, *nicht genau isomorph* gebaut sein kann, das gegenüber den realen gesellschaftlichen Kräften disparate, rein politische Macht erzeugt und mit dieser den unmittelbaren Zugang zu den Entscheidungskompetenzen blockiert. Im Vergleich zu den Gerichtsverfahren ist hier mithin geringere Isomorphie und höhere Komplexität festzustellen – und vermutlich die eine um der anderen willen.

Künstlichkeit und Disparatheit des Summenkonstanz- und Mehrheitsprinzips sind nur deshalb erträglich, weil im Gesetzgebungsverfahren sehr hohe Komplexität zu bewältigen ist, für deren Reduktion Stimmzahlen einen unentbehrlichen Anhaltspunkt bieten, keineswegs aber den allein entscheidenden Vorgang der Sinnbestimmung ausmachen. Ein reales Bild gewinnt man erst, wenn man sich das Gesetzgebungsverfahren als soziales System genauer ansieht. Im zeitlichen Längsschnitt gesehen, läuft ein solches Verfahren nach festen Regeln und daher mit einer gewissen Typizität ab, ohne daß man daraus allein schon entnehmen könnte, wo und wann und ob innerhalb oder außerhalb des Verfahrens die wichtigen Teilentscheidungen fallen[7]. Das Verfahren beginnt mit der Ausarbeitung eines offiziellen Entwurfs (zumeist in den dafür zuständigen Ministerien). Es kommt dann zu einer Beschlußfassung des Kabinetts. Der Entwurf wird dem Parlament zugesandt und läuft dort in eine Folge von Plenar- und Ausschußsitzungen hinein, die in groben Zügen vorher feststeht, in Einzelheiten jedoch variiert werden kann. Er wird dann in diesen (und außerhalb dieser) Sitzungen erörtert, bis entweder hinreichend Konsens für die Verabschiedung des Gesetzes in einer bestimmten Fassung gefunden ist oder der Entwurf zurückgezogen oder begraben und durch Ende der Sitzungs-

7 Als ausführlichen Bericht über ein solches Verfahren vgl. Otto Stammer u. a.: Verbände und Gesetzgebung. Die Einflußnahme der Verbände auf die Gestaltung des Personalvertretungsgesetzes, Köln-Opladen 1965. Vgl. ferner Roman Schnur: Strategie und Taktik bei Verwaltungsreformen, Baden-Baden 1966; und als beste amerikanische Fallstudie Stephen K. Bailey: Congress Makes a Law, New York 1950.

periode des Parlamentes ohne Übernahme der förmlichen Verantwortung für ein negatives Ergebnis obsolet wird.

Da Gesetzgebungsverfahren nicht (oder allenfalls durch formal unverbindliche politische Zielbeschlüsse oder Zusagen) programmiert sind, ist ihre Entscheidungssituation ungewöhnlich komplex. Um so wichtiger ist deshalb eine Systembildung, die diese unbestimmte Komplexität in bestimmte Komplexität erkennbarer Alternativen transformiert und sie schließlich entscheidbar macht. Zum Betrieb eines solchen Verfahrens und als Grundlage für die Auswahl mitwirkender Kommunikationen sind deshalb Kenntnisse der verschiedensten Art erforderlich, die dazu dienen, die Bewegungsmöglichkeiten der Sache und die Grenzen des Verfahrens als System zu ermitteln. Es gehört dazu die Kenntnis der notwendigen Stationen und Fristen des förmlichen Entscheidungsganges und der erforderlichen Kompetenzen, außerdem laufende Information über die jeweils offenen Punkte, die im Laufe des Verfahrens ab-, aber auch zunehmen können, also Information über den jeweiligen Stand des Verfahrens. Man muß ferner die Lage des Verfahrens in der Zeit beurteilen können, seine zeitliche Verschränkung mit anderen Ereignissen, seine Dringlichkeit sowie die Korrelation dieser Daten mit Beschleunigungs- oder Verzögerungsinteressen. Wer wieviel Zeit zur Vorbereitung welcher Alternativen braucht, ist wichtig zu wissen; und dazu muß man abschätzen können, welche Anspruchsniveaus gelten und wie Ungewißheiten und Mittel zu ihrer Überwindung verteilt sind. Ereignisse außerhalb des Verfahrens dürfen nicht unbeachtet bleiben, soweit sie das Verfahren berühren können. Das ist nicht nur der Fall, wenn sie im Verfahren zum Thema gemacht werden können, sondern auch, wenn sie Konsenschancen eröffnen oder verschließen, Alternativen versperren oder heikel oder gar unaussprechbar werden lassen, wenn sie latente Themenverquickungen herbeiführen oder Gegner bzw. Förderer der Sache oder einzelner ihrer Varianten zermürben, überlasten, prestigemäßig stärken oder wartefähig machen. Dabei ist, wie diese Beispiele schon zeigen, ein integrierendes Zusammendenken zeitlicher, sachlicher und sozialer Aspekte erforderlich, da die Variationsmöglichkeiten in diesen einzelnen Dimensionen voneinander abhängen, da zum Beispiel der erreichbare Konsens von der sachlichen Fassung des Themas und vom Zeitpunkt der Kommunikation abhängt und deshalb Thema und Zeitpunkt nicht unabhängig voneinander und nicht unabhängig von der Frage gewählt werden können, welches Potential politischer Unterstützung sie bieten.

Tragfähig und auswertbar werden Informationen dieser und anderer Art erst in bezug auf das individuelle Verfahren und seine Geschichte. Erst müssen mit Hilfe feststehender, allgemein lernbarer und dann vorauszusetzender Rechtsvorschriften Verfahrenssysteme überhaupt konstituiert werden können. Das ist eine notwendige, wenn auch allein nicht ausreichende Vorbedingung für den Beginn und die Abwicklung eines taktischen Gefüges von so hoher Komplexität. Anders würde man die Grenzen des Möglichen nicht (oder nur für sehr viel einfachere Konstellationen) abschätzen können. Man muß, grob gesagt, wissen, wie man ein solches Verfahren beginnt, an wen man sich mit was zu wenden hat, wer welche Weichen stellen kann und mit welchen Möglichkeiten des Ablaufs normalerweise zu rechnen ist, damit das Verhalten aller Beteiligten so weit voraussehbar ist, daß in der Sache selbst ein komplizierteres Spiel von Rücksichten und Gegenrücksichten, zweiten Absichten und vorbeugenden Verzichten, Zeitplanungen und miteingebauten Rückzugsmöglichkeiten beginnen kann. Erst innerhalb erkennbarer Systemgrenzen, wenn beliebiges Verhalten ausgeschlossen ist, kann so beziehungsreicher Sinn kultiviert werden.

Diese Überlegungen knüpfen an die im dritten Kapitel des ersten Teils skizzierte allgemeine Theorie des Verfahrens an und zeigen jedenfalls eins: daß es Verfahren in diesem Sinne auch für unprogrammiertes Entscheiden geben kann. Die Einrichtung der Möglichkeit von Verfahren durch Rechtsvorschriften und Organisation, die Individualisierung der Verfahren als besondere Systeme von begrenzter Dauer, die auf eine verbindliche Entscheidung zustreben, eigene Komplexität dieser Systeme und Aufbau einer eigenen Systemgeschichte zur Reduktion dieser Komplexität – diese allgemeinen Strukturmerkmale lassen sich auch bei Gesetzgebungsverfahren nachweisen. Damit sind jedoch die Besonderheiten des Gesetzgebungsverfahrens im Unterschied zu anderen Verfahrensarten nicht ausreichend erfaßt. Sie ergeben sich erst aus den spezifischen Problemen, die im politischen System durch unprogrammiert-programmierendes Entscheiden zu lösen sind.

Diese Probleme sind mit den alten Zielformeln für gute Gesetzgebung – etwa Herstellung gerechter, richtiger, alle überzeugender Gesetze, Förderung des Gemeinwohls oder des größtmöglichen Glücks möglichst vieler – nicht zureichend bezeichnet. Es handelt sich vielmehr um Probleme, deren Lösung dem Gesetzgebungsverfahren zugewiesen werden muß, *weil sie Verfügung über sehr hohe Komplexität voraussetzt* und deshalb nur in unprogrammiertem Entscheiden erfolgen kann. Das ist der Fall bei Integrationsproblemen, die sich aus der differenzierten Struktur des politischen Systems ergeben, und zwar (1) bei der Wiederverbindung von interessemäßigen Forderungen und politischer Unterstützung, (2) bei der Integration des persönlichen oder gruppenmäßigen »Image«, das der Rekrutierung zugrunde liegt, mit der sachlichen Entscheidungspraxis und (3) bei der Koordination von Politik und Verwaltung. Im ersten Fall handelt es sich um die Aufhebung einer rollenmäßigen Differenzierung, im zweiten um die Aufhebung einer Differenzierung von Entscheidungsprämissen, im dritten um die Aufhebung einer Differenzierung von Teilsystemen des politischen Systems.

Im Kapitel über politische Wahl hatten wir gesehen, daß die Trennung von Rollen für politische Unterstützung und für Interessendarstellungen und Forderungen eine Bedingung hoher Autonomie und hoher Komplexität des politischen Systems ist. Nur dank dieser Rollendifferenzierung stehen im politischen System genügend Entscheidungsalternativen zur Verfügung, die nicht unmittelbar tauschförmig gebunden sind. Dieser Entscheidungsspielraum kann dann seinerseits benutzt werden, um Entscheidungen zu finden, die Interessen so befriedigen, daß die politische Unterstützung erhalten und vermehrt wird. Die Chance, solche Lösungen zu finden und damit die Entscheidungspraxis auf lange Sicht im großen und ganzen durch Konsens zu legitimieren, ist normalerweise größer, je mehr Alternativen zur Verfügung stehen, je weniger also spezifische Entscheidungen mit bestimmten Interessengruppen vorweg ausgehandelt werden. Daß solche Bindungen immer wieder eingegangen werden, vor allem wenn der

Wahlmechanismus allein nicht genügend politischen Kredit geschaffen hat, ist bekannt. Selbst dann treten aber zwei wirkungsvolle Schwellen in Funktion, die eine Wiederherstellung der Entscheidungsautonomie bei Bedarf ermöglichen, nämlich (1) die Mehrzahl konkurrierender Parteien, die bei Entscheidungen zusammenwirken müssen und daher keine festen Entscheidungszusagen geben, sondern nur versprechen können, sich für bestimmte Interessen einzusetzen[8], und (2) die stillschweigend akzeptierte »Krisenbedingung«, die besagt, daß solche Zusagen bei wesentlichen Veränderungen politischer Umstände, bei außenpolitischen, wirtschaftlichen, finanziellen oder sonstigen Krisen, nicht fortgelten.

Daneben müssen Politiker ihr persönliches und das parteimäßige »Image« beachten, jene Darstellung eines persönlichen oder organisationsmäßigen Zusammenhanges von Entscheidungsprämissen, auf deren Grundlage sie vermutlich gewählt worden sind[9]. Diese Darstellung muß im großen und ganzen mit den sichtbaren Aspekten der Entscheidungspraxis in Einklang ge-

8 Wo dagegen eine Partei mit klarer Mehrheit regiert, hat sie genug politischen Kredit, um Bindungen vermeiden zu können, die ihr nicht entsprechend weite politische Unterstützung eintragen.

9 Daß man neuerdings von »Image« spricht und nicht mehr vom Charakter eines Politikers oder einer Partei hat seinen Grund darin, daß eine Manipulation von Vorstellungen leichter fällt als eine Manipulation der Sache selbst. Ein Image kann, in gewisser Unabhängigkeit von dem abgebildeten Gegenstand, nach eigenen Gesetzen variiert bzw. konstant gehalten werden. So eignet es sich als Wanderer zwischen zwei Welten, die unabhängig voneinander variieren – hier den Bedingungen politischer Rekrutierung und Unterstützung und der nach eigenen Gesetzen sinnvollen Entscheidungspraxis. Es ist sicher kein Zufall, daß gerade stark differenzierte Sozialsysteme, die ein hohes Maß an Interdependenz und an Unabhängigkeit ihrer Teile zugleich institutionalisieren müssen, auf solche Vermittlungsmechanismen zurückgreifen.

Zur Image-Theorie im allgemeinen vgl. Hans Peter Dreitzel: Selbstbild und Gesellschaftsbild: Wissenssoziologische Überlegungen zum Image-Begriff, Europäisches Archiv für Soziologie 3 (1962), S. 181–228. Zum Image politischer Parteien siehe z. B. V. O. Key Jr.: Public Opinion and American Democracy, New York 1961, S. 433 ff.; oder Marek Sobolewski: The Voters Political Opinions and Elections: Some Problems of Political Representation. In: Festschrift für Gerhard Leibholz, Tübingen 1966, S. 345–366 (359 ff.). Zum persönlichen Image einzelner Politiker finden sich Beiträge in: Léo Hamon/Albert Mabileau (Hrsg.): La personnalisation du pouvoir. Entretien de Dijon 1964, Paris 1964. Vgl. auch Philipp E. Converse/Georges Dupeux: De Gaulle and Eisenhower: The Public Image of the Victorious General. In: Angus Campbell u. a.: Elections and the Political Order, New York–London–Sydney 1966, S. 292–345.

bracht werden, soll die Persönlichkeit bzw. die Partei weiterhin als Symbol für Entscheidungsprämissen fungieren. Die politischen Images sind Vereinfachungsmittel, die Wahl und Entscheidungspraxis (nicht nur, aber vor allem Gesetzgebung) in ihrem Zusammenhang verständlich machen, und entsprechend ist das Entscheidungsverhalten im Amt eines der wichtigsten Mittel der Darstellung des Images. Auch die Integration von Imagedarstellung und Verwaltungsprogrammierung läßt sich nur in Verfahren verwirklichen, die genügend Alternativen offenlassen und nicht nur programmiertes Entscheiden vorsehen, da anderenfalls die Entscheidung als unpersönliche Konsequenz des Programms aufgefaßt und dem Image nicht zugerechnet wird. Die Verschmelzung von persönlichen, parteimäßigen und sachprogrammatischen Entscheidungsprämissen gelingt typisch so gut, daß es der empirischen Forschung bisher nicht möglich war, diese Faktoren in der Motivationsstruktur der Wählerschaft statistisch wieder zu trennen[10].

Schließlich stellen sich Integrationsaufgaben auch auf Systemebene, sobald es zur Bildungs funktionsspezifischer Teilsysteme kommt. In modernen politischen Systemen findet man durchweg eine primäre funktionale Differenzierung in Politik und Verwaltung mit mehr oder weniger ausgeprägter struktureller Trennung entsprechender Teilsysteme[11]. Die Politik befaßt sich mit der Erzeugung von Macht, die politische Unterstützung genießt, mit der Rekrutierung und Erprobung von Führungspersönlichkeiten, mit der Pflege legitimierender Symbole und Ideologien, mit der Ausarbeitung konsensfähiger Themen und Programme, mit dem

10 Vgl. zum unentschiedenen Stand der Forschung Lane, a. a. O. (1959), S. 24 f.; Key a. a. O. (1961), S. 247 ff., 467 f.

11 Als Klassiker dieser Unterscheidung siehe Woodrow Wilson: The Study of Administration, Political Science Quarterly 2 (1887), S. 197–222; Albert Schäffle: Über den wissenschaftlichen Begriff der Politik, Zeitschrift für die gesamte Staatswissenschaft 53 (1897), S. 579–600; Frank J. Goodnow: Politics and Administration. A Study in Government, New York–London 1900. M. G. Smith: On Segmentary Lineage Systems, The Journal of the Royal Anthropological Institute of Great Britain and Ireland 86 (1956), S. 38–80, verfolgt diese Unterscheidung bis in die einfachsten menschlichen Gesellschaften zurück, wo sie sich allerdings nur in der elementaren Form einer situationsmäßigen Trennung von Entscheidungsvorbereitung und Entscheidungsausführung findet. Vgl. auch ders.: Government in Zazzau 1800–1950, London–New York–Toronto 1960, S. 15 ff.

Bilden und Testen von Konsens für bestimmte Vorhaben. Die Verwaltung (im weitesten, auch Parlamente und Gerichte einschließenden Sinne) nimmt Kompetenzen zu verbindlichem Entscheiden wahr und befaßt sich mit der Ausarbeitung und Durchführung richtiger Entscheidungen. Sie muß die Leistungen der Politik voraussetzen können, so wie diese eine funktionierende Verwaltung voraussetzt, die das politisch Mögliche realisiert. Politik ist das komplexere, instabilere System und eben deshalb zur Leitung der weniger komplexen, besser strukturierten Verwaltungsbürokratie berufen[12]. Beide Bereiche müssen nicht nur personell und rollenmäßig, sondern zunehmend auch nach Normen, Werten und Rationalitätskriterien differenziert werden, wenn sie auf ihre je besondere Funktion hin ausgerichtet arbeiten sollen[13].

In einer solchen Ordnung wird die Verbindung von Politik und Verwaltung zum Engpaß der Organisation, wird die Übersetzung der Kommunikationen aus einem Bereich in den anderen zum kritischen Problem, bei dessen Lösung sich das politische System als Ganzes bewährt[14]. Für diese Aufgabe ist ein Verfahren nützlich, das beiden Bereichen gerecht werden kann – das einerseits politisch beeinflußbar ist auf Grund von Erwägungen, die weder Verbindlichkeit noch Legitimität für sich in Anspruch nehmen können; das andererseits aber gleichwohl in der Lage ist, formal verbindliche Entscheidungen zu produzieren. Diesen Anforderungen kann das Gesetzgebungsverfahren genügen als Verfahren, das speziell dazu dient, politische Motive zu generalisieren und zu legalisieren. Ohne Positivierung des Rechts, das heißt ohne Gesetzgebung, wäre der dafür notwendige Entscheidungsspielraum nicht herzustellen.

All diese integrativen Funktionen erfordern ein Operieren

12 Mit nicht behobener Verwunderung fragt Thomas Ellwein: Einführung in die Regierungs- und Verwaltungslehre, Stuttgart–Berlin–Köln–Mainz 1966, S. 213, wie »im Rahmen eines Gesamtsystems dauerhaft die Führung des stabilen Teils dieses Systems durch den systembedingt instabilen Teil möglich sein« könne. Die Antwort kann nur lauten, daß die Führung dort liegen muß, wo mehr Alternativen, also höhere Komplexität bewältigt werden können.

13 Vgl. dazu oben S. 164 Anm. 16 über die besondere Moral der Parteipolitik.

14 Hierzu ausführlicher Niklas Luhmann: Politische Planung, Jahrbuch für Sozialwissenschaft 17 (1966), S. 276–296.

unter sehr hoher und unbestimmter Komplexität. Sollen trotzdem innerhalb begrenzter Zeit Entscheidungen zustande kommen, muß das Gesetzgebungsverfahren vereinfachende Strukturen ausbilden oder doch tolerieren, die speziell dazu dienen, die Unbestimmtheit und Unübersichtlichkeit einer übermäßig beziehungsreichen Entscheidungssituation so weit zu reduzieren, daß komplementäre Erwartungen und eine sinnvolle Orientierung der Teilnehmer möglich werden. Die Modelle unaufhörlicher Diskussion oder unabhängiger Konkurrenz der einzelnen Volksvertreter spiegeln die Komplexität ihrer Situation wider, zeigen aber nicht, wie sie bewältigt werden kann[15]. Dies leisten zahlreiche Hilfsmechanismen, die funktionsnotwendig sind, aber gemessen an den offiziellen Zielen der Institution unwesentlichen oder gar abweichenden Charakter haben. Als Beispiele seien erörtert: die Trennung von Konkurrenz und Kooperation; die informale Personalisierung der Arbeitsbeziehungen; das Sichverlassen auf Darstellungen; die Aufnahme abkürzender Informationen aus der Umwelt; minimisierende Strategien der Bürokratie; der Wechsel von öffentlichen und nichtöffentlichen Situationen; und die Bedeutung der Exekutive und der Ausschüsse.

Beginnen wir beim Ideal des Ausdiskutierens konkurrierender Meinungen, so fällt auf, daß dies Strukturprinzip das Gegeneinander und Miteinander der Meinungen offenläßt[16]. Konkurrenz und Kooperation bleiben undifferenziert beisammen. Man argumentiert gegen die, die als Zustimmende in Betracht kommen. Ein solches Verhaltensmodell eignet sich nur für sehr einfache Systeme und setzt überdies voraus, daß Wahrheit erscheint und als Entscheidungskriterium die Meinungen ordnet. Sobald Systeme und Entscheidungsthemen sinn- und beziehungsreicher werden, würde eine solche Ordnung zu unübersichtlich werden. Es würde die Beteiligten überfordern, immer wieder neu sachliches

15 Sie sind insofern typische Modelle vorsoziologischer Aufklärung, als sie nur Komplexität, nicht aber die Notwendigkeit ihrer Reduktion auf bestimmten Sinn mit einbeziehen. Das versucht erst eine soziologische Aufklärung zu leisten, die eben deshalb latente Funktionen und Mechanismen, Widersprüche und abweichendes Verhalten mitberücksichtigen muß. Vgl. Niklas Luhmann: Soziologische Aufklärung, Soziale Welt 18 (1967), S. 97–123.

16 Das ist, wie oben S. 50 f. dargelegt, ein allgemeines Merkmal von Verfahrenssystemen.

Thema und soziale Beziehung in Beziehung aufeinander zu variieren. Die Situationen müssen dann durch *Differenzierung der sozialen Beziehungen,* durch Trennung der Wahrscheinlichkeiten für Dissens und Konsens, für Gegnerschaft und Kooperation, vorstrukturiert werden[17]. In die Stabilisierung dieser Differenz werden dann sekundäre Motive gesteckt, während »Wahrheit«, da sie ohnehin nicht deutlich spricht, ihren Status als Ziel und Problem verliert: Die Nahestehenden oder »politischen Freunde« vermutet man immer als sympathisierend und gibt ihnen gegenüber bei Differenzen eher nach; den Gegner vermutet man immer als Gegner und widerspricht ihm, auch wenn die sachlichen Differenzen unwesentlich sind oder gar erst aufgebaut werden müssen. Deliberierende Versammlungen bilden so aus sich heraus Parteien.

Neben diesen Grobstrukturen, die in mehr oder weniger formalisierten und zwingenden Fronten festliegen, bilden sich innerhalb der Parlamente, aber auch an ihrer Peripherie *informale Kontaktsysteme,* gute persönliche Beziehungen, Vertrauens- und Mißtrauensverhältnisse, nur dem Eingeweihten erkennbare Differenzen an Ansehen und Ausstrahlungskraft einzelner Persönlichkeiten mehr spezifischer oder mehr allgemeiner Art[18]. Solche

17 Ähnliche Überlegungen zur Differenzierung von Konkurrenz und Tausch bei zunehmender Komplexität finden sich bei Peter M. Blau/W. Richard Scott: Formal Organizations: A Comparative Approach, San Francisco 1962, S. 217 f.

18 Auch hierüber sind wir vor allem durch die amerikanischen Forschungen gut unterrichtet, deren Beobachtungen freilich gerade in dieser Frage nicht ohne weiteres verallgemeinert werden können, weil hier kulturspezifische Eigentümlichkeiten ins Spiel kommen. Vgl. z. B. Garland C. Routt: Interpersonal Relationships and the Legislative Process, The Annals of the American Academy of Political and Social Science 195 (1938), S. 129–136; James A. Robinson: Decision-Making in the House Rules Committee, Administrative Science Quarterly 3 (1958), S. 73–86 (81 f.). Samuel C. Patterson: Patterns of Interpersonal Relations in a State Legislative Group. The Wisconsin Assembly, Public Opinion Quarterly 23 (1959), S. 101–118; Heinz Eulau: Bases of Authority in Legislative Bodies. A Comparative Analysis, Administrative Science Quarterly 7 (1962), S. 309–321; John C. Wahlke/Heinz Eulau/William Buchanan/LeRoy C. Ferguson: The Legislative System. Explorations in Legislative Behavior, New York–London 1962, insbes. S. 135 ff.; Alan Fiellin: The Functions of Informal Groups in Legislative Institutions, Journal of Politics 24 (1962), S. 72–91. Neu gedruckt in: Robert L. Peabody/Nelson W. Polsby (Hrsg.): New Perspectives on the House of Representatives, Chicago 1963, S. 59–78; James S. Barber: The Lawmakers. Recruitment and Adaption to Legislative Life, New Haven–London 1965; für das Verhältnis von Parlament und Bürokratie Aaron Wildavsky: The Politics of the Budgetary Process, Boston–Toronto 1964; für das Zweiparteiensystem einer Gewerkschaft

Kleinstrukturen erleichtern das Sichzurechtfinden, erleichtern auch das Abweichen vom Weg der Ideale; sie vermitteln dem Neuling das Klima und die Grenzen angebrachten Verhaltens, sie dienen unausgesprochen als Hilfe bei der Konsensbildung, kurz: sie reduzieren die hochkomplexe Entscheidungslast durch soziale Strukturen auf ein Format, in dessen Grenzen der einzelne erkennen kann, was er sagen und was er nicht sagen kann und wie die anderen darauf reagieren werden[19]. Auch diese Strukturen stehen, wenn auch modifizierbar, *vor* dem Einzelverfahren fest und helfen ihm dazu, rasch seine Grenzen zu finden.

Wie schon Gerichtsverfahren[20] hängen auch Gesetzgebungsverfahren davon ab, daß man sich in besonderem Maße *an Darstellungen der Verfahrensbeteiligten orientieren und auf ihre Darstellungen verlassen kann* – und zwar weniger in dem Sinne, daß die Darstellungen »richtig« sind, sondern darin, daß der Darstellende bei ihnen bleibt. Man findet daher in Parlamenten die informale Verhaltensregel, daß Darstellungen mehr, als im täglichen Leben normal ist, Bestand haben müssen und verpflichten[21]. Diese Erwartung nimmt die Form einer moralischen Forderung an, die als Bedingung persönlicher Ehrenhaftigkeit und persönlichen Einflusses angesehen und sanktioniert wird; sie zeigt sich im übrigen darin, daß Darstellungen weitgehend auf das hohe Niveau einer Mitteilung eigener Meinungen gebracht werden müssen, von deren Richtigkeit der Sprecher überzeugt ist. Die offizielle Konzeption des Gesetzgebungsverfahrens als Meinungsdiskussion ist demnach zwar kein verläßlicher Weg zur Wahr-

Seymour M. Lipset/Martin A. Trow/James S. Coleman: Union Democracy, Garden City N. Y. o. J. (Copyright 1956), S. 282 ff.

19 Möglicherweise ist diese Tendenz zur gegenstrukturellen Ausbildung persönlicher sozialer Beziehungen als Orientierungshilfe ein allgemeiner und typischer Zug komplexer Systeme mit freier Konkurrenz. Auch in Marktsystemen, die dem Modell der freien Konkurrenz nahekommen, hat man dieses Phänomen beobachtet. Vgl. Cyril S. Belshaw: Traditional Exchange and Modern Markets, Englewood Cliffs N. J. 1965, S. 56 ff., 67 f., 78 ff. Zu personalen Herrschaftsapparaten in der Politik auch fortschrittlicher Industrienationen vgl. Guenther Roth: Personal Rulership, Patriomonialism, and Empire-Building in the New States, World Politics 20 (1968), S. 194–206 (197 ff.).

20 Vgl. dazu oben S. 91 ff.

21 Auch hierzu sind mir nur Feststellungen bekannt, die sich auf gesetzgebende Versammlungen in den Vereinigten Staaten beziehen. Vgl. J. C. Wahlke u. a., a. a. O., S. 144, 146 u. ö.; J. D. Barber, a. a. O., S. 160.

heit, aber sie hat die latente Funktion eines Darstellungszwangs, der die Reduktion der Komplexität erleichtert.

Ein weiteres Reduktionsmittel ist das *Sichverlassen auf schon bearbeitete, verdichtete Information* von außen, sei es von seiten der Verwaltung, von seiten lokaler Parteiinstanzen, von seiten der Interessenverbände, von seiten der Wissenschaft, von seiten zufälliger Bekannter oder von seiten der Presse. In gewisser Weise typisch für das moderne Leben überhaupt[22] ist diese Abhängigkeit von fremden kognitiven Prozessen hier besonders ausgeprägt, weil der Informationsbedarf so komplex ist, daß nicht einmal alles an sich publike einschlägige Wissen erfaßt werden kann, und besonders prekär, weil die Verantwortung für die vollständige Erarbeitung der Entscheidungsgrundlagen an sich dem Gesetzgeber aufgebürdet ist. Vertrauen in »Quellen« ist notwendig, aber nicht institutionalisiert. Niemand wird Menschenunmögliches verlangen, und jeder wird Vorwürfe machen, wenn im Einzelfall einer falschen Quelle vertraut wurde, obwohl das richtige Wissen auf der Straße lag. Auch hier spielen sich gewisse Anspruchsniveaus für die Prüfung ein und gewisse Möglichkeiten, Vorwürfe mit entlastender Wirkung weiterzugeben.

Damit verwandt, aber doch besonders zu notieren sind gewisse *bürokratische Strategien, das Risiko eines Gesetzgebungsverfahrens zu minimisieren.* Am einfachsten ist es natürlich, gar nicht erst anzufangen. Die Zurückhaltung mancher Ministerien bei der Novellierung reformbedürftiger Gesetze ist ein Beispiel dafür – weiß man doch nie, was das Parlament aus einer ganz harmlosen, kleinen, präzise begrenzten Novelle macht, wenn »bei dieser Gelegenheit« alte oder neue Wünsche laut werden[23]. Frühzeitiges Eliminieren von Alternativen im Stadium der Vorerwägungen zu einem Gesetzentwurf dient einem ähnlichen Zweck. Das Zusammenschnüren mehrerer Gesetzentwürfe zu einem »Paket« ist eine neuere und zukunftsreiche Strategie, die Variabilität von

22 Vgl. dazu Robert E. Lane: The Decline of Politics and Ideology in a Knowledgeable Society, American Sociological Review 31 (1966), S. 649–662.

23 Solche Bedenken sind dem Verfasser aus der Praxis deutscher Ministerien bekannt. Für amerikanische Erfahrungen mit »boomerangs« im Gesetzgebungsprozeß vgl. Bertram M. Gross: The Legislative Struggle. A Study in Social Combat, New York–Toronto–London 1953, S. 176 f.

Entwürfen einzuschränken. Sie findet starke Unterstützung in der Tatsache, daß eine planende Verwaltung zunehmend Interdependenzen sieht und einzelne Gesetze nicht mehr isoliert behandeln kann. Schließlich ist das Ausgehen vom Status quo, bewährt vor allem bei den jährlichen Haushaltsentwürfen[24], ein beliebtes und oft unentbehrliches Vereinfachungsmittel.

Ganz anders, aber funktional äquivalent wirkt der *Wechsel öffentlicher und nichtöffentlicher Stationen des Verfahrens,* also der Wechsel seines Zuhörerkreises. Dieser Rhythmus erleichtert die Verwendung unerlaubter Motive zur Vereinfachung der Entscheidungslage und ermöglicht es, Herstellung und Darstellung von Konsens zu trennen. Dadurch ist es möglich, divergierende Reduktionsstile nacheinander zu verwenden, in den nichtöffentlichen Sitzungen mit Pressionen oder Tauschangeboten zu arbeiten, die öffentlich nicht gezeigt werden könnten, oder umgekehrt mehr Vernunft und Entgegenkommen zu zeigen, als mit der öffentlichen Linie der Partei oder mit ihrer Oppositionsrolle vereinbar sind. Auf diese Weise können die integrierenden Symbole öffentlich intakt gehalten werden, obwohl sie nicht ausreichen, um den Entscheidungsprozeß selbst zu ordnen[25].

Schließlich hat auch das meistdiskutierte Phänomen der *Verschiebung der faktischen Entscheidungstätigkeit gegenüber dem offiziellen Schaubild* hier seinen Grund. Kleinere Gremien mit festliegenden Rollen, erkennbar verteiltem Informationsbesitz, unterdrückter Konkurrenz[26] und der Möglichkeit, direkt und abgekürzt zur Sache sprechen zu können, ohne einen Mißbrauch der Kommunikation befürchten zu müssen, haben ein höheres Potential für die Durcharbeitung komplexer Sachverhalte als

24 Hierzu gerade unter dem Gesichtspunkt übermäßiger Komplexität sehr instruktiv Aaron Wildavsky/Arthur Hammond: Comprehensive Versus Incremental Budgeting in the Department of Agriculture, Administrative Science Quarterly 10 (1965), S. 321–346.

25 Mit weniger gewagten Argumenten betonen auch Politologen die Notwendigkeit eines gleichberechtigten Nebeneinanders von Ausschußarbeit und Plenarverhandlung – so namentlich Heinz Rausch: Parlamentsreform. Tendenzen und Richtungen, Zeitschrift für Politik 14 (1967), S. 259–289.

26 Speziell hierzu Edward Gross: Social Integration and the Control of Competition, The American Journal of Sociology 67 (1961), S. 270–277; Jane S. Mouton/Robert R. Blake: The Influence of Competitively Vested Interests on Judgment, The Journal of Conflict Resolution 6 (1962), S. 149–153.

große Versammlungen. Die Arbeit am Gesetz liegt daher notwendig bei Ressortkonferenzen, im Kabinett, in den Parlamentsausschüssen. Hier müssen Paragraph für Paragraph Alternative für Alternative ausgeschieden werden, damit das Plenum abschließend den Entwurf akzeptieren oder verwerfen kann. In dieser Endentscheidung geht es dann zwar um ein komplexes Ganzes – aber um ein geschlossenes Ganzes, das nur noch mit letzten binären Entscheidungen angenommen oder abgelehnt werden kann.

Die öffentlichen Plenarsitzungen des Parlamentes behalten durchaus eine wesentliche Funktion, obwohl die eigentlichen Entscheidungen aus ihnen abgewandert sind. Ihre Funktion liegt jedoch nicht in der Ermittlung der Wahrheit, sondern in der Darstellung des politischen Kampfes mit Hilfe von Argumenten und Entscheidungsgründen, mit denen kontroverse politische Positionen sich identifizieren[27]. Das ist, ähnlich der Begründung der gerichtlichen Entscheidung, eine notwendige Verfahrensstation, deren gedankliche Vorwegnahme das gesamte Verfahren strukturiert: Man muß zwar nicht seine Motive und Hintermänner, wohl aber seine Gründe unter den Augen des Gegners öffentlich darstellen und der Kritik aussetzen können und findet dadurch die Wahl vertretbarer Positionen eingeschränkt[28]. Allerdings darf kaum erwartet werden, daß das Parlament die Politik belebt, wenn nicht die Politik das Parlament belebt.

Als Fazit aus diesen gedrängten, im einzelnen sicher ergänzungs- und korrekturbedürftigen Darlegungen bleibt festzuhalten, daß die hohe Komplexität des Gesetzgebungsverfahrens nur mit Hilfe mehr oder weniger devianter Strukturen und Mechanismen abgearbeitet werden kann. Muß man daraus folgern, daß das Gesetzgebungsverfahren soziologisch falsch organisiert ist?

27 Ein engagierter Vertreter dieser Auffassung ist Wilhelm Hennis: Rechtfertigung und Kritik der Bundestagsarbeit, Die neue Gesellschaft 14 (1967), S. 101–111. Siehe auch Thomas Ellwein/Axel Görlitz: Parlament und Verwaltung. 1. Teil: Gesetzgebung und politische Kontrolle, Stuttgart–Berlin–Köln–Mainz 1967, insbes. S. 237 ff.

28 Dieser Darstellungszwang wirkt im übrigen keineswegs notwendig rationalisierend oder auch nur im Sinne des Offenhaltens der Komplexität des Systems. Eine der Techniken des Vorbeugens für diese Situation ist nämlich die, sich dem Gegner anzugleichen, so daß dieser nicht schießen kann, ohne sich selbst zu treffen.

Das wäre voreilig, denn auch die offizielle Darstellung des Verfahrens hat ihren Sinn. Die Diskrepanz, die sich da auftut, bringt uns zum Problem der Legitimation durch Verfahren zurück. Präziser gefragt: Wie kann ein Verfahren, das in so weit offenen Entscheidungssituationen bestimmte Lösungen sucht, die Erwartungen der Betroffenen umstrukturieren? Auch in dieser Frage sind wir bei dem gegenwärtigen Stand der empirischen Forschung auf Vermutungen angewiesen.

Mit Sicherheit erwartbar ist jedoch eines: daß der Informationsstand des Publikums und damit die Durchbildung der Erwartungen in Angelegenheiten der Gesetzgebung äußerst gering sind. Selbst in Fragen, die eigenes Interesse stark berühren, etwa im Steuerrecht, im Versicherungs- und Versorgungsrecht, im Wohnungsrecht, kann nur dort, wo Berufsrollen mit der Materie befaßt sind, ein einigermaßen adäquates Wissen angenommen werden. Das Angebot an Information ist so bunt und so vielseitig, daß die Wahrscheinlichkeit gering wird, daß der einzelne seine knappe Aufmerksamkeit ausgerechnet Gesetzen zuwendet. Man liest keine Gesetzblätter. Wer von klassischen Vorstellungen über öffentliche Meinung und Gesetzgebung ausgeht, wird das bedauern. Ignoranz und Apathie sind jedoch die wichtigsten Vorbedingungen für einen weithin unbemerkten Austausch der Paragraphen, für die Variabilität des Rechts, und insofern funktional für das System. Wer für oder gegen eine bestimmte Rechtsänderung eine politische Front bilden will, kann sich in den seltensten Fällen auf ein vorhandenes Interesse oder auf eine allgemeine Empfänglichkeit für Kommunikation stützen, sondern muß Arbeit und Organisation einsetzen, um eine hohe Schwelle der Indifferenz zu überwinden. Er muß die Regeln und Techniken der Kreation politischer Themen beherrschen, und dies ist nur möglich für sehr aktive Teilnehmer des politischen Systems, die im System schon sozialisiert sind[29].

29 Bei anderen ist die Wahrscheinlichkeit groß, daß sie gar keine oder nur unbeabsichtigte Wirkungen erzeugen. Außenstehenden, wie zum Beispiel Studenten, fällt es deshalb schwer, ein bestimmtes Thema, etwa das der Universitätsreform, politisch in Gang zu bringen. Wenn sie ihre Bemühungen verstärken, so führt das zwar dazu, daß ein politisches Thema entsteht, aber dieses heißt dann »Studentenunruhen«.

Dieses Desinteresse ist natürlich keine beabsichtigte Folge des Gesetzgebungsverfahrens – etwa eine Folge der Tatsache, daß die wichtigsten, weichenstellenden Entscheidungsvorgänge hinter verschlossene Türen gelegt werden. Vielmehr ist beides, das Verfahren und das Desinteresse, Ausdruck einer gemeinsamen Grundbedingung, die die Entscheidungssituationen regiert, nämlich des Zusammentreffens von hoher Komplexität mit hohem Spezifizierungsbedarf. Unter dieser Bedingung entsprechen die Verfahrensform der Gesetzgebung und das allgemeine Desinteresse einander und stabilisieren sich wechselseitig.

Gleichwohl läßt dieses Desinteresse keine beliebige, zum Beispiel keine rein bürokratieinterne oder wissenschaftlich-planerische, Gestaltung des Gesetzgebungsverfahrens zu, und deshalb kommt es zu jenen Diskrepanzen zwischen offizieller Darstellung und faktischer Arbeitsweise. In der hohen Variabilität und der unverständlichen Komplexität des politischen Systems liegen eigentümliche Risiken, die in der Gesellschaft als Problem der »Sicherheit« auftauchen und formuliert werden[30]. Dabei ist nicht die wissende, sondern viel mehr die unwissende Reaktion gefährlich. Gut informierte, zweckspezifische Einflüsse kann das politische System, da es sich für planmäßige und realistische Interessenförderung weit offenhält, in großem Umfange absorbieren, sei es befriedigen, sei es politisch isolieren. Unwissende Reaktionen sind dagegen ein Problem, weil sie sich auf Grund einer unerfaßten Motivlage nahezu beliebig amalgamieren und generalisieren lassen und sich unberechenbare Ziele suchen. So kann es zu plötzlichen und doch geschlossenen Ausbrüchen kommen – eine Gefahr, die wächst in dem Maße, als die gesellschaftliche Mobilität der Kommunikationen und Kontakte und das Vermögen, sich Alternativen vorzustellen, zunimmt.

Angesichts der starken Differenzierung der Gesellschaft und der entsprechenden Individualisierung der Persönlichkeiten ist nicht damit zu rechnen, daß dieser Gefahr durch Aufbau einer

30 Zu beachten ist, daß politisch bedingte Unsicherheit nicht unbedingt im politischen System Ausdruck finden muß, sondern etwa in wirtschaftlichem Sicherungsstreben oder in der Familie abgefangen werden kann; aber auch das Umgekehrte ist denkbar. Problemherkunft und Thematisierung sind gegeneinander verschiebbar, da es sich um eine Motivlage von sehr unbestimmter Komplexität handelt.

psychisch homogenen Motivstruktur, etwa primär emotional-zustimmender Art, oder durch eine praktisch durchführbare rationale Nutzenkalkulation entgegengewirkt werden könnte. Andererseits gehören zum Leben unter jenen zivilisatorischen Bedingungen gewisse Grundeinstellungen, die auf die eine oder andere Weise durchgehalten werden müssen, soll das erreichte Niveau der Lebensführung erhalten bleiben. So ist ein pauschales, angstloses Akzeptieren hoher Komplexität und Veränderlichkeit der Verhältnisse erforderlich, und dieses Akzeptieren, das wir im politischen Bereich Legitimität nennen, kann durch ein generalisiertes Systemvertrauen erleichtert werden[31].

Über die empirischen Bedingungen und die konkreten Vorstellungselemente eines solchen Vertrauens wissen wir wenig. Es darf aber vermutet werden, daß Ursachen wie Inhalte des Systemvertrauens variieren können – anders wäre es unter den angegebenen Bedingungen kaum stabilisierbar – und daß deshalb zum Aufbau eines solchen Vertrauens sinnbildende Prozesse erforderlich sind, die hinreichend abstrakt operieren, so daß sie sehr verschiedenartige psychische und soziale Mechanismen in ihren Dienst nehmen können. Die Vertrauensbildung bedarf, mit anderen Worten, einer sinnhaften Vermittlung, die das Handeln zunächst nur sehr formal bindet und nahezu Beliebiges offenläßt. Das Werben um politisches Vertrauen für konkrete Personen, Führungsgruppen, Parteien oder Sachprogramme genügt, so notwendig es ist, diesen Anforderungen nicht. Es muß in eine Form gebracht werden, in der es zugleich Systemvertrauen mitbildet. Dazu dienen Verfahren, vornehmlich Gesetzgebungsverfahren, in denen die Entscheidung zugleich den für sie Stimmenden und dem System zugerechnet wird und so auf zwei Ebenen vertrauensbildend wirken kann[32].

Anders als bei rechtsanwendenden Verfahren, in denen Einzelfälle entschieden werden, ist im Verfahren der Gesetzgebung

31 Hierzu näher Niklas Luhmann: Vertrauen. Ein Mechanismus der Reduktion sozialer Komplexität, Stuttgart 1968, S. 44 ff.

32 Etwas Ähnliches scheint Duverger im Auge zu haben, wenn er anläßlich einer Diskussionsbemerkung im politischen System »deux circuits de confiance« unterscheidet. Siehe Léo Hamon/Albert Mabileau (Hrsg.): La personnalisation du pouvoir. Entretien de Dijon 1964, Paris 1964, S. 442 f.

eine unmittelbare, rollenmäßige Beteiligung aller Betroffenen kaum durchführbar. Damit entfällt deren Bindung durch Selbstdarstellung in rollenkonformem Handeln. Möglich bleibt aber eine sinnvermittelte Teilnahme jedes einzelnen an gewissen Aspekten des Geschehens, das zur Entscheidung führt – sei es in der Form eines Interesses am politischen Drama schlechthin, sei es durch Identifikation mit einzelnen Akteuren oder Parteien, sei es unter dem Gesichtspunkt bestimmter selektiver Perspektiven, etwa des Auf und Ab der Aktienkurse oder des nationalen Prestiges[33]. Im Unterschied zur Rollenübernahme operiert der Mechanismus symbolischer Identifikation auf Distanz und ohne unmittelbare Handlungsverpflichtung. Er enthält deshalb keine effektive soziale Kontrolle der Konsistenz des Verhaltens. (Diese muß, wenn benötigt, eigens politisch oder polizeilich organisiert werden.) Distanz ist jedoch nicht nur, wie die Repräsentationstheorie es sah, ein unvermeidliches Übel; sie ist zugleich eine Funktionsbedingung der symbolischen Identifikation und Vertrauensbildung dadurch, daß sie die Details und Vielfalt der praktischen Folgen einzelner Ereignisse verwischt und so die Reduktion der Komplexität auf seiten des Publikums erleichtert[34]. Auf diese Weise lassen sich im relativ Unbestimmten

33 Als sehr verschieden gefärbte Theorien, die sich auf die Möglichkeit symbolischer Identifikation gründen, vgl. einerseits die Integrationstheorie Smends (Rudolf Smend: Verfassung und Verfassungsrecht, 1928. Neu gedruckt in ders.: Staatsrechtliche Abhandlungen und andere Aufsätze, Berlin 1955, S. 119–267, dort insbes. S. 148 ff. über funktionale Integration, die unabhängig von der Genugtuung über bestimmte sachlich-richtige Ergebnisse zustande kommt; ders.: Integrationslehre. Handwörterbuch der Sozialwissenschaften Bd. 5, Stuttgart–Tübingen–Göttingen 1956, S. 299–302) und andererseits die stärker psychologisch fundierten, weniger auf Geist und mehr auf Gefühl spekulierenden Ansätze der amerikanischen Symboltheorie – etwa Harold D. Lasswell: Psychopathology and Politics, New York 1933, oder Murray Edelman: The Symbolic Uses of Politics, Urbana Ill. 1964. In beiden Theorien wird die Möglichkeit horizonthaft-indirekten, unthematischen Miterlebens des Systems nicht ausreichend gewürdigt, auf die es uns in den folgenden Analysen ankommt.

34 Ähnliche Überlegungen haben zu der These geführt, eine gewisse soziale Distanz sei Voraussetzung für das Entstehen von sozialem Prestige und damit für das Entstehen von statushöheren Führungsrollen. Siehe namentlich Heinz Kluth: Sozialprestige und sozialer Status, Stuttgart 1957, im Anschluß an Lewis Leopold: Prestige, London 1913. Ferner Götz Briefs: Betriebsführung und Betriebsleben in der Industrie, Stuttgart 1934, S. 61 ff., oder Fred E. Fiedler: The Leader's Psychological Distance and Group Effectiveness. In: Dorwin Cartwright/Alvin Zander (Hrsg.): Group Dynamics, 2. Aufl., Evanston Ill.–London 1960, S. 586–606.

heterogene Differenzierungen verbinden, nämlich auf seiten der Politik die Differenzierung von Herstellung und Darstellung, auf seiten des Publikums die Differenzierung verschiedenartiger Interessen und Mechanismen der Meinungsbildung.

Auch für die unverpflichtete Selbstfestlegung als Zuschauer in einem komplexen, unübersehbaren Felde von Möglichkeiten ist wesentlich, daß die Zeitdimension mitbenutzt wird. Die politisch interessierenden Informationen haben, wenn sie laufenden Verfahren entstammen, nicht statischen, sondern dynamischen, ja dramatischen Charakter. Es werden nicht – wie im Falle einer sich selbst bestätigenden Hierarchie – nur einige wenige, immer gleiche Symbole dargestellt, zitiert, gefeiert und eingebleut. Der Zuschauer wird in Geschichten hineingezogen. Es ergeht die Einladung zum Miterleben eines dramatischen Geschehens mit wechselnden Inhalten, unter denen der einzelne die Kristallisationspunkte seines Interesses, seiner Sympathien und seiner Antipathien selbst suchen kann. Indem er das tut, verliert er jedoch, ähnlich wie in einer Rolle, durch die Geschichte seines Miterlebens seine ursprüngliche Freiheit, die Komplexität möglicher Einstellungen reduziert sich in einer Art Lern- und Sozialisierungsvorgang, und seine Alternativen schränken sich ein auf wenige, politisch steuerbare Varianten.

Ebenso wie in den Fallverfahren der Behörden und Gerichte ist auch hier die Fortsetzung des Miterlebens an die Anerkennung der Ablaufregeln gebunden, die Sinn und Interesse konstituieren. Zugleich erhält sich im Interesse die Anerkennung, ohne Gegenstand einer Entscheidung zu sein. Die Aufmerksamkeit wird nämlich im Alltag auf Themen gelenkt, die im System in Behandlung sind. Unter ihnen kann man wählen, was man selektiv mit Aufmerksamkeit bedenkt. Auch die Einstellung zu ihnen kann man wählen. Im so erfaßten und umstrittenen Sinn ist das System impliziert, aber nicht symbolisiert, das heißt nicht als Ganzes dargestellt. Symbol ist nur das Verfahren selbst. In die Themen, Projekte, Anträge und Streitgegenstände einzelner Verfahren geht das politische System nur als sinnkonstituierende Prämisse ein und wird nicht zum Thema, da es nicht in Verfahren behandelt wird. Man lebt sich ein, indem man die Geschichten des Systems – und das sind neben den Skandalen vor allem die Entscheidungsgeschichten – verfolgt. Wenn die Verfahren eine solche Einbeziehung nicht zu leisten vermögen – Beispiele dafür finden sich in manchen Entwicklungsländern – kann der einzelne keine Beziehungen *im* System mehr herstellen, sondern nur noch eine Beziehung *zum* System, sei es Apathie, sei es Rebellion. Das politische System ist dann in Gefahr, Thema einer Entscheidung zu werden, statt Horizont des Entscheidens zu bleiben. Gerade diese Gefahr sollte aber, wie wir gezeigt haben[35], durch die Umgründung des politischen Systems von hierarchischen Prinzip auf Verfahren vermieden werden.

All dies hat bezeichnende Konsequenzen für die Konsenslage. Wir hatten allgemein gesehen und finden hier bestätigt, daß Legitimität nicht mit faktischem Konsens gleichgesetzt werden kann. Konsens ist knapp und muß deshalb generalisiert werden. Ein äußerlicher Ausdruck dafür ist, daß der Majorität die Entscheidung anvertraut wird. Das Mehrheitsprinzip selbst ist jedoch keine Legitimierungsweise, sondern eine Verlegenheitslösung. Die klassischen Theorien der Demokratie hatten das gesehen und darin ihr Kernproblem gefunden. Entweder versuchten sie, den einzelnen oder die Minderheit durch subjektive Rechte und Verfahrenskautelen gegen die Mehrheit in Schutz zu nehmen (also fehlenden Konsens zu kompensieren), oder sie behaupteten, daß in der Demokratie dank ihrer Willensbildungsverfahren letztlich allgemeiner Konsens zum Ausdruck komme, zumindest symptomatisch, vertretungsweise, vermutungsweise. Unsere Analyse des Verfahrens erlaubt es, diese Aussagen zu präzisieren:

Verfahren dienen einerseits in den Grenzen des Möglichen dazu, aktuellen Konsens zu mehren, also knappe Ressourcen auszuschöpfen. Besonders bei Gesetzgebungsverfahren mit ihrer hohen, sachlich wenig strukturierten Komplexität ist diese Leistung nicht zu unterschätzen. Wichtiger aber ist, daß die verfahrensmäßige Form, in der um Konsens geworben wird, eine bestimmte Einstellung zum Konsens anderer impliziert und festlegt: Jede Stimme zählt. Der Konsens eines jeden einzelnen (bei der Wahl: des Wählers; im Gesetzgebungsverfahren: des Abge-

35 Vgl. oben S. 152.

ordneten) ist prinzipiell relevant – zwar nicht in dem Sinne, daß zu jeder Entscheidung alle faktisch zustimmen müßten, wohl aber in dem Sinne, daß niemandes Meinung a priori für irrelevant erklärt werden könnte, zum Beispiel auf Grund seiner Religion, seines Geburtsstatus, seiner Klasse, seiner Rasse, einer Organisationszugehörigkeit oder eines wirtschaftlichen Zensus. Andere gesellschaftliche Strukturen werden mithin in ihrer präjudizierenden Auswirkung auf das Verfahren neutralisiert[36].

Das allein ist für den Bürger sicher kein zureichender Grund, sich anerkannt zu fühlen und deshalb anzuerkennen. Erreicht wird auf diese Weise aber, daß die Konsensfrage in jedem Einzelverfahren erneut gestellt und ausgetragen werden muß. Ohne strukturelle Bindung werden die Konsenschancen nach Möglichkeit variabel gehalten, damit niemandes Interesse erlahmt. Alle Unterschiede und alle Ungleichheiten müssen als *Ergebnis eines Verfahrens* dargestellt und begründet werden können. Vor dem Verfahren sind alle gleich. Hier liegt auch der eigentliche Grund, aus dem die oben erörterten, im Gesetzgebungsverfahren sich ausbildenden Substrukturen der Entscheidungserleichterung nicht anerkannt werden können, sondern abweichendes Verhalten bleiben müssen: Ihre Anerkennung würde dazu führen, daß jene Differenz verschmilzt, die durch die Institution des Verfahrens gerade erhalten werden soll – die Differenz von gleicher Konsensrelevanz aller, die den Wechsel der Themen überdauert, und faktisch-politisch erarbeiteter Konsenslage im Einzelfall.

Die Politik und ihre Verfahren erhalten aus diesen Gründen eine egalitäre und segmentierte (in gleiche Untereinheiten sich teilende) Struktur im Gegensatz zum Prinzip der Hierarchie

36 Daß dies eine außergewöhnliche, höchst voraussetzungsvolle Ordnung ist, sei nochmals betont. Normalerweise verwenden soziale Systeme gesellschaftliche Strukturen zugleich zur Differenzierung der Konsensrelevanz anderer Menschen (was ein geringes Maß von Ausdifferenzierung des Systems bezeugt). Das heißt: Man kann Meinungen nicht nur zählen, sondern muß sie gewichten und kann dabei nicht außer acht lassen, wer jemand sonst (in anderen Rollen) ist. Vgl. als ein Beispiel unter vielen: Felix M. Keesing/Marie M. Keesing: Elite Communication in Samoa: A Study of Leadership, Stanford Cal.–London 1956, insbes. S. 98 ff. Ein Parallelfall zu der politischen Ausdifferenzierung durch Quantifikation ist im sozialen System der Wissenschaft gegeben, wo Konsens zwar nach Reputation gewichtet wird, aber ebenfalls unabhängig davon ist, welche anderen Rollen der Zustimmende wahrnimmt.

und der funktionalen Differenzierung, das die Verfahren in Justiz und Verwaltung beherrscht[37]. Es kann unter diesen Umständen nicht wundernehmen, wenn in der Politik das Prinzip der Gleichheit als legitimierender Wert verkündet wird. Gleichheit ist jedoch kein Wert, der verwirklicht werden könnte, sondern ein Strukturprinzip, das zweierlei in einem zu erreichen sucht: Rollentrennung gegenüber der Umwelt und hohe Offenheit und Variabilität der Konsenschancen im System selbst.

Ob ein so organisiertes Verfahren der Gesetzgebung hält, was es verspricht, und tatsächlich in der Lage ist, Konsens zu generalisieren und Vertrauen des zuschauenden Publikums zu gewinnen, hängt von zahlreichen weiteren Umständen ab, die vorausgesetzt werden müssen. Zum Beispiel muß die Gesellschaft Rollentrennung und Autonomie ihres politischen Systems akzeptieren können und selbst strukturell darauf eingerichtet sein. Der lebenswichtige Bedarf muß auf alle Fälle gedeckt sein, so daß jedermann warten kann, und Werte und Interessen müssen so stark differenziert sein, daß sich in der Politik eine opportunistische Wunscherfüllung organisieren läßt, die ihre Ziele rasch wechseln kann. Nur dann läßt sich nämlich das Prinzip der Chancengleichheit durch Realitäten abdecken. Es muß, mit anderen Worten, gesellschaftlich möglich sein, politische Stabilität gerade auf die Variabilität des Rechts und der Interessenbefriedigung zu gründen[38]. Außerdem muß in der Gesellschaft ein

37 M. G. Smith, a. a. O., sieht in Ausführungen, die auch in der politischen Soziologie und der Rechtssoziologie Beachtung verdienten, in der Trennung von segmentierend strukturierter Entscheidungsvorbereitung und hierarchisch strukturierter Entscheidungsdurchführung das Grundgesetz politischer Systeme schlechthin und verfolgt dieses Differenzierungsprinzip bis in die einfachsten Gesellschaften hinein. Vgl. dazu auch David Easton: Political Anthropology. In: Bernard J. Siegel (Hrsg.): Biennial Review of Anthropology 1959, Stanford Cal. 1959, S. 210–262. Erst in modernen politischen Systemen wird es jedoch möglich, diese Trennung dauerhaft strukturell zu vollziehen und entsprechende Verfahren zu differenzieren. Vgl. dazu auch Talcott Parsons: The Political Aspect of Social Structure and Process. In: David Easton (Hrsg.): Varieties of Political Theory, Englewood Cliffs N. J. 1966, S. 71–112 (84 ff.), der unterstreicht, daß die Entscheidungsfähigkeit des politischen Systems heute nicht mehr aus einer Hierarchie abgeleitet werden könne, sondern aus egalitär segmentierten Strukturen gewonnen werde, die ihrerseits erst die Hierarchie der Ämter und Kompetenzen zu begründen hätten.

38 Eine entsprechende Theorie des demokratischen Entscheidungsprozesses formuliert Charles E. Lindblom: The Intelligence of Democracy. Decision Making Through Mutual Adjustment, New York–London 1965.

hohes Maß an funktionaler Systemdifferenzierung und Leistungsspezifikation bereits erreicht sein, denn nur dann ist es möglich, Änderungen durch Entscheidung als genau umgrenzte Substitutionsvorgänge zu präzisieren, ihre Nebenfolgen auszugleichen und die Neuerung dadurch verlustlos zu gestalten; diffus strukturierte Systeme müssen sich dagegen notwendig traditional orientieren, weil sie Änderungen nicht isolieren können und jede Neuerung unabsehbare Folgen hat[39].

Diese und andere Vorbedingungen bedürfen einer Untersuchung für sich. Verfahren, auch die der Gesetzgebung, reichen allein niemals aus, um Legitimität des Entscheidens im Sinne einer laufenden Umstrukturierung von Erwartungen zu bewirken. Sie sind jedoch die Form, in der das politische System zu seiner eigenen Legitimation beiträgt. Sie symbolisieren durch ihre institutionelle und rechtliche Verankerung Identität der Entscheidungsweise und Kontinuität ähnlicher Erfahrungen, und das ist eine unentbehrliche Voraussetzung für jedes Lernen. Das Publikum kann so durch Erfahrung lernen, sich trotz prinzipieller Variabilität allen Rechts im großen und ganzen sicher zu fühlen, und Systemvertrauen fassen. Verfahren sind eine notwendige, wenn auch allein nicht ausreichende Einrichtung der Legitimierung von Entscheidungen. Zunächst muß man deshalb wissen, wie sie funktionieren und was sie leisten können, bevor man untersuchen kann, auf welche Bedingungen es sonst noch ankommt.

Der bereits unübersichtlich gewordene Gedankengang dieses Kapitels läßt sich nunmehr wie folgt zusammenfassen: Das Gesetzgebungsverfahren muß, da es Recht als variabel behandelt, außerordentlich hohe Komplexität bewältigen. Diese Komplexität muß, wenn regressive Entwicklungen des politischen Systems vermieden werden sollen, institutionell gesichert sein, laufend erhalten werden und doch von Fall zu Fall in bestimmte Gesetzentscheidungen ausgemünzt werden. Dem dient die geschilderte Doppelstruktur, die Verstrebung der offiziellen Version

39 Einige Bemerkungen in dieser Richtung finden sich bei Bert F. Hoselitz: Main Concepts in the Analysis of the Social Implications of Technical Change. In: Bert F. Hoselitz/Wilbert E. Moore: Industrialization and Society, o. O. (UNESCO-Mouton) 1963, S. 11–31 (12).

des Verfahrens einer deliberierenden, mit Mehrheit entscheidenden Versammlung einerseits und einer mit Gruppenbildungen, informalen Beziehungen und Kompetenzverschiebungen durchsetzten faktischen Arbeitsweise andererseits. Im Verhältnis zum Publikum wird dadurch eine doppelte Funktion erfüllt. Es wird einerseits hohe Variabilität und Entscheidungsfähigkeit symbolisiert und dadurch eine wenn nicht positive so doch indifferente Einstellung auf hohe Komplexität motiviert. Zum anderen wird von Verfahren zu Verfahren versucht, nach Möglichkeit ausreichenden faktischen Konsens als politische Handlungsgrundlage zusammenzubringen. Wenn diese Verfahren in den übrigen Strukturen der Gesellschaft und ihrer anderen Teilsysteme genügend Rückhalt finden, ein Problem, das wir nur andeutungsweise behandeln konnten, kann dadurch erreicht werden, daß die Betroffenen Variationen des Rechts zum Teil im Einzelfall begrüßen, im allgemeinen aber wie ein faktisches Geschehen hinnehmen und ihre Erwartungen entsprechend ändern, ohne daß dadurch in ihren übrigen Rollen erhebliche Komplikationen oder Diskrepanzen eintreten.

IV. Entscheidungsprozesse der Verwaltung

Entscheidungsvorgänge schlechthin und besonders die Entscheidungsprozesse großer bürokratischer Verwaltungsorganisationen in Staat und Wirtschaft haben in den letzten zwanzig Jahren zunehmend wissenschaftliche Aufmerksamkeit gefunden. In allen beteiligten Disziplinen, in den empirischen Wissenschaften ebenso wie in den Fächern, die an rationalen oder an normativ richtigen Entscheidungen interessiert sind, hat dieses Interesse den alten Glauben an einzig richtige Entscheidungen, die aus ziemlich einfachen Prämissen durch Nachdenken gewonnen werden können, sehr rasch zersetzt. Nicht nur die Kritik der Wahrheitsfähigkeit von Wertprämissen, sondern ebenso der Einblick in die unvorstellbare Komplexität der Probleme, die durch Entscheidungen zu lösen sind, hat zu diesem Ergebnis geführt. Die Zeit und Kapazität des Einzelmenschen zu rationaler Überlegung reichen bei weitem nicht aus, um den Entscheidungsbedarf großer Systeme zu decken. Sein Potential für rationale Informationsverarbeitung kann nur durch Kooperation gesteigert werden.

Damit werden Organisation und Verfahrensregelungen für den Entscheidungsprozeß relevant, und dies nicht nur in dem allgemeinen Sinne, daß sie vorausgesetzt werden müssen, wenn geordnete Kooperation überhaupt zustande kommen soll, sondern darüber hinaus in dem für Entscheidungsorganisationen spezifischen Sinne, daß die im Entscheidungsprozeß erreichbare Rationalität von der Wahl der Organisations- und Verfahrensform abhängt. Nur wenn und soweit Entscheidungen optimale Rationalität erreichen oder an eindeutigen Kriterien der Richtigkeit kontrolliert werden können (und das erfordert als mindestes, daß die relevante Umwelt während des Entscheidungsprozesses konstant gehalten werden kann, dieser also nicht zu lange dauert), ist es prinzipiell gleichgültig oder allenfalls ein Problem der Organisations- und Verfahrensökonomie, wie die Entscheidungen zustande kommen. Sobald es aber, und das ist für reale Entscheidungslagen der Verwaltung typisch, mehrere brauchbare oder mehrere »vertretbare« Lösungen gibt, gewinnt der Selektionsprozeß selbst sachliches Gewicht. Von ihm hängt dann ab, welche dieser zulässigen Lösungen gewählt wird. Es kommt dann darauf an, welche Informationen an welcher Stelle zuerst vorhanden waren, wie das Problem definiert, die Situation am Anfang strukturiert war und in welcher Richtung die Überlegungen und die weiteren Ermittlungen dadurch gelenkt wurden, welche Kosten und Umstände mit einzelnen möglichen Überlegungs- und Ermittlungsschritten verbunden waren, welche Möglichkeiten gleich anfangs auf Grund noch unzulänglicher Information ausgeschieden wurden und wo und wie die »offenen Punkte« und die Alternativen fixiert wurden, über die dann ernsthaft diskutiert und gegebenenfalls an höchster Stelle verantwortlich entschieden wird[1]. Im Bereich realistischer Entscheidungstätigkeit sollten daher Organisation und Verfahrensweisen nicht nur unter dem Gesichtspunkt einer Aufwandökonomie entworfen und beurteilt werden, sondern sie finden ihr letztes Kriterium in der Rationalität des Entscheidens, die sie ermöglichen, darin nämlich, wie viele Möglichkeiten sie in begrenzter Zeit zu erfassen und gegeneinander abzuwägen gestatten.

Eine solche am Entscheidungsprozeß orientierte Organisationstheorie ist vorerst allerdings selbst in der Wissenschaft nur als ausgearbeitete Problemstellung vorhanden[2] und in der Praxis

1 Diese Verbindung von sachlicher und zeitlicher Struktur ist ein typisches Merkmal moderner Entscheidungstheorien. Das gilt sowohl für die mehr empirisch orientierten Versuche der Nachkonstruktion faktischer Entscheidungsabläufe – siehe statt anderer R. M. Cyert/E. A. Feigenbaum/J. G. March: Models in a Behavioral Theory of the Firm, Behavioral Science 4 (1959), S. 81–95, und ausführlicher Richard M. Cyert/James G. March: A Behavioral Theory of the Firm, Englewood Cliffs N. J. 1963 – als auch für die statistische Analyse von Entscheidungssequenzen, die mit dem Informationswert vorangegangener Entscheidungen für nachfolgende Entscheidungen rechnen. Siehe z. B. den Überblick bei Ward Edwards: Dynamic Decision Theory and Probabilistic Information Processing, Human Factors 4 (1962), S. 59–73, oder Gérard Gäfgen: Theorie der wirtschaftlichen Entscheidung. Untersuchungen zur Logik und ökonomischen Bedeutung des rationalen Handelns, Tübingen 1963, S. 214 ff., 303 ff. Anzumerken ist im übrigen, daß auch der Programmbegriff der Automationstheorie nicht lediglich ein sachliches Entscheidungskriterium oder ein gedankliches Arrangement von Zeichen meint, sondern die daran orientierte Regelung einer *Folge von Entscheidungsschritten*. Siehe z. B. Herbert A. Simon: Perspektiven der Automation für Entscheider, dt. Übers., Quickborn 1966, S. 74.

2 Siehe als Überblick Julian Feldman/Herschel E. Kanter: Organizational Decision Making. In: James G. March (Hrsg.): Handbook of Organizations, Chicago 1965,

der öffentlichen Verwaltung unbekannt[3]. Weder die organisationstheoretischen noch die sozialpsychologischen oder soziologischen Forschungen über den Entscheidungsvorgang liegen im Blickfeld derjenigen Stellen, die sich mit Gesetzgebung auf dem Gebiete des Verwaltungsverfahrens befassen. Der Musterentwurf eines Verwaltungsverfahrensgesetzes (1963)[4] orientiert sich rechtsimmanent an vorhandenen Vorschriften und Rechtsmeinungen, an Lücken, Widersprüchen, aufgetretenen Ergänzungs-, Anpassungs- und vor allem Vereinheitlichungsbedürfnissen[5]. Selbst über eine Automatisierung von Entscheidungsvorgängen, die doch eine genaue Analyse aller entscheidungsnotwendigen Teilschritte erfordert, wird lediglich im Rahmen der Kostenberechnungen, praktisch unter dem Gesichtspunkt der Personaleinsparung, entschieden, wobei die Entscheidungsinhalte selbst als konstant vorgegebene Daten behandelt werden[6].

Daß es dabei nicht bleiben kann, ist abzusehen. Nicht nur die zunehmende Automation von Verwaltungsvorgängen wird ein sorgfältigeres Durchdenken des Vorgehens beim Entscheiden erzwingen. Die fachliche Differenzierung zahlreicher Einzelbeiträge, die starke Zerstreuung der relevanten Informationen und der Außenkontakte fordern ebenfalls dazu auf, den Ablauf des Entscheidungsprozesses nach Inhalten, Zeitstruktur und zu

S. 614–649. Eine kurze Skizze auch bei Niklas Luhmann: Theorie der Verwaltungswissenschaft. Bestandsaufnahme und Entwurf, Köln–Berlin 1966, S. 47 ff.

3 Es gibt dagegen durchaus überlegte Regelungen des Geschäftsganges in typischen, sich häufig wiederholenden Angelegenheiten. Siehe etwa Pius Bischofberger: Durchsetzung und Fortbildung betriebswirtschaftlicher Erkenntnisse in der öffentlichen Verwaltung. Ein Beitrag zur Verwaltungslehre, Zürich–St. Gallen 1964, insbes. S. 90 ff. Hans H. Schulze: Geschäftsgang bei Behörden. Dargestellt an ausgewählten Beispielen der kommunalen Verwaltung, Köln–Berlin–Bonn–München o. J.

4 Veröffentlicht im Grote-Verlag, 2. Aufl., Köln–Berlin 1968.

5 So auch der Bericht der Sachverständigenkommission für die Vereinfachung der Verwaltung beim Bundesministerium des Innern, Bonn 1960, S. 55 ff. Auch die grundsätzlicheren Erwägungen, die Carl H. Ule: Verwaltungsreform als Verfassungsvollzug. In: Recht im Wandel. Festschrift zum hundertfünfzigjährigen Bestehen des Carl Heymanns-Verlages, Köln–Berlin–Bonn–München 1965, S. 53–89, anstellt, führen lediglich auf prinzipiellere Rechtsgedanken zurück.

6 Hierzu näher: Niklas Luhmann: Recht und Automation in der öffentlichen Verwaltung. Eine verwaltungswissenschaftliche Untersuchung, Berlin 1966, S. 116 ff. Immerhin fordert man bereits eine Revision von Vorschriften unter diesem Gesichtspunkt. Dazu Malte von Berg: Automationsgerechte Rechts- und Verwaltungsvorschriften, Köln–Berlin 1968.

beteiligenden Stellen so zu regeln, daß ohne Überlastung einzelner Informationsträger oder einzelner Knotenpunkte des Kommunikationsnetzes möglichst viel Informationen erfaßt, möglichst viel Alternativen abgewogen und doch die Entscheidungen möglichst rasch getroffen werden. Dazu muß die Verwaltung als System von Entscheidungsprozessen geplant werden mit dem Ziel, relevante Information möglichst nur dort und nur dann zu aktivieren, wo und wann sie eine selektive Funktion erfüllt. Das wiederum setzt voraus, daß das Verhältnis einzelner Teilentscheidungen im Sinne einer wechselseitigen Selektivitätsverstärkung geordnet ist, so daß eine Stelle die Selektionsleistungen der anderen als Prämisse verwenden kann.

Angesichts der Komplexität dieses Problems stellt eine rationale Planung verwaltungsmäßiger Entscheidungsprozesse Anforderungen, deren Bewältigung heute weder die Theorie noch die Praxis gewachsen sind. Der typische und vorläufig unentbehrliche Ausweg ist daher, die Abfolge der Entscheidungsschritte und die Koordination der Einzelbeiträge, mithin das Verfahren, nur ad hoc festzulegen und die verschiedenen Einzelfallverfahren lediglich durch einige allgemeine »Grundsätze« zu koordinieren – etwa den, daß alle Stellen, deren Geschäftsbereich berührt wird, zu beteiligen sind[7]. Daß damit erhebliche Nachteile verbunden sind, liegt auf der Hand. Vor allem wird die Enscheidung, welchen Weg eine Sache zu nehmen hat, im Einzelfall durch ressortspezifische Motive und durch Machtstrategien verzerrt. Die »Federführung« wird, da sie die Entscheidung über das jeweils einzuschlagende Verfahren impliziert, zur Machtfrage. Unkontrollierbare Motive und Präferenzen in der Bürokratie versucht man heute vor allem durch Ausbau des Rechtsschutzes im Interesse des einzelnen Rechtsträgers zu bekämpfen. Aber auf diese Weise kommt man über die Festlegung einiger weniger Grundsätze und Mindestbedingungen nicht hinaus[8]. Im Grunde handelt es sich um ein Problem der internen Rationalisierung des Entscheidungsvorganges der Verwaltung.

7 Siehe dazu Franz Mayer: Geschäftsgang. In: Fritz Morstein Marx (Hrsg.): Verwaltung. Eine einführende Darstellung, Berlin 1965, S. 298–314 (305 ff.).

8 Vgl. etwa Carl H. Ule: Rechtmäßigkeit. In: Morstein Marx, a. a. O., S. 245–263 (251 ff.), oder auf Grund eines Vergleichs verschiedener Rechtsordnungen Franz

Sehr wahrscheinlich wird eine Standardisierung von Verfahren, die den Entscheidungsprozeß selbst erfaßt, nur bei einem sehr hohen Spezialisierungsgrad, der eine häufige Wiederholung des gleichen ermöglicht, rationell sein. Sie eröffnet zugleich die Möglichkeit der Automatisierung von Entscheidungsprozessen.

So utopisch der Gedanke einer vollständig durchrationalisierten optimalen Entscheidungsorganisation im Bereich des politischen Systems ist und bleiben wird, so deutlich weist er die Richtung der Anforderungen, denen die Entscheidungsverfahren der Verwaltung nachkommen müssen. Je höher die Komplexität eines Systems ist, die durch interne Prozesse abgearbeitet werden muß, desto zwingender wird eine systemimmanente Eigengesetzlichkeit, die in Organisationsformen und Verfahrensweisen Berücksichtigung erheischt. Damit wird es zunehmend schwieriger und eine Belastung für die erreichbare Rationalität, den Verwaltungsverfahren auch noch legitimierende Funktionen abzuverlangen. Die Ordnung von Entscheidungsschritten unter dem Gesichtspunkt rationaler Problembearbeitung und hoher Chancen für brauchbare Ergebnisse, wie die moderne entscheidungstheoretische Organisationsforschung sie anstrebt, wird kaum eine Form annehmen können, die zugleich ein Optimum an werbender Wirkung erbringt und dem Bürger das Gefühl des Beteiligtseins an einer eigenen Sache vermittelt. Gerade in den Augen des Publikums trennen sich dann Effizienz auf der einen und Befriedigungswert oder Legitimität der Entscheidung auf der anderen Seite.

Sieht man genauer hin, dann erscheinen die Entscheidungsbedingungen der Verwaltung als so vielgestaltig, daß sich eine einheitliche Beurteilung oder gar die Institutionalisierung eines einheitlichen Verfahrenstyps von selbst verbietet. Ganz im groben kann man mehrere Arten von Entscheidungssituationen danach unterscheiden, wie sie programmiert sind, und davon hängt ab, ob und wieweit sich in der Verwaltung Ansatzpunkte für legitimierende Verfahren finden lassen.

In sehr weitem Umfange sind Verwaltungsentscheidungen

Becker: Das allgemeine Verwaltungsverfahren in Theorie und Gesetzgebung, Stuttgart–Bruxelles 1960, S. 40 ff.

durch Vorgabe von Zwecken und Begrenzungen der Mittelwahl programmiert. In diesen Fällen wird in den Entscheidungsverfahren ein hohes Maß an zweckgerichteter Aktivität der Veranstalter des Verfahrens erwartet. Sie sollen sich mit ihrem Zweck identifizieren, zumindest eine solche Identifikation darstellen. Das verpflichtet sie auf ein Vorgehen, bei dem der Eindruck der Unparteilichkeit des Entscheidens nicht zu wahren ist[9]. Sie können nicht zugleich die zweckneutrale Haltung eines Richters einnehmen, die für legitimierende Verfahren wesentlich ist. Sie setzen sich für ihre Zwecke ein und bewerten die von ihren Entscheidungen Betroffenen unterschiedlich je nachdem, ob sie als Mittel oder als Hindernis der Zweckerreichung in den Blick treten.

In zweckgerichteten Entscheidungsprozessen kann deshalb allenfalls versucht werden, durch Bildung von »Kontaktsystemen«[10] oder durch ein weithin akzeptierbares Arrangement von Mitteln und Kompensationen möglichst viel konkreten Konsens und Kooperation unter den Betroffenen zu erreichen[11]. Dieses Bemühen ist jedoch nicht unbedenklich, weil es zu einer erheblichen Einschränkung der Entscheidungsmöglichkeiten der Verwaltung führt, zur Aufnahme vieler Informationen und Nebenziele in den Entscheidungsgang zwingt und die Rationalität der Entscheidung belastet. Neuere Forschungen in den Entwicklungsländern[12] und in bezug auf typische Dienstleistungsbetriebe (Schulen, Krankenhäuser, »therapeutisch« orientierte Gefäng-

9 Vgl. oben S. 134 f.

10 Vgl. oben Teil II, Kap. 3.

11 Besonders in der amerikanischen Literatur über öffentliche Verwaltung wird diese konsensbildende Funktion sehr betont. Vgl. z. B. Reinhard Bendix: Higher Civil Servants in American Society. A Study of the Social Origins, the Careers, and the Power-position of Higher Federal Administrators, Boulder Cal. 1949, S. 95 ff.; Philip Selznick: TVA and the Grass Roots, Berkeley–Los Angeles 1949; Herbert A. Simon/Donald W. Smithburg/Victor A. Thompson: Public Administration, New York 1950, insbes. Kap. 19, 21 und 22.

12 Siehe namentlich Elihu Katz/Shmuel N. Eisenstadt: Some Sociological Observations on the Response of Israeli Organizations to New Immigrants, Administrative Science Quarterly 5 (1960), S. 113–133. Vgl. auch Elihu Katz/Brenda Danet: Petitions and Appeals: A Study of Official-Client Relations, American Sociological Review 31 (1966), S. 811–822. Ferner Reinhard Bendix: Nation-Building and Citizenship: Studies of our Changing Social Order, New York–London–Sydney 1964, S. 263 ff.

nisse, Entwöhnungsheime usw.), bei denen Kooperation der Bedienten Erfolgsbedingung ist[13], haben deutlich gezeigt, daß Organisationen entbürokratisiert werden müssen, wenn ihnen eine Mitverantwortung für die Einstellungen ihres Publikums aufgebürdet wird. Unter bestimmten gesellschaftlichen Umständen oder bei bestimmten Aufgaben mag dies unerläßlich sein. Das dürfte besonders dann gelten, wenn die eigentlich politischen Prozesse nicht genügend politische Unterstützung für die Verwaltung beschaffen, so daß diese genötigt ist, selbst politische Funktionen zu erfüllen und sich ein kooperationswilliges Publikum von Fall zu Fall aufzubauen. Damit wird jedoch auf die Vorteile einer funktionalen Differenzierung von Politik und Verwaltung verzichtet. Im ganzen dürfte die bürokratische Verwaltung, die mit den nötigen finanziellen und kompetenzmäßigen Mitteln ausgestattet und vom Konsens der Betroffenen weitgehend unabhängig ist, die leistungsfähigere sein, weil ihre Arbeitsweise konsequent und funktionsspezifisch auf die Bearbeitung bestimmter Entscheidungsprogramme zugeschnitten werden kann. Ihre Rationalität und Leistungsfähigkeit wird dann zum tragenden Faktor der (politischen) Legitimation des Verwaltungssystems als Ganzes. Sie ermöglicht es, unter mehr Alternativen zu wählen und mehr Zweckprogramme in der Verwaltung unterzubringen, als wenn die Kooperation der jeweils Betroffenen konkret und tauschförmig gesichert werden müßte. Jene höhere Komplexität und Wahlfreiheit in der Verwaltung würde verlorengehen, wollte man der Verwaltung die politische Mitverantwortung für die wohlwollende Annahme ihrer Entscheidungen durch das Publikum zuschieben. In dem Maße, als die Politik ihre Funktion erfüllt, kann die Verwaltung von politischer Selbstversorgung mit Konsens entlastet werden.

13 Vgl. aus der kaum noch übersehbaren organisationssoziologischen Literatur über Dienstleistungsbetriebe als typische Beispiele Oscar Grusky: Role Conflict in Organization. A Study of Prison Camp Officials, Administrative Science Quarterly 3 (1959), S. 452–472; William R. Rosengren: Communication, Organization, and Conduct in the »Therapeutic Milieu«, Administrative Science Quarterly 9 (1964), S. 70–90; Earl Rubington: Organizational Strains and Key Roles, Administrative Science Quarterly 9 (1965), S. 350–369, und die grundsätzlicheren Formulierungen bei Talcott Parsons: Structure and Process in Modern Society, Glencoe Ill. 1960, S. 71 ff.

Eine ganz andere, sehr viel gerichtsähnlichere Situation ergibt sich bei konditionaler Programmierung der Verwaltungsentscheidungen. Hier ist die Verwaltung gebunden, in bestimmtem Sinne zu entscheiden, wenn die im Programm spezifizierten Bedingungen vorliegen. Diese Bedingungen können rein interner Art sein, etwa Regeln des Haushalts-, Kassen- und Rechnungswesens. Sie können sich aber auch auf Informationen aus der Umwelt des Verwaltungssystems beziehen, die durch Entscheidungsprogramm eine Art Auslöse-Funktion erhalten. So ist zum Beispiel die Verteilung staatlicher Leistungen weithin konditional programmiert: Immer, wenn näher bezeichnete Tatbestände vorliegen, Anträge gestellt, Voraussetzungen nachgewiesen werden, muß ein entsprechender Leistungsbescheid erteilt werden. Damit sind gewisse Grundlagen für legitimierende Verfahren gegeben: Der Entscheidende hat nicht die Verantwortung für das Erreichen bestimmter Zwecke, er hat kein Engagement in die Zukunft zu vertreten, sondern er prüft lediglich, ob die vorprogrammierten Voraussetzungen für eine bestimmte Entscheidung gegeben sind. Er kann sich dank dieser Verantwortungsentlastung sachlich und neutral verhalten.

Und doch besteht ein wesentlicher Unterschied zum gerichtlichen Verfahren. Vor Gericht ist die Situation so strukturiert, daß in jedem Verfahren eine Enttäuschung fällig ist, sei es, daß die eine oder die andere Partei verliert, sei es, daß beide nachgeben und sich einigen. Unter diesen Umständen lohnt es sich, das Verfahren auf Enttäuschungsverarbeitung und Lernen zuzuschneiden. Die konditional programmierten Entscheidungsprozesse der Verwaltung laufen dagegen im großen und ganzen enttäuschungsfrei ab: Man beantragt seine Rente und erhält seine Rente, und es ist generell nicht voraussehbar, welche Verfahren zu Ablehnungen und Enttäuschungen führen. Bei dieser Sachlage hat es keinen Sinn, alle Verfahren mit konditional programmierten Entscheidungen von vornherein unter der Fiktion eines Dissenses anlaufen zu lassen. Es muß im großen und ganzen genügen, für den Fall von Enttäuschungen ein gerichtliches oder doch gerichtsähnliches Verfahren zur Verfügung zu stellen, also erst dann legitimierende Mechanismen einzuschalten, wenn das Enttäuschungsproblem akut wird.

Damit verdichtet sich die Vermutung, daß in einem politischen System, das seine Teilsysteme nach Funktionen differenziert und spezifiziert, der ausführenden Verwaltung nicht zugleich Funktionen der Legitimation, der Konsensbeschaffung und Enttäuschungsbewältigung aufgetragen werden sollten, weil das ihre Entscheidungsprozesse mit Nebenfunktionen belasten und ihre Rationalisierung erschweren würde. Abschließend soll diese Auffassung durch Prüfung derjenigen Rechtseinrichtungen der Verwaltung erhärtet werden, denen man am ehesten eine legitimierende Funktion zuschreiben könnte, nämlich des Gebotes mündlicher Verhandlung, des Rechtes auf Anhörung und des Gebotes der Begründung von Verwaltungsentscheidungen.

Eine mündliche Verhandlung, die in zahlreichen Verwaltungsverfahrensgesetzen vorgeschrieben ist[14] und auch der Musterentwurf eines Verwaltungsgesetzes 1963 §§ 53 und 54 für »förmliche Verwaltungsverfahren« vorsieht[15], ist für die meisten Entscheidungsprozesse der Verwaltung schon deshalb inopportun, weil sie viel zu zeitaufwendig ist. Das gilt nicht so sehr für die Dauer des einzelnen Verfahrens, das durch eine mündliche Verhandlung aller Beteiligten sogar beschleunigt werden kann. Die Belastung liegt im Erfordernis der Anwesenheit mit einer unvermeidlich hohen Rate von Inaktivität und in der zeitlichen Synchronisierung des Verhaltens der Beteiligten. Während schriftliche Äußerungen lagerfähig sind, also einer individuell verschiedenen Zeitplanung eingepaßt werden können, erfordern mündliche Verhandlungen einen gemeinsamen Termin, der nicht für alle Beteiligten arbeitsgünstig liegen kann. Diese Belastung wirkt sich besonders dann aus, wenn die Teilnehmer von Ver-

14 Siehe z. B. den Überblick über ausländische Regelungen in: Carl Hermann Ule (Hrsg.): Verwaltungsverfahrensgesetze des Auslandes, Berlin 1967; vgl. das Sachverzeichnis unter »mündliche Verhandlung«.

15 Vgl. a. a. O., S. 33 f., 211 ff. In der Begründung wird das Gebot der Mündlichkeit lediglich auf das Erfordernis umfassender Anhörung gestützt, als ob diese nicht auch schriftlich oder für einzelne Beteiligte getrennt erfolgen könnte. Offensichtlich wurde die Vorstellung dem Gerichtsverfahren entlehnt, ohne daß ihre Vereinbarkeit mit den verwaltungsinternen Koordinationsproblemen überprüft wurde. Vgl. auch den Bericht der Sachverständigenkommission für die Vereinfachung der Verwaltung beim Bundesministerium des Innern, Bonn 1960, S. 214 ff. Skeptisch äußert sich Jakob Kratzer: Zum Musterentwurf eines Verwaltungsverfahrensgesetzes, Bayerische Verwaltungsblätter 10 (1964), S. 273–277 (276).

fahren zu Verfahren wechseln und nicht, wie etwa in gesetzgebenden Körperschaften, eine Vielzahl verschiedener Verfahren in einer Sitzung abgehandelt werden kann.

Die Belastung wächst ferner mit der Zahl der Beteiligten. Eine mündliche Verhandlung setzt eine institutionelle Konzentration aller Entscheidungsleistungen an einer Stelle voraus. Das entspricht dem klassischen Verwaltungsbild, das einen einfachen hierarchischen Aufbau und auf der horizontalen Ebene eine Mehrzahl von nebeneinander arbeitenden, im normalen Geschäftsgang voneinander unabhängigen Verwaltungsämtern vorsah. In dem Maße, als die hierarchische und funktionale Differenzierung des Entscheidungsprozesses in Teilentscheidungen verschiedener Stellen fortschreitet und die Interdependenz der einzelnen Beiträge steigt, wird diese Voraussetzung irreal. Hält man dann noch am Prinzip der mündlichen Verhandlung fest, muß diese zu einer Protokollierung von Stellungnahmen entarten, die durch eine Stelle vorgenommen wird, die allein gar nicht zur Entscheidung befugt ist[16]. Die Gefahr ist dann groß, daß der mündliche Vortrag folgenlos bleibt oder daß unhandliche Mengen von Protokollen angefertigt werden, in denen der am Verfahren später Beteiligte die wenigen Angaben, die er braucht, nicht findet. Der wahrhaft Entscheidende, das »Kommunikationsnetz«, kann nicht zur mündlichen Verhandlung erscheinen[17]. Auch die amerikanischen Erfahrungen sprechen,

16 Zu den Schwierigkeiten, die im amerikanischen Verwaltungsrecht aus der Regel »He who decides must hear« entstanden sind und praktisch zu ihrer Aufgabe geführt haben, vgl. Robert A. Riegert: Das amerikanische Administrative Law: Eine Darstellung für deutsche Juristen, Berlin 1967, S. 74 f. Einen Überblick über die Rechtsformen des Zusammenwirkens in der deutschen Verwaltung, der ähnliche Fragen aufwirft, vermittelt Eberhard Klingler: Rat und Beratung in der deutschen öffentlichen Verwaltung. Diss. Würzburg 1965.

17 Ähnliche Probleme ergeben sich übrigens im Verwaltungsgerichtsverfahren. Dort muß stets eine bestimmte, zu verklagende Behörde »den Staat« vertreten, obwohl sie vielleicht gar nicht diejenige ist, welche die Entscheidung in den umstrittenen Hinsichten festgelegt hatte. Der Richter, der die verwaltungsinterne Entscheidungsgeschichte den Akten entnimmt, wird dann nicht selten das Gefühl haben, gegen Abwesende zu verhandeln, besonders wenn er sieht, daß der vor ihm stehende Prozeßvertreter oder seine Behörde in den Vorverhandlungen eine andere Linie vertreten hatten. In solchen Fällen können sich, wie der Verfasser mehrfach erlebt hat, Verständigungen anbahnen, über die trotz »mündlicher Verhandlung« nicht mündlich verhandelt werden kann.

wenn sie auch im einzelnen nicht vergleichbar sind, gegen eine Anwendung gerichtsähnlicher mündlicher Verhandlungen im Verwaltungsverfahren[18].

Selbstverständlich dürfen die informativen Beziehungen zwischen Verwaltung und Publikum nicht zu stark zurückgeschnitten werden. Auf Informationen aus dem Publikum bleibt die Verwaltung angewiesen. Ein Recht der Betroffenen auf Anhörung im Verwaltungsverfahren[19] würde diesen Informationsbedarf unterstreichen und von Willen und Einsicht der Verwaltung unabhängig stellen. Andererseits zögert die Praxis nicht ohne verständlichen Grund, ein solches Recht vorbehaltlos zu konzedieren[20]. Die Verwaltung kann ohnehin nie »vollständige« Information erreichen; sie muß immer unter der Bedingung partieller Ungewißheit entscheiden, und zwar nicht nur, weil mehr Informationen nicht vorhanden sind, sondern auch, weil das Bemühen um ihre Beschaffung oder um Klärung der Frage, ob sie vorhanden sind, zu aufwendig wäre[21]. Das Ausmaß, in dem

18 Vgl. Peter Woll: Administrative Law. The Informal Process, Berkeley–Los Angeles 1963. Siehe auch Elmar Breuckmann: Grundzüge des Federal Administrative Procedure Act, Diss. Mainz 1962, S. 40 ff., und Riegert, a. a. O., S. 110 ff., der allerdings dem förmlichen Verfahren trotz seiner Seltenheit wesentliche Bedeutung beimißt als Möglichkeit, die im Hintergrund bleibt.

19 Siehe dazu Hans-Günther König: Der Grundsatz des rechtlichen Gehörs im verwaltungsbehördlichen Verfahren, Deutsches Verwaltungsblatt 74 (1959), S. 189–196; Franz Becker: Das Recht auf Gehör im deutschen und französischen Verwaltungsrecht. In: Studien über Recht und Verwaltung, Köln–Berlin–Bonn–München 1967, S. 24–44, mit weiteren Hinweisen.

20 Vgl. die als Sollvorschrift abgeschwächte, mit Ausnahmen gespickte Regelung, die § 21 des Musterentwurfs eines Verwaltungsverfahrensgesetzes (a. a. O., S. 21, 123 ff.) vorschlägt. Kritisch dazu Carl H. Ule/Franz Becker: Verwaltungsverfahren im Rechtsstaat, Köln–Berlin 1964, S. 40 f., und Carl H. Ule in: Recht im Wandel a. a. O., S. 65 f.

21 In den Wirtschaftswissenschaften beginnt man denn auch seit einiger Zeit, sich um Entscheidungsmodelle zu bemühen, die nicht mehr von vollständiger Information ausgehen, sondern die Kosten der Informationsbeschaffung gegenrechnen. Siehe z. B. John T. Lanzetta/Vera T. Kanareff: Information Cost, Amount of Payoff, and Level of Aspiration as Determinants in Decision Making, Behavioral Science 7 (1962), S. 459–473, oder G. Gäfgen, a. a. O., insbes. S. 207 ff., zur Notwendigkeit von »Stoppregeln«, die das Weitersuchen nach Informationen an einem optimalen Punkte beenden. Auch die Rechtswissenschaft wird sich mit diesem Gedanken befreunden müssen. Der Baden-Württembergische Verwaltungsgerichtshof konzediert in seinem Urteil vom 9. 10. 1963 – Die öffentliche Verwaltung 17 (1964), S. 103 f. – bereits, daß die Verwaltung, wenn sie einen Ablehnungsgrund hat, aus Gründen der Wirtschaftlichkeit davon absehen könne, alle anderen Anspruchs-

es rational ist, sich Informationen zu verschaffen, wäre danach Sache ihres eigenen Kalküls, in das nicht nur die Relevanzkriterien der Programme, sondern auch Fragen des Aufwandes an Zeit, Arbeitskraft, Geld usw. eingehen. Die Grenzen sinnvoller Informationsbeschaffung können nur durch verwaltungsinterne Kalkulation ermittelt werden.

Im Augenblick ist dies freilich reine Theorie, da es für praktische Verwaltungssituationen noch keine Entscheidungsmodelle gibt, nach denen sich Informationsbeschaffung nach Aufwand und Ertrag kalkulieren ließen. Solange die Verwaltung die Rationalität eines Verzichts auf weitere Informationen nicht eindeutig belegen kann, mag es sinnvoll sein, ihr ein Recht auf Anhörung entgegenzusetzen mit Ausnahmen für Fälle, die eindeutig jenseits der Wirtschaftlichkeitsgrenze liegen.

Einen letzten Anhaltspunkt für vermeintlich legitimierende Funktionen des Verwaltungsverfahrens bietet die Pflicht zur Begründung schriftlich erlassener Verwaltungsakte, die heute im Prinzip durchweg bejaht wird[22]. Man könnte vermuten, daß solche Begründungen dem Zwecke dienen, für den Standpunkt der Verwaltung zu werben und den Betroffenen von der Richtigkeit der Entscheidung zu überzeugen, die Entscheidung also durch Konsens zu legitimieren. Diesen Effekt *kann* die Begründung im Einzelfall zweifellos haben; sie wird indes nicht ernsthaft als Mittel zu diesem Zweck aufgefaßt und darauf zugeschnitten. Sie müßte eine ganz andere Sprache wählen, wollte sie versuchen, den Betroffenen persönlich zu überzeugen, müßte ihm zum Beispiel Kompensation anbieten, müßte ihm zeigen, wie er die Entscheidung in seine Lebenssituation einbauen kann, und für all das wäre eine Fülle zusätzlicher Informationen im vorbereitenden Entscheidungsgang zu beschaffen und zu bearbeiten. Das kann nicht geschehen und geschieht nicht einmal im gerichtlichen Verfahren. Schon die Tatsache, daß die Begründung einer Streitent-

voraussetzungen zu prüfen. Der politischen Philosophie sind solche Notwendigkeiten, fehlende Information zu überspringen, ohnehin vertraut. Vgl. Hermann Lübbe: Zur Theorie der Entscheidung. In: Collegium Philosophicum. Studien Joachim Ritter zum 60. Geburtstag, Basel–Stuttgart 1965, S. 118–140.

22 Vgl. die in § 30 des Musterentwurfs a. a. O., vorgesehene Regelung und dazu Ule/Becker, a. a. O., S. 44 ff. und Ule, a. a. O. (1965), S. 69 ff.

scheidung für Gewinner und Verlierer gleichlautend geschrieben wird, zeigt, daß sie nicht darauf spezialisiert werden kann, Konsens zu erreichen[23]. Die Überzeugungskraft der Begründung ist unter diesen Umständen allenfalls ein Zweitziel, das im Konflikt mit anderen Zielen – etwa Zeitersparnis und Entscheidungsbeschleunigung oder juristische Exaktheit und Unangreifbarkeit der Darstellung – laufend zurückgestellt wird.

Die Funktion der Begründung ist eine andere, nämlich die eines Verbindungsgliedes zur anschließenden verwaltungsgerichtlichen Kontrolle. Die Begründung legt die Linien der Argumentation fest, die die Verwaltung in einem etwaigen Gerichtsverfahren vertreten wird, und gibt dem Betroffenen so eine Grundlage für seine Entscheidung der Frage, ob er anfechten will oder nicht[24]. So wird denn auch die Begründung in der Praxis von Juristen für Juristen geschrieben, für die vorgesetzte Behörde oder für das Gericht; und sie wird in dem Bemühen um Richtigkeit und Fehlerfreiheit so verschlüsselt, daß der Empfänger sie oft allein nicht verstehen und nur mit Hilfe von Sachverständigen enträtseln kann. Die Begründungspflicht und die Begründungspraxis in der Verwaltung kann nach all dem kaum als Beleg dafür dienen, daß im Verwaltungsverfahren in nennenswertem Umfange legitimierende Funktionen erfüllt werden.

Diese Erwägungen legen den Vorschlag nahe, die Verwaltung

23 Gelegentlich kann man in der Verwaltungspraxis beobachten, daß ablehnende, belastende Entscheidungen neben der Begründung zusätzlich erläutert werden, sei es mündlich, sei es durch Referentenbrief, um so ein Höchstmaß an Verständnis zu erreichen. Die Problematik dieser Praxis liegt auf der Hand. Sie zwingt den Erläuternden fast automatisch, sich von seiner Entscheidung zu distanzieren und seinen persönlichen Stil, sein künftiges Wohlwollen oder ähnliches als Werbemittel einzusetzen und die »Schuld« an der Entscheidung anderen, etwa dem Gesetz, der Zentralbehörde, dem Finanzministerium etc. zuzuschieben. Konsenssuche dieser Art ist typisch auf kurzgeschlossene, partikulare, unbürokratische Beziehungen an den Grenzen der Verwaltung angewiesen und eignet sich daher kaum zur Legitimation des Rechts.

24 Dieses Argument hat im übrigen bei der Begründung der Begründungspflicht eine wichtige Rolle gespielt. Es ist aus der Begründung der Entscheidung des Bundesverfassungsgerichts vom 16. 1. 1957 – BVerfGE 6, S. 32 ff. (44) – in die Begründung des Gutachtens der Sachverständigenkommission beim Bundesinnenministerium – a. a. O., S. 207 f. – und von dort in die Begründung des Musterentwurfs eines Verwaltungsverfahrensgesetzes – a. a. O., S. 145 – gelangt und scheint vor allem Praktiker zu überzeugen. Allerdings setzt dieser Gedanke das an sich zulässige »Nachschieben« neuer Begründungen im Prozeß in ein fragwürdiges Licht.

und damit auch die Verwaltungsverfahren von legitimierenden Funktionen weitgehend zu entlasten und die Verwaltungsarbeit funktional spezifisch auf die Ausarbeitung konsistenter Entscheidungen unter Reduktion möglichst hoher Komplexität zu konzentrieren[25]. Das entspricht einer scharfen Trennung von Politik und Verwaltung als verschiedenen Teilsystemen der politischen Ordnung einerseits, von Verwaltung und Verwaltungsgerichtsbarkeit andererseits. Die Demokratisierung der Politik als eines Systems der Sicherstellung politischer Unterstützung für legitime Macht auf der einen Seite, die voll ausgebaute Gerichtsbarkeit in öffentlich-rechtlichen Streitigkeiten auf der anderen Seite, sind institutionelle Errungenschaften, die durch ihren Verfahrensstil zwar in ihrem Potential für Komplexität begrenzt sind, aber eine hohe Legitimität der staatlichen Entscheidungstätigkeit gewährleisten können, nämlich durch Verbreitung eines symbolisch vermittelten Konsenses für das politische System und seine jeweilige Regierung auf der einen Seite und durch expressive Isolierung von Protesten auf der anderen. Zwischen diesen Institutionen, und durch sie getragen, wäre Platz für ein hochkomplexes rationales System der Ausarbeitung konsistenter Entscheidungen, das nun nicht nochmals selbst mit Sorge um Legitimität, politische Unterstützung oder Kooperationswilligkeit der Betroffenen belastet zu werden braucht.

Die Verwaltung sollte unter diesen Umständen ihre Verfahren nicht als Institution zur Entlastung der Verwaltungsgerichtsbarkeit ansehen und auch nicht mit dieser Nebenfunktion belastet werden. Diese Normalregelung braucht nicht auszuschließen, daß für bestimmte Arten von Entscheidungsprozessen, in denen auf eine funktional differenzierte Kooperation bei der Entscheidungs-

25 Zu einer anderen Auffassung muß kommen, wer das Verwaltungsverfahren primär unter dem Aspekt einer Rechtsschutzfunktion sieht. Dann legt nämlich die Gleichheit der Funktion ein Verhältnis wechselseitiger Entlastung von Verwaltungsverfahren und Verwaltungsgerichtsverfahren nahe, und diese Entlastung kann nur bei einer gewissen Ähnlichkeit der Verfahren konzediert werden. Siehe etwa Carl H. Ule: Verwaltungsverfahren und Verwaltungsgerichtsbarkeit, Deutsches Verwaltungsblatt 72 (1957), S. 597–603, oder Becker, a. a. O., insbes. S. 37 ff. Dagegen namentlich Karl A. Bettermann: Das Verwaltungsverfahren, Veröffentlichungen der Vereinigung der Deutschen Staatsrechtslehrer 17 (1959), S. 118–182 (168 ff.). Dieses Beispiel zeigt zugleich die möglichen praktischen Konsequenzen der Wahl des funktionalen Bezugsproblems einer Verfahrenstheorie auf.

findung verzichtet werden kann und es andererseits sehr darauf ankommt, Konsens oder doch eine Festlegung der Positionen und expressiven Isolierung der Betroffenen zu erreichen, eine andere Lösung gesucht und ein besonderer Verfahrenstyp bereitgestellt wird. Auch in der Verwaltung kann, mit anderen Worten, für geeignete Fälle ein Verfahren mit legitimierenden Funktionen vorgesehen werden. Vielleicht ist es möglich, die in ihrem Sinn und in ihrer Funktion jedenfalls im deutschen Recht noch recht undeutliche Kategorie des »förmlichen Verfahrens« für diesen Zweck zu reservieren[26]. Diese Verfahrensart könnte dann allerdings nicht die Funktion eines letzten Mittels der Betroffenen haben, wie es angesichts eines lückenhaften Rechtsschutzes in den Vereinigten Staaten der Fall ist, und sie könnte auch nicht als Vorbild des eigentlichen Verwaltungsverfahrens gelten, das lediglich aus praktischen Erwägungen nicht überall zum Zuge kommen kann. Erst recht böte sie in dieser Beschränkung auf untypische, besonders enttäuschungsanfällige Entscheidungsprozesse keine wirksame Garantie der »Rechtsstaatlichkeit« der Verwaltungspraxis, sondern sie müßte als Randerscheinung angesehen werden und Ausnahme bleiben.

Geschichtlich gesehen sind bürokratische Verwaltungen zwar in einem Prozeß der Ausdifferenzierung aus der Rechtspflege entstanden. Besonders im amerikanischen Bereich ist diese Tradition noch durchaus lebendig und färbt die Vorbehalte gegenüber reiner Bürokratie in Verwaltung *und* Justiz viel stärker als die Bedenken gegen unsachlich-politische Einflüsse. Auch dort hat, ebenso wie in Deutschland, das Gerichtsverfahren als Modell des Verwaltungsverfahrens gedient, wobei es in den Vereinigten Staaten mehr auf Schutz gegen Bürokratie, in Deutschland mehr auf Schutz gegen Politik ankam. Die Situation hat sich jedoch gegenüber jener Ausgangslage durch die zunehmende Komplexi-

26 Ein »förmliches Verwaltungsverfahren« ist als eine besondere Verfahrensart im Musterentwurf eines Verwaltungsverfahrensgesetzes (1963), §§ 49 ff., vorgesehen, ohne daß aus der beigegebenen Begründung (a. a. O., S. 207 ff.) erkennbar würde, worin der besondere Sinn dieser Verfahrensart im Unterschied zu anderen zu sehen sei und nach welchen funktionalen Kriterien die für sie geltenden Bestimmungen ausgewählt worden sind. Anscheinend ist der Ausschuß, der den Entwurf erarbeitet hat, davon ausgegangen, daß es solche förmlichen Verfahren schon gebe und daher auch geben müsse.

tät und Rationalisierungsbedürftigkeit der Verwaltung, durch die Demokratisierung der Politik und besonders in der Bundesrepublik durch einen Vollausbau der Verwaltungsgerichtsbarkeit grundlegend geändert. Der organisatorische Engpaß liegt jetzt in der Leistungsfähigkeit der Verwaltung. Verwaltungsentscheidungen müssen rationalisiert werden, um diesen Leistungsdruck abzufangen. Rationalisierung heißt immer: funktionsspezifische Orientierung. Funktionsspezifische Orientierung erfordert aber Entlastung von anderen Funktionen, Entlastung vor allem von Funktionen der Konsensbeschaffung und der Legitimierung des Entscheidens. Nur wenn das politisch-administrative System des Staates insgesamt ein hinreichendes Maß funktioneller Differenzierung entwickelt, kann es jene innere Komplexität erreichen, die in einer Zivilisationsgesellschaft erwartet werden muß und die seine Legitimität trägt.

V. Folgerungen und Erweiterungen

Das Thema Legitimation durch Verfahren läßt sich mit den begrifflichen und methodischen Hilfsmitteln der neueren Sozialpsychologie und Soziologie behandeln. So viel sollte aus den bisherigen Überlegungen trotz all ihrer Vorläufigkeit deutlich geworden sein. Unsere Untersuchungen würden sich demnach dem Fachbereich der Rechtssoziologie einzuordnen haben. Gleichwohl haben sie wenig Kontakt gefunden mit dem Gedankengut, das unter dieser Fachbezeichnung publiziert worden ist. Das ist kein Zufall. In ihrer heutigen Gestalt ist die Rechtssoziologie, sofern sie nicht mit Rücksicht auf die Reichweite empirischer Methoden auf Fragen der Berufseinstellungen, Karrieren und Entscheidungsweisen von Juristen zurückgeschnitten wird[1], den Problemstellungen der Rechtswissenschaft verhaftet geblieben[2], gleichsam als ein Versuch, offene Probleme der Rechtswissenschaft mit nichtjuristischen Methoden zu lösen. Inzwischen ist jedoch die Theorieentwicklung in den Sozialwissenschaften so weit fortgeschritten, daß Brücken gebaut werden können. Recht kann als Struktur sozialer Systeme begriffen werden, und das systemtheoretische Instrumentarium der allgemeinen Soziologie kann benutzt werden, um rechtssoziologische Forschungen zu befruch-

1 Diese in den Vereinigten Staaten vorherrschende Tendenz beginnt man selbst dort zu beklagen. Vgl. Jerome H. Skolnick: The Sociology of Law in America. Overview and Trends, Law and Society (Supplement to Social Problems 1965), S. 4–39; Jack P. Gibbs: The Sociology of Law and Normative Phenomena, American Sociological Review 31 (1966), S. 315–325. Siehe auch ders.: Norms. The Problem of Definition and Classification, The American Journal of Sociology 70 (1965), S. 586–594.

2 Davon kann ein Blick in die von Paul Trappe zusammengestellte Bibliographie der Rechtssoziologie überzeugen in: Theodor Geiger: Vorstudien zu einer Soziologie des Rechts. Mit einer Einleitung und internationalen Bibliographie zur Rechtssoziologie, Neuwied–Berlin 1964, S. 421 ff. Trappe meint zwar, zumindest bei Geiger selbst Ansätze zu einer tatsächlich soziologischen Rechtssoziologie zu erkennen (a. a. O., S. 13). Das mag für seinen methodenbewußten Empirismus zutreffen. Aber auch Geiger bezieht die Fragen, auf die er zu antworten sucht, aus der rechtsphilosophischen und rechtstheoretischen Diskussion und nicht aus der soziologischen Theorie seiner Zeit. Er hält es sogar für »ziemlich belanglos, ob man meine Arbeit als Beitrag zur allgemeinen Rechtstheorie oder zur Rechtssoziologie betrachten will« (a. a. O., S. 39).

ten. Am Beispiel des Verfahrens, einem zunächst »unwahrscheinlichen« Anwendungsfall der Systemtheorie, läßt sich das zeigen. Über den Systembegriff hinaus bietet die heutige soziologische Diskussion zahlreiche weitere Anknüpfungspunkte für unser Thema. Einige von ihnen sollen zum Abschluß herausgegriffen und kurz skizziert werden. Auf diese Weise läßt sich zugleich die zentrale Bedeutung einer Legitimation durch Verfahren für die moderne Industriegesellschaft belegen. Die Unterscheidung von expressiven und instrumentellen Variablen, die Einsicht, daß Strukturen gegen Enttäuschungen abgesichert werden müssen, die Theorie der funktionalen Differenzierung und ihrer Folgeprobleme sowie gewisse Anhaltspunkte für eine zunehmende Trennung sozialer und personaler Systeme dienen uns als Leitfaden.

1. Instrumentelle und expressive Variable

Zu den auffallendsten Kennzeichen der neueren soziologischen Theorie gehören deutliche Vorbehalte gegenüber dem Zweckbegriff. Natürlich wird nicht bestritten, daß es Zwecke gibt, aber die Kategorie des Zwecks wird ihres grundbegrifflichen Status entkleidet, den sie im Rahmen älterer Handlungswissenschaften besessen hatte. Zweckorientierung muß heute als eine Variable angesehen werden. Soziale Systeme können ihren Sinn und ihren Umweltbezug mehr oder weniger weitgehend auf spezifische Zwecke konzentrieren, müssen aber immer auch Funktionen erfüllen, die durch Zweckerreichung allein nicht sichergestellt werden können[1]. Eine der Fassungen, die diese Einsicht erhalten hat, ist die Unterscheidung instrumenteller und expressiver Variablen. Mit Hilfe dieser Unterscheidung läßt sich erläutern, daß und weshalb auch bei Verfahren der Sinn des Handelns sich nicht vollständig in einer Zweckformel einfangen läßt.

Als Zweck eines Verfahrens wird im allgemeinen nicht Legitimation angegeben, sondern Rechtsschutz oder auch Anfertigung verbindlicher, richtiger Entscheidungen[2]. Dieser Zweck soll erreicht und am Erfolg kontrolliert werden. Er wird nach Möglichkeit operational definiert. Die Legitimation der Entscheidung könnte nicht in gleichem Sinn Zweck des Verfahrens werden. Weder ist nämlich klar, ob und wieweit Legitimation überhaupt durch einzelne Verfahren erreicht werden kann, unabhängig von dem sozialen Kontext, der die Bereitschaft zur Hinnahme der Entscheidung trägt, noch ist es möglich anzugeben, an welchen spezifischen Wirkungen dieser Erfolg kontrolliert werden

1 Hierzu näher Nikas Luhmann: Zweckbegriff und Systemrationalität, Tübingen 1968.

2 Wenn hier von Zweck des Verfahrens und im folgenden von instrumentellen Variablen oder Bedürfnissen im Hinblick auf diesen Zweck gesprochen wird, so befinden wir uns damit auf einer anderen formalen Sinnebene als bei der Frage, welcher Programmtyp *im* Verfahren Verwendung findet. Die These einer instrumentellen Orientierung des Verfahrens widerspricht also nicht der oben erörterten, daß *im* Verfahren nicht Zweckprogramme, sondern Konditionalprogramme als Entscheidungsprämissen benutzt werden.

könnte. Es handelt sich nicht um ein operationales Ziel, sondern um eine Funktion, die während des Verfahrensablaufs mit erfüllt werden muß, sollen auf die Dauer gesehen schwerwiegende politische Störungen der Gesellschaft vermieden werden, die aber nicht als ein Programm formuliert werden kann, das die Auswahl spezifischer Mittel leitet.

Dem entspricht unser Befund: daß die Funktion der Legitimation nicht durch Wahl geeigneter Mittel für einen vorgestellten, in der Ferne liegenden Zweck erfüllt wird, sondern durch sehr oft latent bleibende Aspekte des sozialen Verhaltens, durch symbolisch-expressives Handeln, das die Beteiligten in implizierte Rollen, die Nichtbeteiligten durch dramatische Darstellung des Verfahrens in seinen Sinn einbezieht und sie alle den Reduktionsprozeß aktiv oder symbolisch vermittelt mit vollziehen läßt. Offenbar hat hier die Gegenwärtigkeit des Geschehens ein Eigenrecht, das als Herbeiführung einer bestimmten Zukunft nicht ausreichend begriffen werden kann.

Diese Überlegung führt in die Nähe der begrifflichen Unterscheidung instrumenteller und expressiver Variabler, die zunächst in der Gruppentheorie gefunden wurde, heute aber darüber hinaus für die allgemeine Theorie des sozialen Systems wachsende Bedeutung gewinnt[3]. Instrumentelle Variable sind

3 Vgl. als Ausgangspunkt Robert F. Bales: Interaction Process Analysis. A Method for the Study of Small Groups, Cambridge/Mass. 1951; für die weitere gruppentheoretische Entwicklung etwa Robert F. Bales: Task Status and Likeability as a Function of Talking and Listening in Decision Making Groups. In: Leonard D. White (Hrsg.): The State of the Social Sciences, Chicago 1956, S. 148–161; Philip E. Slater: Role Differentiation in Small Groups, American Sociological Review 20 (1955), S. 300–310; Philip M. Marcus: Expressive and Instrumental Groups. Toward a Theory of Group Structure, The American Journal of Sociology 66 (1960), S. 54–59; John W. Thibaut/Harold H. Kelley: The Social Psychology of Groups, New York 1959, S. 278 ff.; Barry E. Collins/Harold Guetzkow: A Social Psychology of Group Processes for Decision-Making, New York–London–Sydney 1964, S. 214 ff.; Peter J. Burke: The Development of Task and Socio-Emotional Role Differentiation, Sociometry 30 (1967), S. 379–392. Als Auswertungen auf dem Gebiete der Organisationssoziologie vgl. etwa Amitai Etzioni: A Comparative Analysis of Complex Organizations. On Power, Involvement, and Their Correlates, New York 1961, insbes. S. 91 f. und passim; ders.: Dual Leadership in Complex Organization, American Sociological Review 30 (1965), S. 688–698; für die politische Soziologie siehe Ulf Himmelstrand: Social Pressures, Attitudes, and Democratic Processes, Stockholm 1960; und für die Einbeziehung in eine allgemeine Theorie des Handlungssystems bzw. des sozialen Systems Talcott Parsons/Robert

abgeleitete Bedürfnisse, die ihren Sinn aus der Erfüllung fernliegender Zwecke gewinnen und im Hinblick darauf variierbar sind; expressiv (oder konsumatorisch) sind Bedürfnisse, die durch Handeln unmittelbar befriedigt werden, so daß eine Änderung des Handelns eine Änderung des Bedürfnisses voraussetzt.

Es drängt sich auf, diese Unterscheidung zu benutzen, um das Verhältnis von Entscheidungsfindung und Legitimation im Verfahren zu interpretieren und zugleich dieses besondere Problem in den Zusammenhang einer allgemeinen Theorie des sozialen Systems einzufügen. Denn offensichtlich setzte das Finden einer richtigen Entscheidung instrumentelle Kalkulation voraus[4], während die symbolisch-verstrickenden Wirkungen des Verfahrens nur über expressives Handeln zustande kommen können.

Zuvor muß allerdings die Unterscheidung von instrumentellen und expressiven Variablen überarbeitet und gegen eine verbreitete Fehldeutung abgesichert werden. Die Kleingruppenforschung hatte nämlich dieser Unterscheidung eine ganz bestimmte Interpretation gegeben, indem sie parallel dazu eine andere Unterscheidung von Zweckerfüllung und Bestandserhaltung benutzte[5] und dahin tendierte, beide Unterscheidungen kongruent zu setzen. Dadurch entstand der Eindruck, daß die expressive Funktion im Gegensatz zur Zweckerfüllung der Bestandserhaltung dient, daß die Bestandsprobleme mithin primär solche der sozio-emotionalen Mitgliedermotivation seien, während die

F. Bales/Edward A. Shils: Working Papers in the Theory of Actions, Glencoe Ill. 1953; Talcott Parsons/Robert F. Bales: Family, Socialization, and Interaction Process, Glencoe Ill. 1955, und ferner die zur Definition der Systemprobleme verwendete Unterscheidung von instrumentellen und konsumatorischen Bedürfnissen bei Talcott Parsons: General Theory in Sociology. In: Robert K. Merton/Leonard Broom/Leonard S. Cottrell, Jr. (Hrsg.): Sociology Today, New York 1959, S. 3–38 (5 ff.).

4 Das betont als Grundgedanken richterlicher Rationalität John Ladd: The Place of Practical Reason in Judicial Decision, in: Carl J. Friedrich (Hrsg.): Rational Decision (Nomos VII), New York 1964, S. 126–144.

5 Besonders seit Kenneth D. Benne/Paul Sheats: Functional Roles of Group Members, The Journal of Social Issues 4 (1948), S. 41–49. Zur Anwendung in der Organisationssoziologie vgl. auch Alvin W. Gouldner: Organizational Analysis. In: Merton u. a., a. a. O., S. 400–428; Amitai Etzioni: Two Approaches to Organizational Analysis. A Critique and a Suggestion, Administrative Science Quarterly 5 (1960), S. 257–278.

Zweckerfüllung für die Bestandserhaltung irrelevant sei. Das ist natürlich falsch. Beide Funktionen, die instrumentelle wie die expressive, dienen der Lösung von Systemproblemen und in diesem Sinne der Erhaltung von Systemen.

In Wirklichkeit geht der Unterschied auf ein Zeitproblem zurück[6]. Eine Steigerung der Komplexität sozialer Systeme ist nur dadurch erreichbar, daß die Erfüllung mancher Bedürfnisse vertagt und auf Umwegen erreicht wird. Zwecke dienen dazu, solche Umwege zu motivieren und aktuelle Verzichte oder Anstrengungen im Hinblick auf zeitlich entfernte Wirkungen zu rechtfertigen. Durch solch ein zeitliches Auseinanderziehen von Ursachen und Wirkungen lassen sich Möglichkeiten funktionaler Spezifikation und abstrakt orientierter Variation des Handelns gewinnen. Handlung und Wunscherfüllung hängen nicht mehr kompakt zusammen, so daß das eine mit dem anderen steht oder fällt. Vielmehr können bestimmte Fernzwecke gesetzt und dann unter mehreren alternativ geeigneten Mitteln die besten gewählt, ausfallende Mittel durch andere ersetzt und gegebenenfalls auch die Zwecke im Hinblick auf die Kosten der Mittel modifiziert werden[7]. Solche Substitutionsprozesse liegen aller Rationalisierung des Handelns zugrunde.

Nicht alle Bedürfnisse lassen sich aber in diesem Sinne vertagen und einem substituierenden Kalkül ausliefern. In dem Maße, als Systeme sich an zeitlich fernliegenden Wirkungen, also im Hinblick auf Zwecke, instrumentell zu orientieren beginnen, wird die Gegenwart problematisch. Es treten aktuelle Folgeprobleme auf, deren Lösung nicht mit vertagt werden kann, vor allem solche der zwischenzeitlichen Systemerhaltung, der

6 So im Prinzip auch Talcott Parsons – siehe z. B. The Point of View of the Author. In: Max Black (Hrsg.): The Social Theories of Talcott Parsons, Englewood Cliffs N. J. 1961, S. 311–363 (324). Demgegenüber war die nahestehende Unterscheidung von zweckrational und wertrational bei Max Weber: Wirtschaft und Gesellschaft. Studienausgabe, Köln-Berlin 1964, S. 17 f., sachlich und nicht zeitlich orientiert: zweckrational bedeutet Bestimmung und Rechtfertigung durch etwas anderes, wertrational dagegen Bestimmung und Rechtfertigung durch sich selbst.

7 Diese relative Variabilität stellt auch David Apter als Merkmal instrumenteller Werte im Unterschied zu konsumatorischen Werten heraus. Vgl. David E. Apter: The Political Kingdom in Uganda. A Study in Bureaucratic Nationalism, Princeton N. J. 1961, S. 85, und ders.: The Politics of Modernization, Chicago–London 1965, S. 83 ff.

fortlaufenden Motivation, des Sicherheitsgefühls und der Vertrauensbildung[8]. An Stelle der unmittelbaren Bedürfnisbefriedigung müssen jene Fernziele angestrebt und zugleich in der Gegenwart als sinnvoll verankert werden. Es muß aktuelle Gewißheit darüber geschaffen werden, daß Mühe, Verzichte und Geduld sich lohnen, daß augenblickliche Benachteiligung durch künftiges Wohlergehen ausgeglichen werden wird. Die einfache Bedürfnisbefriedigung kann deshalb nur durch eine Doppelfunktion abgelöst werden, durch eine Verbindung von instrumenteller und expressiver Orientierung, deren Miteinander gewährleistet werden muß.

Man kann also davon ausgehen, daß in allen komplexen Sozialsystemen diese beiden Funktionen zusammen erfüllt werden müssen, und zwar bei steigender Komplexität unter zunehmender Diskrepanz und verschärftem Leistungsdruck. Ihre Kombinierbarkeit wird somit ein kritisches Problem. Sondiert man mit dieser Fragestellung die Funktionen des Verfahrens, wird zunächst deutlich, was die klassische, altliberale Verfahrenskonzeption vorausgesetzt hatte: Übereinstimmung instrumenteller und expressiver Verfahrensfunktionen. Öffentliche Rechtsverfahren sollten in einer einheitlichen Zweck/Mittel-Beziehung der richtigen Feststellung des Rechts und zugleich der Ausbreitung richtiger Rechtsüberzeugung dienen. Darin wurde kein Widerspruch gesehen, da man dem gemeinsamen Besitz der Vernunft und der Überzeugungskraft einleuchtender Argumente vertraute. Auch für heutige Verfahrensvorstellungen ist bezeichnend geblieben, daß sie Verfahren als Mittel zum Zweck sehen, also auf eine noch nicht reale Zukunft verweisen und seine Funktion für die jeweils gegenwärtige Situation, für expressives Handeln und aktuelle Selbstdarstellung verkennen[9]. In die soziologische Begriffssprache übersetzt, impliziert diese These eine vollständige Harmonie instrumenteller und expressiver Funktionen, und in dieser Form hält sie einer Überprüfung nicht stand.

8 Hierzu näher Niklas Luhmann: Vertrauen. Ein Mechanismus der Reduktion sozialer Komplexität, Stuttgart 1968, insbes. S. 7 ff.

9 So interpretiert z. B. Brian Barry: Political Argument, London 1965, S. 97 ff., die Idee der »procedural fairness« als Mittel zum Zweck der Gerechtigkeit – und nicht als eigenen Wert, der im Vollzug des Verfahrens selbst realisiert wird.

Als Ergebnis umfangreicher Forschungen über kleine Gruppen muß vielmehr festgehalten werden, daß instrumentelle und expressive Bedürfnisse einer Gruppe normalerweise an den einzelnen verschiedenartige Verhaltensanforderungen stellen, die typisch nicht durch die gleichen Leistungen erfüllt werden können. Es kann unter diesen Umständen notwendig werden, der funktionalen Differenzierung durch eine strukturelle Differenzierung Rechnung zu tragen, wenn die Diskrepanz mit steigender Komplexität des Systems zunimmt[10]. Das bedeutet, daß die Leistungen funktionsspezifisch getrennt und verschiedenen Personen oder Rollen oder Aktionsprogrammen zugewiesen werden. Neben solcher strukturellen Differenzierung sind andere Formen der Trennung denkbar, zum Beispiel die Auflösung des Konflikts in ein Nacheinander verschiedener Situationsauffassungen und Verhaltensstile[11]. Hier entstehen Probleme des Übergangs von einer Situationsauslegung in die andere und das Bedürfnis nach einem Mindestmaß an Konsistenz, das dazu zwingt, auch in der expressiven Phase den Zweck nicht ganz aus den Augen zu verlieren und umgekehrt, das also die Möglichkeiten funktionaler Spezifizierung des Verhaltens begrenzt.

Alles in allem kann man nicht sagen, daß es unmöglich wäre, diese beiden Funktionen in einer komplexen Institution, etwa der eines Verfahrens, unterzubringen und zu kombinieren. Die skizzierte Theorie erlaubt die Prognose, daß dabei Schwierigkeiten entstehen, daß sich, mit anderen Worten, die Kombination

10 In der Kleingruppenforschung ist eine solche Differenzierung namentlich auf der Ebene der Rollenbildung, also als Rollendifferenzierung, erörtert worden, und zwar besonders im Hinblick auf Führungsrollen. Das hat zur Aufstellung der sogenannten »Doppelführungstheorie« geführt, die behauptet, daß es selbst in kleinen Gruppen instrumentelle und expressive Führer nebeneinander gäbe und nur ausnahmsweise »große Männer« beide Funktionen zugleich erfüllen können. Siehe neben der oben Anm. 3 angeführten Literatur etwa Edgar F. Borgatta/Arthur Couch/Robert F. Bales: Some Findings Relevant to the Great Man Theory of Leadership, American Sociological Review 19 (1954), S. 755–759. Das Problem wird damit natürlich nicht gelöst, sondern in die Beziehung zwischen diesen beiden Führern verlagert, wo es gegebenenfalls leichter lösbar ist.

11 Diese Lösung wählt zum Beispiel der »menschliche« Richter, der zunächst nach Kräften versucht, die Prozeßbeteiligten zur Einsicht zu bringen oder doch in Positionen zu manövrieren, in denen die Entscheidung sie nicht mehr völlig unerwartet trifft.

von expressivem und instrumentellem Verhalten nicht von selbst versteht, sondern Spannungen und Folgeprobleme, Konflikte und Verhaltenslasten erzeugt. Aber das ist normal für alle komplexen Systeme, daß sie diskrepante Funktionen erfüllen müssen, und schließt ihre Bestandsfähigkeit nicht aus[12]. Vielmehr wäre umgekehrt zu fragen, ob es nicht gerade Systemen, die diskrepante Funktionen kombinieren, gelingt, durch Institutionalisierung dieser Spanung[13] und darauf bezogener Verhaltenserwartungen das Problem einer Lösung durch tägliches Verhalten näherzubringen. Gerade dies scheint für die wichtigsten Verfahrensarten des politischen Systems bezeichnend zu sein. Sie bilden die Nahtstelle zweier verschiedener Zeithorizonte und Funktionskreise, nämlich instrumenteller und expressiver Orientierung im politischen System.

Das Verfahren der politischen Wahl dient zum Beispiel seinem offiziellen Sinn nach dem Zweck, bestimmte Stellen des politischen Systems in Legislative und Exekutive mit Personen zu besetzen. Dieser Zweck erlaubt jedoch weder in abstracto noch bei Berücksichtigung aller konkreten Umstände eine zweckrationale Wahl des bestgeeigneten Mittels[14]. So gewinnt die politische Wahl latent die Funktion expressiven Handelns: Sie drückt, person- oder programmbezogen, politische Zustimmung bzw. Ablehnung aus. Diese Doppelfunktionalität wird durch bestimmte institutionelle Vorkehrungen erleichtert, vor allem durch das Fehlen eindeutiger Erfolgskontrollen und durch die Geheimheit der Stimmabgabe, die den einzelnen von einer öffentlichen und rationalen Rechtfertigung der Wahlentscheidung entlastet, ihm aber die Möglichkeit eines Ausdrucks seiner

12 In der Organisationssoziologie ist das heute wohl allgemein anerkannt. Siehe als verschiedenartige theoretische Konzeptionen, die in dieser prinzipiellen Einsicht konvergieren: Peter M. Blau/W. Richard Scott: Formal Organizations. A Comparative Approach, San Francisco 1962; Niklas Luhmann: Funktionen und Folgen formaler Organisation, Berlin 1964; Robert L. Kahn/Donald M. Wolfe/Robert P. Quinn/Diedrick J. Snoek: Organizational Stress. Studies in Role Conflict and Ambiguity, New York–London–Sydney 1964.

13 Siehe den Begriff der »stabilisierten Spannung« bei Arnold Gehlen: Urmensch und Spätkultur. Philosophische Ergebnisse und Aussagen, Bonn 1956, S. 88 ff.

14 Siehe dazu als eine kritische Analyse vom Standpunkt der ökonomischen Zweckrationalität aus Anthony Downs: An Economic Theory of Democracy, New York 1957.

politischen Ansichten innerhalb und außerhalb der Wahl offenläßt[15].

Verfahren der Gesetzgebung sind ein anderer Fall der institutionellen Verbindung instrumenteller und expressiver Funktionen. Hier geht es um generelle Entscheidungen, die die Bevölkerung teils unmittelbar binden, teils nur die Bürokratie programmieren. Für die Betroffenen kann eine unmittelbare rollenmäßige Beteiligung am Verfahren nicht in Betracht kommen, sondern nur ein symbolisch-identifizierendes Miterleben. Dieses wird durch expressive, dramatische, öffentliche Darstellung der Themen, Projekte, Schwierigkeiten und Ergebnisse gesteuert und auf verschiedene Weise gesteigert, zum Beispiel durch Indoktrination einer Ideologie als Prämisse allen sinnvollen Handelns oder durch Stilisierung des Verfahrens als Kampf. Daneben muß im Kontakt mit der Verwaltung die fachliche Ausarbeitung der Programme stattfinden unter Berücksichtigung ihrer Konsistenz mit anderen Programmen, ihrer Rechtmäßigkeit, Wirtschaftlichkeit und Ausführbarkeit. Diese instrumentelle Ausrichtung kann jener expressiven widersprechen, da die Variationsmöglichkeit der Entscheidungsprogramme keineswegs automatisch mit den Bedingungen politischer Unterstützung korreliert. Die Koordination beider Variablen ist das Problem und die Leistung der Politik[16]. Dabei werden instrumentelle und expressive Bedürfnisse nicht auf der Ebene der Rollen, sondern abstrakter in Werten und Programmen kombiniert[17].

Schließlich gehören auch die Gerichtsverfahren zu diesem doppelfunktionalen Verfahrenstyp[18]. Auch sie streben, wie alle Ver-

15 Auch hier muß übrigens eine Prämisse der klassischen Verfahrenstheorie aufgegeben werden, die auf einer allzu harmonischen Verschmelzung instrumenteller und expressiver Funktionen beruhte, nämlich die Konzeption des vollständig informierten, rationalen Wählers, der dadurch, daß er seine Interessen rational verfolgt, eine Verwirklichung des Gemeinwohls ermöglicht und diesen Zusammenhang einsieht.

16 Ähnlich Seymour M. Lipset: Soziologie der Demokratie, dt. Übers., Neuwied-Berlin 1962, S. 70 ff. Vgl. auch die entsprechende Unterscheidung von Effizienz und Legitimität bei Thomas Ellwein: Einführung in die Regierungs- und Verwaltungslehre, Stuttgart-Berlin-Köln-Mainz 1966, S. 171.

17 Vgl. hierzu namentlich Himmelstrand, a. a. O.

18 Seltsam und unberechtigt ist, daß Rudolf Smend: Staatsrechtliche Abhandlungen und andere Aufsätze, Berlin 1955, S. 208, der Justiz eine integrierende Funktion ausdrücklich abspricht.

fahren, eine Entscheidung an, und zwar in einem Kontext mehr oder weniger festliegender Entscheidungsprogramme. Zugleich haben sie, wie eingehend behandelt, expressive Funktionen. Die Kombination beider wird vor allem durch die Statusrolle des Richters erleichtert, der das Verfahren dominiert, die jeweilige Situationsauslegung beherrscht, den Ton angibt und daher relativ frei ist, je nach den Erfordernissen expressive und instrumentelle Situationsauslegungen zu wechseln, wobei die anderen ihm folgen müssen[19].

Es gibt demnach eine Reihe von Verfahren, in denen teils institutionell, teils verhaltensmäßig versucht wird, instrumentelle und expressive Funktionen, rationale Entscheidungsfindung und aktuelle Gefühlserfüllung mit mehr oder weniger Erfolg zu kombinieren. Ein weiteres Merkmal dieser Verfahren ist ihr relativ geringes Potential für Komplexität. Sie können, wenn sie neben ihrer Entscheidungsfunktion zugleich Darstellungen sein und Symbole bewähren sollen, nur wenige Alternativen bearbeiten. Alle komplexeren Problemkonstellationen müssen präpariert und vereinfacht werden, bevor sie Gegenstand eines solchen Verfahrens werden können. Das ist eine Folge dieser mehrfunktionalen Verfassung des Verfahrens, in der beide Funktionen sich wechselseitig behindern. Daher kann dieser Entscheidungstyp nicht der einzige sein und bleiben, wenn die Komplexität des politischen Systems so rapide steigt wie in den letzten hundert Jahren. Die Entscheidungsprozesse der Verwaltung müssen von der Vorsorge für Gefühlserfüllung und Legitimität entlastet und instrumentell organisiert werden.

Man würde, so können wir zusammenfassen, die Beziehung des Verfahrens zur Legitimität der Entscheidung zu oberflächlich erfassen, wollte man sie als Beziehung von Mittel und Zweck oder von Ursache und Wirkung deuten im Sinne von getrennten

19 Daß diese Kontrolle über die Situation und den Verhaltensstil auch verlorengehen oder dem Richter durch überlegenes Geschick entzogen werden kann, macht die besondere Spannung solcher Verfahren aus. Status ist nur eine Hilfe, keine Problemlösungsgarantie. Der Richter kann daher zwar in der Regel mit mäßigem Verhaltensgeschick auskommen und so eine zu expressive Färbung der Szene verhindern, muß sich dann aber gegenüber geschickteren Anwälten oder gegenüber Zeugen oder Parteien, die ein menschliches Gefühl an ihm entdecken und ausbauen möchten, auf seine formale Rolle zurückziehen.

Ereignissen in einer objektiven Folge von Zeitpunkten. Auch ein lerntheoretisches Modell der laufenden Umstrukturierung von Erwartungen darf nicht so vordergründig angesetzt werden. Man kann das Verhältnis von System und Zeit, also auch von Verfahren und Zeit, nicht zureichend begreifen, wenn man einen objektiven, alle Zeitpunkte aufreihenden und egalisierenden Zeitbegriff voraussetzt. Man muß vom stets gegenwärtigen Zeiterleben ausgehen, denn nur in der Gegenwart ist Zeit wirklich im Sinne eines Doppelhorizontes von Bestimmtem (Vergangenem) und Unbestimmtem (Zukünftigem).

Die Leistung eines Verfahrens erschöpft sich demnach nicht darin, eine ungewisse Zukunft durch Selektionsprozesse zu *bestimmen*; sie ermöglicht es vor allem, eine ungewisse Zukunft *auszuhalten*. Verfahren verhelfen dazu, angesichts einer ungewissen Zukunft und vornehmlich angesichts einer Überforderung durch eine unübersehbare Komplexität von Möglichkeiten des variablen Rechts *gegenwärtige Sicherheit* zu schaffen und ein darstellendes, expressives, sinnerfülltes, verpflichtendes Verhalten in der Gegenwart zu ermöglichen[20]. So kann der Betroffene in einer laufend aktuellen Gegenwart sinnvoll miterleben und mithandeln, *obwohl* er auf eine ungewisse Zukunft zulebt. Die Entscheidung fällt nicht als eine unerwartbare Überraschung auf ihn zu, als Glück oder Unglück, dem man ratlos entgegensieht, ohne sich darauf einstellen zu können, sondern als Ergebnis eines Entscheidungsprozesses, in dem man sich miterlebend und mithandelnd auf sie vorbereiten kann. Je größer die Komplexität der künftigen Möglichkeiten ist, desto unerträglicher wären solche Überraschungen, desto stärker würde die Aussicht auf unerwartbare Ereignisse, die sich nicht einmal mehr in religiös deutbaren Bahnen bewegen, sondern Menschenwerk sind, die Gegenwart, also die Existenz, verunsichern. In diesem Sinne sind Verfahren ein existentielles Komplement der Positivierung des Rechts. Sie verkleinern und entschärfen das Moment der Überraschung, das mit der Entscheidung verbunden ist.

20 Von einer ähnlichen Zeitkonzeption aus interpretiert auch George H. Mead das Problem der Sicherheit als nur in der permanent aktuellen Gegenwart lösbar. Vgl.: The Philosophy of the Act, Chicago 1938, S. 175.

2. *Strukturen und Enttäuschungen*

Das Problem des Kleinarbeitens von Erwartungsenttäuschungen kann in der Soziologie auch von einer Strukturtheorie aus behandelt werden. Erst wenn man das tut, wird die volle Tragweite dieses Problems sichtbar[1].

Eine dafür zureichende Theorie des sozialen Systems kann in diesem Zusammenhang nicht erarbeitet, ja nicht einmal skizziert werden. Nur eine, für uns wesentliche Gedankenfolge können wir herausziehen. Wir gehen davon aus, daß alle Sozialsysteme ihre Identität und ihre relative Autonomie gegenüber der Umwelt durch eine Trennung von Strukturen und Prozessen gewinnen[2]. Die Funktion dieser Trennung besteht in der Einrichtung einer »doppelten Selektivität«. Durch Strukturen, im Falle von rechtsanwendenden Verfahren also durch Rechtsnormen, wird ein engerer Bereich von Möglichkeiten vorgewählt, innerhalb dessen sich dann Entscheidungsprozesse sinnvoll-selektiv orientieren können. Strukturen reduzieren die äußerste Komplexität der Welt auf einen stark verengten und vereinfachten Bereich von Erwartungen, die als Verhaltensprämissen vorausgesetzt und normalerweise nicht hinterfragt werden[3]. Sie beruhen also immer auf *Täuschungen*, nämlich auf Täuschung über

1 Die juristischen Prozeßlehren würden ein solches Problem der Verarbeitung von Enttäuschungen und ihrer möglichst bruchlosen Einfügung in den kontinuierlichen Strom gegenwärtigen Erlebens nicht stellen, zumindest nicht als prinzipielles soziales Problem stellen. Sie gehen davon aus, daß das Recht schon feststeht und daß eine Enttäuschung zu Lasten dessen geht, der falsch erwartet hatte, und von ihm zu verwinden ist. Dabei wird vorausgesetzt, daß es möglich ist, den einzelnen in seiner Schuld, falsch erwartet zu haben, sozial zu isolieren. Daß dies nötig ist und wie dies möglich ist – das sind soziologische Probleme, die man nur stellen kann, wenn man Strukturen im allgemeinen und Rechtsnormen im besonderen als problematische Selektion ansieht.

2 Zum Zusammenhang dieses Gedankens mit einer allgemeinen Theorie des sozialen Systems vgl. auch Niklas Luhmann: Soziologie als Theorie sozialer Systeme, Kölner Zeitschrift für Soziologie und Sozialpsychologie 19 (1967), S. 615–644 (623 ff.).

3 Im Unterschied zum üblichen Strukturbegriff, der *ontisch* definiert wird durch eine Eigenschaft, nämlich *Konstanz*, ist dieser Strukturbegriff *funktional* definiert durch eine Leistung, nämlich *Selektivität*. Ein ähnlicher Strukturbegriff ist für den Bereich der Psychologie ausgearbeitet worden von Wendell R. Garner: Uncertainty and Structure as Psychological Concepts, New York–London 1962.

die wirkliche Komplexität der Welt[4], insbesondere über das wirkliche Handlungspotential der Menschen, und sie müssen deshalb auf Enttäuschungen eingerichtet sein. Enttäuschungen lassen sich nicht wirksam ausschließen, aber Erwartungen können gleichwohl ziemlich enttäuschungsfest stabilisiert werden[5], wenn feststeht, daß die Erwartungen »trotzdem weitergelten werden« und dem Erwartenden Regeln für sein Verhalten im Enttäuschungsfalle an die Hand gegeben werden. Strukturen – und so auch positives Recht – sind mithin keineswegs beliebige Sinnentwürfe ins Ungewisse; sie können nur stabilisiert und institutionalisiert werden, wenn sie durch wirksame, sozial gestützte Regeln für die Bewältigung von Enttäuschungen untermauert sind.

Eine Regulierung von Enttäuschungen wird um so wichtiger, wenn die Komplexität der Systeme und ihres Umweltverständnisses wächst, wenn also die Zahl der Alternativen zunimmt, die in der Umwelt gesehen oder im System aktiviert werden können. Dann wächst nämlich zugleich der Enttäuschungseffekt, der mit jeder Sinnfestlegung verbunden ist, die Zahl der Neins, die jedes Ja impliziert. Die Mechanismen, die Enttäuschungen regulieren und entschärfen und dadurch indirekt Strukturen stabilisieren, müssen dann entsprechend leistungsfähiger werden, und das heißt vor allem: nach spezifischen Funktionen differenziert werden.

Für den Umgang mit Enttäuschungen gibt es, ganz im groben gesehen, zwei funktional äquivalente Strategien: das *Abarbeiten der Enttäuschung* in Bahnen, die der Struktur nicht schaden, und

4 Siehe dazu die Passage, mit der Kenneth Burke, A Grammar of Motives, Neudruck Cleveland–New York 1962, S. 59, das Kapitel über »Scope and Reduction« einleitet: »Men seek for vocabularies that will be faithful *reflections* of reality. To this end, they must develop vocabularies that are *selections* of reality. And any selection of reality must, in certain circumstances, function as a *deflection* of reality.«

5 Vgl. hierzu das viel diskutierte Experiment von Lloyd G. Humphreys: The Acquisition and Extinction of Verbal Expectations in a Situation Analogous to Conditioning, Journal of Experimental Psychology 25 (1939), S. 294–301, mit dem Ergebnis, daß unsichere, enttäuschungsgefaßte Erwartungen stabiler sind als sichere Erwartungen, die bei der ersten Enttäuschung zusammenbrechen. Einen Überblick über die daran anschließende Forschung findet man bei Ralph M. Stogdill: Individual Behavior and Group Achievement, New York 1959, S. 59 ff.

das *Umlernen der Erwartungen*, die Modifikation der Struktur. Beide Strategien beruhen, obwohl funktional äquivalent, auf entgegengesetzten Einstellungen, die nicht ohne weiteres kombinierbar sind[6]. Für das Verwinden von Enttäuschungen ist nämlich die Suche nach Sicherheit in einer offenen, unbestimmt gewordenen Situation bezeichnend, also sofortige Bemühung um Reduktion der Komplexität. Beim Lernen kommt es dagegen, jedenfalls zunächst, auf Suche nach Alternativen an, also auf Steigerung der Komplexität, und das ist nur auf dem Boden einer sicheren Situation möglich. In hinreichend komplexen und differenzierten Systemen können beide Mechanismen trotzdem nebeneinander eingesetzt werden – aber nur, wenn es gelingt, Situationen und Rollen für das eine bzw. andere Verhalten hinreichend zu trennen.

Für das Abarbeiten von Enttäuschungen sind eine Vielzahl von Symbolen und Prozessen der Erlebnisverarbeitung erforderlich, die teils kombiniert, teils alternativ bewirken, daß die Enttäuschung die Struktur nicht erschüttert. Dazu gehören vor allem: eine Regelung der *Zurechnung* der Enttäuschung in dem Sinne, daß nicht der Erwartende, sondern der Handelnde die Schuld an der Diskrepanz bekommt; ferner plausible *Erklärungen* des enttäuschenden Verhaltens – sei es durch Beziehung auf überirdische Kräfte, von denen der Handelnde »besessen« ist, sei es durch moralisch bösen Willen, sei es durch quasiwissenschaftlich festgestellte, soziale oder psychische Faktoren wie Klassen- oder Rassenzugehörigkeit, Minderwertigkeitskomplexe, Triebverdrängungen, Angstdefensiven; weiter *Ausdrucksmöglichkeiten* für das Festhalten an der Erwartung trotz Enttäuschung, vor allem durch Mißbilligung, Entrüstung, Sanktionierung; schließlich Möglichkeiten der *Abreaktion von Gefühlen* der Unsicherheit, die aus der latenten Strukturbedrohung entspringen: Man muß Entrüstung oder Sanktion übertreiben kön-

6 Vgl. Niklas Luhmann: Normen in soziologischer Perspektive. Soziale Welt 20 (1969), im Druck. Auf psychologischer Ebene fragt Cyril Sofer: The Organization From Within: A Comparative Study of Social Institutions Based on a Sociotherapeutic Approach, Chicago 1962 (Erstausgabe London 1961), insbes. S. 145 ff., nach der Möglichkeit, Enttäuschungserklärungen und Änderungsbereitschaften zu kombinieren. Auch das erfordert sicher hohe Komplexität und relativ bewußte Selbststeuerung des psychischen Systems und seiner Angstbewältigung.

nen, um darin nicht nur eine Bestätigung der gefährdeten Erwartung, sondern zugleich auch eine Wiederherstellung der gefährdeten Struktur zu finden.

All diese Mechanismen stehen zur Stabilisierung der offiziellen Struktur des sozialen Systems zur Verfügung und helfen über strukturwidrig-enttäuschendes Verhalten hinweg. Sie werden *gegen* den Rechtsbrecher eingesetzt oder gegen den, von dem sich herausstellt, daß er Unrecht hatte. Man muß jedoch auch an die Enttäuschung derer denken, die den Kampf ums Recht verlieren. Sie hatten normativ erwartet, hatten also die Entschlossenheit gezeigt, nicht zu lernen, und müssen nun doch lernen. Ihre enttäuschten Erwartungen finden keine gesellschaftliche Stütze und Ermutigung mehr. Die Verlierer müssen ihre Enttäuschung durch ein gleichsam privates Assortiment von Strategien bewältigen – eine ungleiche Verteilung von Chancen, die das Dominieren der Systemstruktur sicherzustellen sucht, aber wenig Lernhilfe bietet. Die eigentlichen Lernprozesse des Rechts finden an ganz anderer Stelle statt.

Symbole und Prozesse, die der Beschwichtigung von Enttäuschungen dienen, schränken die Variabilität der verteidigten Struktur ein. Sie sind dazu bestimmt, gewisse Grundlagen des Erwartens der Problematisierung, ja jeder Frage zu entziehen, und daher kaum geeignet, eine Modifikation der Struktur durch Lernprozesse auf seiten des Erwartenden einzuleiten. Keine der historisch bekannten Gesellschaften hat dieses Problem des strukturellen Lernens von dem der Enttäuschungsbewältigung trennen und als eine besondere Art der Stabilisierung durch Variation lösen können; alle haben sich, mehr oder weniger ausschließlich, auf Mechanismen der Abreaktion von Enttäuschungen verlassen und allenfalls latent gelernt. Um strukturelles Lernen und Umlernen von Erwartungen zu institutionalisieren, ist mindestens zweierlei erforderlich: die Organisation enttäuschungsloser und daher gefühlsfreier Lernprozesse zur strukturellen Anpassung des Systems (und nicht nur zur Tradierung von Wissen auf andere Generationen) und die Organisation eines Umlernens von Erwartungen, das frühere Erwartungen nicht diskreditiert. Beide Bedingungen eines normalisierten und entlasteten Lernens lassen sich nur außerhalb des Bereichs jener Prozesse verwirklichen, in denen Enttäuschungen verarbeitet werden[7]. In dem Maße, als Erwartungen faktisch auf dem Wege enttäuschungsfreien Lernens umstrukturiert werden können, nimmt der soziale Druck ab, der auf Enttäuschungssituationen lastet.

Erst durch die volle Positivierung des Rechts und die Umgestaltung des Gesetzgebungsvorganges zu einer normalen, permanent laufenden verfahrensmäßig geregelten politischen Arbeit im 19. Jahrhundert sind auf der Ebene des politischen Systems der Gesellschaft die Voraussetzungen für strukturelle Variation geschaffen worden[8]. Das politische System kann sich dadurch lernend auf die Gesellschaft als seine nähere Umwelt einstellen. In eins damit wurden die wichtigsten Teilsysteme der Gesellschaft formal organisiert und dadurch ebenfalls umprogrammierbar, also lernfähig eingerichtet. Es scheint, daß diese wesentliche Errungenschaft, die die strukturierenden Wirkungen des Rechts in bisher ungekanntem Maße gesteigert hat, sehr wesentlich auf einer Differenzierung von Verfahren für Rechtsetzung und Rechtsanwendung beruht.

Die Ergebnisse unserer Überlegungen zum Problem der Legitimation durch Verfahren stützen diese Hypothese jedenfalls in wesentlichen Hinsichten. Die Verfahren für Rechtsanwendung sind nicht unter dem Gesichtspunkt von Lernmöglichkeiten ausgestaltet. Sie dienen mehr der Ableitung und Verkleinerung von Enttäuschungen, indem sie streitende Parteien mit Möglichkeiten legitimer, aber kanalisierter Aggressivität ausstatten und den Verlierer dann isolieren, so daß *seine* Enttäuschung folgenlos bleibt. Der Lerneffekt ist gering zu veranschlagen. Das gilt für die Erwartungen der Betroffenen, aber auch für die von Juristen gegenwärtig so hoch eingeschätzte »richterliche Rechtsfortbil-

7 Ganz neu und entsprechend unsicher sind denn auch die theoretischen Versuche, den Begriff des Lernens auf soziale Systeme anzuwenden und nach den Bedingungen der Lernfähigkeit sozialer Systeme (im Unterschied zu psychischen Systemen) zu fragen. Vgl. etwa Karl W. Deutsch: The Nerves of Government. Models of Political Communication and Control, New York–London 1963, S. 94 ff.; Vincent Cangelosi/William R. Dill: Organizational Learning. Observations Toward a Theory, Administrative Science Quarterly 10 (1965), S. 175–203.

8 Vgl. hierzu auch Niklas Luhmann: Gesellschaftliche und politische Bedingungen des Rechtsstaates. In: Studien über Recht und Verwaltung, Köln–Berlin–Bonn–München 1967, S. 81–102.

dung«. Gewiß gibt es Fälle, in denen Richterrecht soziologisch treffende Strukturänderungen herbeigeführt hat, die sich in der Fallpraxis aufdrängten[9]. Im allgemeinen aber stehen im Rechtsanwendungsprozeß weder die Mittel zur Prüfung von Alternativen, Wahrscheinlichkeiten und Folgenverkettungen[10] noch die Freiheiten zur Konstruktion prinzipieller Alternativen oder Neuansätze zur Verfügung[11]. Richterliche Rechtsfortbildung ist politisch eine Verlegenheitslösung, die aus vielerlei Gründen, zum Beispiel aus dem Ruhebedürfnis nach komplexen Kodifikationen oder aus der Überlastung oder aus dem Schlechtfunktionieren der eigentlich politischen Entscheidungsprozesse sich immer wieder als unentbehrlich herausstellt und insofern kompensierende Funktionen erfüllt.

Wichtiger als diese ist jedoch eine andere Entlastung der politischen und rechtsetzenden Entscheidungsprozesse. Durch die rechtsanwendenden Verfahren werden Enttäuschungen und Proteste in Einzelfällen weitgehend abgefiltert und politisch unwirksam gemacht. Es ist entschieden eine Ausnahme, wenn Einzelfälle ein Politikum werden; sie müssen dann schon symptomatische Bedeutung für etwas Allgemeineres besitzen. Gewiß ist es niemandem verwehrt, wegen eines rechtskräftig gewordenen Verwaltungsaktes oder eines verlorenen Prozesses eine andere Partei zu wählen oder seinen Unmut auf andere Weise politisch abzureagieren. Um politisch wirksame Forderungen zu stellen

9 Das gilt zum Beispiel für die Umstellung einiger Bereiche des Haftungsrechts von personalem Verschulden auf Sicherheit als Kriterium, eine Entwicklung, die soziologisch im wesentlichen auf die zunehmende Verunsicherung der sozialen Definition von Gefahren zurückzuführen sein dürfte. Zur Rechtsentwicklung siehe Josef Esser: Grundlage und Entwicklung der Gefährdungshaftung, München–Berlin 1941. Wesentliche Aufschlüsse hierzu verdanke ich einem unveröffentlichten Manuskript von Dr. Horst Reinicke.

10 Das sehen natürlich Autoren deutlicher, die nicht Juristen sind oder sich aus der juristischen Betrachtungsweise weitgehend gelöst haben. Siehe z. B. Torstein Eckhoff/Knut Dahl Jacobsen: Rationality and Responsibility in Administrative and Judicial Decision-Making, Kopenhagen 1960; oder Geoffrey Vickers: The Art of Judgment. A Study of Policy Making, London 1965, S. 91.

11 Als rechtspolitische Gegenentwürfe zum sich entwickelnden Richterrecht, die dies verdeutlichen sollen, siehe Franz Becker/Niklas Luhmann: Verwaltungsfehler und Vertrauensschutz. Möglichkeiten gesetzlicher Regelung der Rücknehmbarkeit von Verwaltungsakten, Berlin 1963; und Niklas Luhmann: Öffentlich-rechtliche Entschädigung rechtspolitisch betrachtet, Berlin 1965.

und Einfluß nehmen zu können, muß er jedoch frisch Luft holen, ja überhaupt als ein anderer auftreten. Die politisch wirksamen Kommunikationskanäle sind auf Verfahren bezogen, die aufs Zentrum wirken und daher auf generalisierende Interessen abgestellt sind. Sie sollen zudem die beiden Voraussetzungen für strukturelle Anpassung erfüllen, die oben genannt wurden: unvorbelastete, enttäuschungsfreie Prüfung von Alternativen ermöglichen und die geltenden Entscheidungsprogramme in ihrer Geltung nicht diskreditieren. Sie können deshalb nicht unmittelbar wie eine Art von weiterem Rechtszug an diejenigen Verfahren angeschlossen werden, die die Enttäuschungen des Einzelfalls regulieren.

Bezieht man in dieser Weise Fragen der Enttäuschungsbehandlung und des Lernens in die Erörterung ein, wird die rein normimmanente (rechtswissenschaftlich-exegetische) Betrachtungsweise des Rechts gesprengt. Das hat wichtige Konsequenzen für die Bestimmung des Verhältnisses von Recht und Legitimität und eröffnet in dieser seit dem Zusammenbruch des Naturrechts unlösbar erscheinenden Frage neue Perspektiven. Die heute vorherrschende Auffassung trennt Rechtsgeltung und Legitimität durch die Kluft zwischen Sein und Sollen. Legitimität ist ihr lediglich der *faktische* Glaube an die Richtigkeit und Werthaftigkeit bestimmten Sollens, nicht aber eine immanente Qualität des Sollens selbst, ohne welche es nicht gesollt sein kann. Dabei wird unverständlich, weshalb das reine Sollen solchen Glaubens überhaupt bedarf. Legitimität des Rechts erscheint als eine wünschenswerte, praktisch wichtige, aber äußerliche Zutat[12]. Für die soziologische Analyse ist es dagegen möglich, auch den Begriff des Sollens noch auf seine Funktion hin zu befragen und ihn als Chiffre für sehr komplexe soziale Mechanismen zu erkennen, die Verhaltenserwartungen enttäuschungsfest stabilisieren und dadurch Strukturen garantieren. Die Vorstellung des Sollens dient gleichsam als Kürzel für all die Prozesse, die es ermöglichen, an Verhaltenserwartungen festzuhalten, auch wenn sie im Einzelfall unerfüllt bleiben. Sie

12 Zum Stand der Diskussion siehe Hans Welzel: An den Grenzen des Rechts. Die Frage nach der Rechtsgeltung, Köln–Opladen 1966.

ermöglicht in formelhafter Kürze eine soziale Verständigung in dieser Absicht. Die Sollgeltung wird auf ein klares Entweder/Oder gebracht, weil es notwendig ist zu entscheiden, ob man die Verhaltenserwartung im Enttäuschungsfalle festhalten will oder nicht. Wenn die Erwartung kontrafaktisch behauptet wird, bekommt sie Sollqualität, andernfalls wird sie als rein kognitive und lernbereite Vorzeichnung künftigen Geschehens behandelt[13]. Die Dichotomie von Sollen und Sein hat ihren Grund in dieser Entscheidungssituation des Enttäuschungsfalles, nicht in unergründlich-absoluten Prinzipien des Weltaufbaus.

Diese Überlegung erhellt eine unvermeidliche Doppelsinnigkeit des Problems normativer Geltung, die man nicht auflösen, sondern nur in ihrer Funktion durchschauen kann: Soziale Prozesse der Enttäuschungsbehandlung und des Lernens sind in aller Normierung von Verhaltenserwartungen vorausgesetzt, können jedoch im normierten Sinn nicht reflektiert werden. Sie sind vorausgesetzt, weil sollsicheres, kontrafaktisches Erwarten nur durchhaltbar ist, wenn die Zukunft so strukturiert ist, daß geklärt werden kann, wer seine Erwartungen festhalten kann und wer sie ändern muß und wenn für diese Regelung mit Sicherheit Konsens beschafft werden kann. Die Geltung des Rechts hängt vom Funktionieren dieser legitimierenden Prozesse ab. In den geltenden Sinn der Rechtsnormen kann diese Abhängigkeit jedoch nicht als Bedingung der Geltung aufgenommen werden, weil dies die als Entscheidungsgrundlage unerläßliche Entweder/Oder-Struktur auflösen würde. Eine Erwartung kann nicht in dem Maße gelten, als es gelingt, Enttäuschungsverarbeitung und Lernprozesse in ihrem Sinne zu verwirklichen, denn diese Prozesse setzen ihrerseits Entschiedenheit der Sollgeltung voraus. Der normierende Erwartungsanspruch ist und bleibt von legitimierenden Prozessen abhängig, muß sich aber als unabhängig von ihnen verstehen. Im Erlebnishorizont des Erwartenden tauchen deshalb die faktisch legitimierenden Prozesse nicht auf. Der Erwartende beruft sich statt dessen auf »höhere Normen« oder »absolute Werte«, denen eigentlich jedermann zustimmen müßte,

13 Zu dieser Unterscheidung Johan Galtung: Expectations and Interactions Processes, Inquiry 2 (1959), S. 213–234.

und glaubt, die legitime Geltung seiner Erwartung allein von daher zu beziehen. In dieser Begründung kommt jedoch, wie man in Anlehnung an eine Formulierung Durkheims[14] sagen könnte, nicht die Realität der Moral zum Ausdruck, sondern lediglich die Art und Weise, wie der Moralist sich die Moral vorstellt.

14 Vgl. Emile Durkheim: De la division du travail social. 2. Aufl., Paris 1902, S. 7.

3. *Funktionale Differenzierung*

Daß das Grundproblem von Struktur und Enttäuschung von sehr komplexen politischen Systemen in verschiedenartigen Verfahren bearbeitet werden kann und muß, ist ein Fall von funktionaler Differenzierung. Nur durch Spezifizierung auf bestimmte, engere Funktionen läßt sich erreichen, daß das Verhalten von zu vielseitiger, widerspruchsvoller Beanspruchung (etwa: Enttäuschungen verwinden *und* Lernen) entlastet und dadurch in einer spezifischen Leistung gesteigert wird.

Diese Überlegungen lassen sich anknüpfen an die seit Spencer, Simmel und Durkheim in der Soziologie weit verbreitete Theorie funktionaler Differenzierung sozialer Systeme[1]. Als Differenzierung im allgemeinen läßt sich jede Steigerung der Komplexität eines Systems durch Untersystembildung bezeichnen. Eine funktionale Differenzierung liegt vor, wenn die Untersysteme nicht als gleiche Einheiten nebeneinandergesetzt, sondern auf spezifische Funktionen bezogen und dann miteinander verbunden werden. Die leistungssteigernden Vorteile funktionaler Differenzierung liegen auf der Hand. Daß sie durch bestimmte Schwierigkeiten und Folgeprobleme bezahlt werden müssen, ist stets gesehen, aber auf sehr verschiedene Weise begriffen worden, etwa als Notwendigkeit der Koordination bei jeder Arbeitsteilung, als Steigerungszusammenhang von Differenzierung und Integration, Differenzierung und Autonomie der Teilsysteme, Spezifizierung und Generalisierung oder auch als unvermeidliche Diskrepanz von Struktur und Funktion, die bei stärkerer Differenzierung zunimmt. Neuerdings mehren sich die Anzeichen dafür, daß Differenzierung kompensierende Leistungen weniger in konstrastierenden Prinzipien als vielmehr in eben-

1 Siehe als klassische Darstellungen Herbert Spencer: The Principles of Sociology, 2 Bde. (zit. nach den Ausgaben Bd. I London 1885, Bd. II London 1893), und: The Study of Sociology, London 1874; Georg Simmel: Über sociale Differenzierung, Leipzig 1890; Emile Durkheim: De la division du travail social, Paris 1893. Als neuere Darstellung siehe namentlich Talcott Parsons: Introduction to Part Two. In: Talcott Parsons/Edward Shils/Kaspar D. Naegele/Jesse R. Pitts (Hrsg.): Theories of Society, Glencoe Ill. 1961, Bd. 1, S. 239–264.

falls funktionsspezifischen, leistungssteigernden Mechanismen sehr verschiedener Art gesucht werden[2].

Ordnet man in diesen Theoriebereich unsere Analysen der verschiedenen Verfahrensarten ein, wird deren Differenzierung als solche zum Thema. Dadurch fällt neues Licht sowohl auf den Systemcharakter und die allgemeine Struktur von Verfahren schlechthin als auch auf Sinn und Zusammenhang der einzelnen Verfahrensarten. Der Systemcharakter von Verfahren, ihre relative Autonomie der Informationsbearbeitung, ihre Eigenkomplexität und die unterschiedliche Typisierung verschiedener Verfahrensformen haben den Sinn, für das politische System die Vorteile funktionaler Differenzierung zu gewinnen.

Unsere Untersuchung hatte sich auf vier Verfahrensarten erstreckt: auf die politische Wahl, die Gesetzgebung, die Entscheidungsprozesse der Verwaltung und die Gerichtsverfahren. Diese Verfahren unterscheiden sich primär nach dem Ausmaß an Komplexität, das sie übernehmen und abarbeiten, und in zweiter Linie nach ihren Reduktionstechniken, nach ihrem Output und nach ihrer Stellung zum Legitimitätsproblem.

Politische Wahl und Gesetzgebung sind Verfahren mit sehr hoher Komplexität und entsprechend geringem Rationalitätsgrad. Sie bieten mehr Möglichkeiten, Themen politisch zu generalisieren, Gleichgesinnte zu finden und Probleme trotz Entscheidung als unabgeschlossen zu behandeln. Sie sind in diesem Sinne labil. Sie erfordern, eben deshalb, ein nur schwaches Engagement der nicht hauptberuflich Beteiligten und erleichtern dadurch das Umlernen. Zur Reduktion ihrer hohen Komplexität benutzen sie eine mehr oder weniger weitgehende Trennung von dargestelltem Verfahren und faktischem Entscheidungsprozeß und arbeiten in erheblichem Umfange mit devianten Motiven und Entscheidungstechniken.

2 Siehe beispielsweise die Theorie der Steuerungssprachen bei Talcott Parsons: Die jüngsten Entwicklungen in der strukturell-funktionalen Theorie, Kölner Zeitschrift für Soziologie und Sozialpsychologie 16 (1964), S. 30–49, oder den Begriff der »performance« bei Fred W. Riggs: Administrative Development. An Elusive Concept. In: John D. Montgomery/William J. Siffin (Hrsg.): Approaches to Development. Politics, Administration and Change, New York–London–Sydney–Toronto 1966, S. 225–255. Vgl. ferner Niklas Luhmann: Reflexive Mechanismen, Soziale Welt 17 (1966), S. 1–23.

Verfahren der verwaltungsmäßigen Entscheidung und Gerichtsverfahren sind in all diesen Hinsichten prinzipiell entgegengesetzt gebaut. Ihre Komplexität ist durch Programmierung der Entscheidungsprämissen verringert und bestimmt worden. Daher kommen Herstellung und Darstellung des Entscheidens hier eher, wenn auch nie ganz, zur Deckung; und den Betroffenen kann eine rollenmäßige Beteiligung am ganzen Verfahren eröffnet werden, die sie zur Spezifizierung und Isolierung ihrer Interessen führt. Das wird im Gerichtsverfahren erreicht und tritt im Verwaltungsverfahren zurück, wenn dieses die legitimierende Funktion abstreift und sich ganz auf Entscheidungsfindung konzentriert.

Im Zusammenhang und als Differenzierung gesehen, leisten diese Verfahren eine *Verteilung der Komplexität des politischen Systems auf verschiedene Reduktionsmechanismen.* Das politische System einer Gesellschaft kann hohe Eigenkomplexität und damit die Fähigkeit, die unüberblickbare Vielzahl rasch fluktuierender Probleme der Gesellschaft zur Entscheidung zu bringen, sich nur erhalten, wenn es die damit verbundene Last der Selektion verteilt. Eine Instanz, und selbst eine Hierarchie, könnte nur relativ wenig Information aufnehmen, könnte nur wenig Widersprüche und Konflikte absorbieren und würde recht primitiv entscheiden. *Ein* Verfahren wäre *kein* Verfahren, denn seine Ausdifferenzierung als System hätte keinen Sinn. Komplexe Systeme müssen ein Zusammenspiel verschiedenartiger Mechanismen institutionalisieren, die unter je verschiedenen Bedingungen operieren, verschiedenen Rationalitätskriterien unterliegen und unterschiedliche Motive in ihren Dienst stellen, die sich in ihren Bedingungen jedoch wechselseitig voraussetzen und dadurch integriert werden. In dem Maße, als inhaltlich-homogene Orientierungen aufgegeben werden, Divergenzen sich entfalten und nur noch sehr abstrakte Funktionsprämissen, etwa das wechselseitige Anerkennen der Ergebnisse der Einzelprozesse, das System koordinieren, kann das Potential für Komplexität wachsen. In einer solchen Ordnung wird es sinnvoll und schließlich notwendig, Teilprozesse in der Form von Verfahren zu konstituieren. Denn damit wird das Erforderliche geleistet: Eine Ausdifferenzierung relativ autonomer Entscheidungskontexte, die sich unter je verschiedenen Relevanzgesichtspunkten eigene Komplexität aufbauen und reduzieren.

Bei genauerem Zusehen läßt sich in der Verteilung der Komplexität auf verschiedene, funktional spezifizierte Verfahren eine zeitliche und eine sachliche Ordnung erkennen, die beide der Integration des Gesamtsystems dienen.

Zeitlich gehen die politische Wahl der Gesetzgebung, diese der Verwaltungsentscheidung und Gesetzgebung oder Verwaltungsentscheidung dem Gerichtsverfahren voraus. Erst muß, mit anderen Worten, die hohe und unbestimmte politische Komplexität des Systems in die Form von Personen-in-Ämtern oder von Programmen-in-Geltung gegossen sein; dann kann die Arbeit an richtigen Fallentscheidungen beginnen. Die Fallentscheidungen können ihrerseits, müssen aber nicht in die laufende Politik zurückgemeldet werden und bilden dann wieder Anstoß für politische Verfahren. In dieser Zeitordnung werden die verschiedenen Verfahren nicht im Hinblick auf einen gemeinsamen Zweck als komplementäre Mittel koordiniert, sondern lediglich dadurch, daß der Output des einen als Input des anderen in Betracht kommt. Die Differenzierung des Gesamtsystems kommt in dieser Zeitfolge darin zum Ausdruck, daß die Entscheidung eines Verfahrens im nächsten nur mehr wie eine Tatsache behandelt, also pauschal übernommen und nicht nochmals erarbeitet oder kontrolliert wird[3]; und die Integration kommt dadurch zustande, daß diese Ergebnisübernahme erfolgt und die Verfahren nicht etwa unverbunden nebeneinander herlaufen.

Sachlich ist die Verteilung der Komplexität dadurch geordnet, daß sie auf zwei Ebenen der Generalisierung stattfindet: allgemein durch Unterscheidung von Verfahrenstypen und in diesem Rahmen durch Einleitung von Einzelverfahren eines bestimmten Typs. Die Typenfestlegung erfolgt durch Institutionalisierung der Möglichkeit, Verfahren einzuleiten, und durch

3 Wenn solche Kontrollen ausnahmsweise doch stattfinden – etwa in der Form einer richterlichen Kontrolle der Gesetzgebung oder einer politischen Kritik der Justiz –, liegt die Problematik auf der Hand: Die Kontrollmaßstäbe müssen dann ihrerseits künstlich eingeschränkt werden, damit die Verantwortung nicht übergeht. Andernfalls bricht die funktionale Differenzierung der Verfahren zusammen, und das System vereinfacht sich.

Festlegung generell geltender Merkmale. Sie enthält noch keine Vorentscheidung darüber, wie viele Verfahren dieses Typs neben- oder nacheinander stattfinden werden und mit welcher konkreten Thematik, läßt also die zeitliche und sachliche Anwendungsbreite offen. Sie wird erst in einem zweiten Entscheidungsgang von Fall zu Fall konkretisiert.

Entsprechend müssen Differenzierung und Integration auf zwei verschiedenen Ebenen gesehen werden: Die Unterscheidung und die wechselseitige Anerkennung der Verfahrenstypen als Bestandteile des politischen Systems werden generell institutionalisiert in Abstraktion von der Interessenlage, die Einleitung und Durchführung eines Verfahrens im Einzelfall bestimmt; die konkrete Koordination durch die beschriebene Übernahme von Output als Input erfolgt dagegen von Fall zu Fall. Durch diese Trennung verschiedener Ebenen der Differenzierung und Integration wird für das Verhalten im Einzelfall eine gewisse Wahlfreiheit und damit eine *begrenzte Mobilität der Verfahrensverknüpfungen* geschaffen: Das Gesetzgebungsverfahren hängt zwar von dem der politischen Wahl ab, aber nicht so, daß in der Wahl schon entschieden würde, wer für welche Gesetze stimmt; vielmehr wird darüber erst im einzelnen Gesetzgebungsverfahren mitentschieden, und erst dadurch entscheidet sich, wieweit die Wahl überhaupt praktisch relevant wird bzw. die Gewählten zu wirkungsloser Opposition verurteilt. Ebensowenig ist das einzelne Gesetzgebungsverfahren mit bestimmten Verwaltungs- oder Gerichtsverfahren invariant gekoppelt, was auf eine Verschmelzung zu einem Verfahren hinauslaufen würde; vielmehr wird erst im Einzelfall durch die Verwaltungsbehörde oder das Gericht entschieden, welches Gesetz angewandt wird. Die Reihenfolge, in der der Gesetzgeber mit einem Verfahren nach dem anderen Bedürfnisse der Gesellschaft zu befriedigen sucht, braucht deshalb auch gar nicht koordiniert zu werden mit der Reihenfolge, in der Gerichte über Klagen entscheiden. Dasselbe gilt schließlich für die Rückverbindung der politischen Wahl mit der Entscheidungspraxis des Systems. Der Wähler entscheidet, ob und welche Entscheidungen des Gesetzgebers, der Verwaltungsbehörden oder der Gerichte er im Wege der Wahl sanktionieren will. Durch ihre allgemeine Formentypik sind die Verfahren zwar aneinander gebunden, aber nur in der Form eines allgemeinen Schemas, das die Variation der konkreten Verknüpfung nicht verhindert, sondern ermöglicht. Die Trennung verschiedener Ebenen der Generalisierung hat genau diesen Sinn, Zusammenhänge zwar allgemein sicherzustellen, aber ihre Verwirklichung auf den Einzelfall zu vertagen, dessen konkrete Konstellation nicht mehr voraussehbar ist. Dank solcher strukturell eingebauter Freiheiten kann die Komplexität des Systems über das hinauswachsen, was an sinnvollen Aktionszusammenhängen vorausgesehen werden kann.

Funktionale Differenzierung ermöglicht es einem System, verschiedenartige Prozesse nebeneinander einzurichten, die nicht in einem Verhaltenskontext zusammengefaßt werden könnten. So kann das System nicht nur die Vorteile der Spezialisierung von Fähigkeiten gewinnen, sondern auch Widerspruchsvolles nebeneinander geschehen lassen, kann unter entgegengesetzten Prämissen zugleich operieren und dadurch die Zahl seiner Handlungsmöglichkeiten, seine Komplexität, steigern. Die Vorteile eines Auseinanderziehens von Prozessen des Lernens und der Enttäuschungsbearbeitung, die sich durch Differenzierung von Verfahren gewinnen lassen, hatten wir bereits kennengelernt. Daß man den Volksvertretern, die man wählt, auch gehorcht, ist ein weiteres Beispiel. Ohne Differenzierung von Verfahren wäre es nicht möglich, für ein regelmäßiges Auswechseln der Machthaber durch die ihnen Unterworfenen zu sorgen. Demokratie hängt von Differenzen ab. Das gleiche gilt für die Positivierung des Rechts, die darauf angewiesen ist, daß man abänderbare Normen als feststehend behandeln kann. Auch Legitimation kommt in stark differenzierten, sehr komplexen politischen Systemen auf diese widerspruchsvolle Weise zustande. Sie beruht einmal auf einem Mechanismus der Distanzierung vom Geschehen der Programmierung mit diffuser, symbolisch vermittelter Vergemeinschaftung der Miterlebenden; zum anderen kommt sie in den programmausführenden Gerichtsverfahren durch handlungsmäßige Einbeziehung, Rollenübernahme und soziale Isolierung des einzelnen zustande. Die fraglose Sicherheit, mit der in hochentwickelten Gesellschaften verbindliche Entscheidungen des politischen Systems abgenommen werden und die

Erwartungen effektiv umstrukturieren, scheint in hohem Maße darauf zu beruhen, daß beide Mechanismen nebeneinander und, trotz ihrer Gegensätzlichkeit, in bezug aufeinander funktionieren können.

4. Trennung sozialer und personaler Systeme

Von der funktionalen Differenzierung sozialer (oder auch anderer) Systeme zu unterscheiden sind Systemtrennungen, die durch die Konstituierung relativ autonomer, Grenzen setzender Systeme erforderlich werden, die aber nicht mehr in einem übergreifenden System aufgehoben und integriert, sondern nur noch durch den gemeinsamen Horizont der Welt zusammengefaßt werden. Die moderne Systemtheorie bietet die Möglichkeit, soziale und personale (das heißt: durch eine individuelle Persönlichkeit integrierte) Handlungssysteme zunächst einmal analytisch zu trennen und dann zu fragen, ob und wieweit und durch welche Strukturen und Prozesse diese Trennung in bestimmten Gesellschaften durchgeführt wird[1].

Trennung sozialer und personaler Systeme kann natürlich nicht dinglich-konkret vollzogen werden in dem Sinne, daß einmal das soziale System und ein anderes Mal das personale System handelte. Sie bedeutet auch nicht Isolierung im Sinne einer Negation wechselseitiger Beeinflussung. Gemeint ist nur, daß es im Sinn des Handelns Aspekte gibt, die entweder einem sozialen System oder dem personalen System, aber nicht beiden zugleich, zugerechnet werden und daß, wenn dies so ist, die Reaktionen

1 Wie in der Soziologie ist natürlich auch in der Psychologie die Systemtheorie umstritten. Keineswegs alle Psychologen würden ihr Forschungsfeld durch eine Theorie personal integrierter Handlungssysteme definieren. Als Beispiele für diese Auffassung siehe etwa P. G. Herbst: Situation Dynamics and the Theory of Behavior Systems, Behavioral Science 2 (1957), S. 13–29; Merton Gill: The Present State of Psychoanalytic Theory, The Journal of Abnormal and Social Psychology 58 (1959), S. 1–8; O. J. Harvey/David E. Hunt/Harold M. Schroder: Conceptual Systems and Personality Organization, New York–London 1961; ferner vor allem Soziologen und Sozialpsychologen, die auf diese Weise das Verhältnis der Persönlichkeit zu ihrer sozialen Umwelt zu begreifen suchen, z. B. James S. Plant: Personality and the Cultural Pattern, New York–London 1937; Talcott Parsons: An Approach to Psychological Theory in Terms of the Theory of Action. In: Sigmund Koch (Hrsg.): Psychology. A Study of a Science, Bd. III, New York–Toronto–London 1959, S. 612–711; ders.: Social Structure and Personality, New York–London 1964; Chris Argyris: The Integration of the Individual and the Organization. In: Chris Argyris u. a.: Social Science Approaches to Business Behavior, Homewood Ill. 1962, S. 57–98.

entsprechend differenziert werden müssen. Wenn zum Beispiel eine Frau im Schlachterladen Wurst kauft, gehören Sinnelemente ihres Handelns in das soziale System ihrer Familie, die sie versorgt, und in das soziale System des Ladens im weiteren Rahmen des Wirtschaftssystems der Gesellschaft, die zum Beispiel institutionalisiert hat, daß man um Preise nicht feilscht. Der Stil ihres Auftretens, das Maß ihrer Kritik an der Ware, vielleicht die Wahl der Worte und Menge und vor allem alles abweichende und störende Verhalten werden dagegen ihrer individuellen Persönlichkeit zugerechnet. Für alle Beteiligten an einer solchen Szene ist es wichtig, daß sie erlebten Sinn richtig auf Systeme zurechnen können, weil sie sonst zu falschen Erwartungen und unverständlichen Reaktionen kommen, etwa ein sozial festgelegtes Verhalten persönlich umzumotivieren suchen oder mit persönlichen Vorwürfen bedenken[2].

Die Notwendigkeit solcher Systemtrennungen und die entsprechenden Anforderungen an das Verhalten wachsen mit zunehmender Komplexität der Gesellschaft. Soziale Differenzierung führt, das ist allgemein anerkannt, zur Individualisierung der Persönlichkeiten. Der einzelne erlebt sein Handeln als durch so viele und immer wieder wechselnde soziale Systeme beansprucht, daß er eine einigermaßen konsistente, praktisch durchführbare Handlungsabfolge nur noch als Persönlichkeit zusammenbringt. Er braucht ein Integrationsprinzip jenseits der sozialen Systeme. Umgekehrt sind die sozialen Systeme jetzt darauf angewiesen, strukturkonformes, erwartbares Handeln sehr verschiedener Individuen sicherzustellen, also sich von individuellen Motivkonstellationen weitgehend unabhängig zu machen. Zwischen soziale und personale Systeme müssen daher generalisierende Transformatoren und Mechanismen wechselseitiger Indifferenz dazwischengeschaltet werden, die einerseits persönliche Motivierungen neutralisieren und andererseits soziale Determination so weit abbremsen, daß der einzelne genug Spielraum hat, um eine persönliche Verhaltenslinie zu entwickeln[3].

2 Vgl. dazu die Bemerkungen über Sichtbarkeit von Systemgrenzen oben S. 43.

3 Von diesem Grundgedanken aus kann vor allem das Phänomen zunehmender *Organisation* aller Sozialsysteme begriffen werden. Siehe Niklas Luhmann: Funktionen und Folgen formaler Organisation, Berlin 1964.

Aus Gründen, die hier nicht im einzelnen dargelegt werden können, ist der Soziologie das Begreifen dieser Lage schwergefallen[4]. Das begriffliche Instrumentarium für ihre Analyse steht mit der Systemtheorie und, in begrenzterem Umfange, mit dem Rollenbegriff bereit. An einzelnen Stellen hat vor allem unbefangene empirische Forschung den Sinn solcher Trennfunktionen gegen ein herrschendes Vorurteil erkennbar gemacht[5]. Viele andere Forschungsbereiche sind jedoch immer noch von der undifferenzierten Vorstellung beherrscht, es sei zu begrüßen, wenn der einzelne sich aus freien Stücken in das soziale Ganze einfüge und die Überzeugungen anderer teile; nur sei das leider oft nicht der Fall.

Definiert man Legitimität in der üblichen Weise durch die Verbreitung der Überzeugung von der Geltung oder der Richtigkeit der staatlichen Entscheidungen, ist man in Gefahr, dieses Vorurteil für Konformität zu zementieren; zumindest kann man es schlecht in Frage stellen. Es ist aber gerade die Frage, ob hohe Konformität der Meinungen nicht gleichbedeutend ist mit geringer Komplexität der Systeme, mit wenig Alternativen und entsprechend hohen Bestandsrisiken. Man muß bezweifeln, ob ein hochkomplexes politisches System, wie wir es in modernen

4 Eines der Hindernisse lag in der Art, wie die Trennung sozialer und personaler Systeme als »Entfremdung« problematisiert wurde, so als ob eine Wiederverschmelzung wünschenswert wäre, – eine Auffassung, die ihrerseits in der Unfähigkeit wurzelte, Widersprüche als sinnvoll und stabilisierbar zu erkennen. Ebenso verfehlt ist eine zweite dem 18. und 19. Jahrhundert entstammende Tendenz, das Verhältnis sozialer und personaler Systeme durch den Gegensatz von Zwang und Freiheit zu bestimmen.

5 Vielleicht am weitesten fortgeschritten ist die Wahlforschung mit der Einsicht, daß Apathie positive Funktionen haben kann – so etwa Bernard R. Berelson/Paul F. Lazarsfeld/William N. McPhee: Voting. A Study of Opinion Formation in a Presidential Campaign, Chicago 1954, S. 314 ff., speziell unter dem Gesichtspunkt des Akzeptierens der Entscheidung. Auch in der Organisationssoziologie nimmt das Interesse an Desinteresse zu bis zu der Einsicht in positive Funktionen der Indifferenz. Siehe z. B. Elliott Jaques: The Changing Culture of a Factory, London 1951, S. 302 ff., über »adaptive segregation«; Robert Dubin: Industrial Workers' World. A Study of the »Central Life Interest« of Industrial Workers, Social Problems 3 (1956), S. 131–142; Chris Argyris: Personality and Organization. The Conflict between System and the Individual, New York 1957, insbes. S. 89 ff.; David L. Sills: The Volunteers. Means and Ends in a Rational Organization, Glencoe Ill. 1957, S. 18 ff.; Robert Presthus: The Organizational Society. An Analysis and a Theory, New York 1962, S. 205 ff.

Industriegesellschaften typisch beobachten können, seine Stabilität noch aus einem Grundbestand fester, allgemein verbreiteter Rechtsüberzeugungen gewinnen kann, die eine gleichartige Motivlage voraussetzen; ober ob es seine Bestandsfestigkeit nicht gerade der Heterogenität und dem Fluktuieren individueller Meinungen verdankt. Manches spricht in der Tat dafür, daß die Umstellung von der einen auf die andere Basis bereits weit fortgeschritten ist. Wenn dem so ist, kommt es darauf an, diejenigen Strukturen und Prozesse zu erkennen, die Variabilität in Stabilität transformieren.

Hält man eine solche Transformation für ausgeschlossen, weil auf Flugsand nicht sicher gebaut werden könne, verstellt man sich die Möglichkeit, das Thema Legitimation durch Verfahren angemessen zu behandeln. Daß Sein und Nichtsein sich ausschließen, daß aus Nichtseiendem nicht Seiendes, aus Unsicherem nichts Sicheres werden könne, daß Wahrheit richtige Vorstellung des Seienden sei und dadurch verbindlich sei – solche Denkvoraussetzungen stehen hinter der klassischen Verfahrenstheorie, hinter dem üblichen Legitimitätsbegriff und hinter dem Konformitätsideal. Geht man davon aus, lassen Verfahren sich allenfalls als Mittel der Wahrheitsfindung rechtfertigen, aber legitimieren tut nur die Wahrheit selbst, denn sie allein steht fest und kann alle überzeugen.

In Wirklichkeit ist jedoch in den schon wirkenden Institutionen ein ganz anderes Denken impliziert. Die moderne Gesellschaft hat einen Grad der Komplexität erreicht, durch den früher Unmögliches möglich wird und dann auch gedacht werden muß. Ein politisches System kann, wenn es nur selbst hinreichend komplex organisiert ist, in seinen Verfahren also jeweils genug Alternativen erzeugen und reduzieren kann, dafür Vorsorge treffen, daß seine Entscheidungen durchgehend als verbindlich akzeptiert werden; es kann soziale Erwartungen damit effektiv umstrukturieren und in diesem Sinne sich selbst legitimieren[6]. Dazu ist keineswegs universeller Konsens, volle Gleich-

6 Zur Unvorstellbarkeit solcher »autojustificación« im Rahmen des klassischen Denkens und zu der dann unvermeidlichen Absicherung im Naturrecht sei nochmals hingewiesen auf Luis Legaz y Lacambra: Legalidad y legitimidad, Revista de Estudios Politicos 101 (1958), S. 5–21.

schaltung oder gar totale Politisierung der Gesellschaft erforderlich. Auf diesen Ausweg verfällt man, wenn man die klassischen Prämissen beibehält und auf eine ihnen längst entwachsene Wirklichkeit anwendet. Das oft bemerkte Umschlagen demokratischer in totalitäre Ideale hat dann eine bestechende Konsequenz, wenn Wahrheit politisches Ziel bleibt und Konformität Wahrheit beweist. Unter anderen Prämissen lassen sich jedoch auch politische Systeme denken, die keine volle Herrschaft über ihre Umwelt benötigen, um sich zu legitimieren[7]. Sie konstituieren sich durch Ausdifferenzierung aus einer gesellschaftlichen Umwelt, die sie als übermäßig komplex und im einzelnen weder planbar noch beherrschbar voraussetzen. Sie stellen sich auf diese Komplexität ein, indem sie die eigene Komplexität erhöhen. Die Reduktion dieser Eigenkomplexität (im Unterschied zu derjenigen der Gesellschaft) können sie steuern durch eine Kombination verschiedenartiger Verfahren, die in funktionaler Differenzierung zugleich eine politische Anpassung des Systems an seine Umwelt und eine administrative und justizielle Anpassung der Umwelt an das System zu erreichen suchen. Ein solches System hat hohe Chancen dadurch, daß es eigene Entscheidungsmöglichkeiten ausnutzt, zugleich Erwartungen seiner Umwelt zu ändern. Gelingt ihm das effektiv, legitimiert es sich durch Verfahren.

7 Hierzu auch Niklas Luhmann: Soziologie des politischen Systems, Kölner Zeitschrift für Soziologie und Sozialpsychologie 20 (1968), S. 705–733.

Sachregister